a VIOLONCELISTA

DANIEL Silva

a VIOLONCELISTA

Tradução
André Gordirro

Rio de Janeiro, 2022

Título original: *The cellist*

Diretora editorial: *Raquel Cozer*
Gerente editorial: *Alice Mello*
Editores: *Lara Berruezo e Victor Almeida*
Assistência editorial: *Anna Clara Gonçalves e Camila Carneiro*
Copidesque: *Anna Beatriz Seilhe*
Revisão: *André Sequeira e Rodrigo Austregésilo*
Capa: *Osmane Garcia*
Diagramação: *Abreu's System*

Dados Internacionais de Catalogação na Publicação (CIP)
(Câmara Brasileira do Livro, SP, Brasil)

Silva, Daniel
A violoncelista / Daniel Silva ; tradução André Gordirro. – Rio de Janeiro, RJ : HarperCollins Brasil, 2022.

Título original: The cellist.
ISBN 978-65-5511-296-2

1. Ficção norte-americana I. Título.

22-101555 CDD-813

Índices para catálogo sistemático:
1. Ficção : Literatura norte-americana 813
Eliete Marques da Silva - Bibliotecária - CRB-8/9380

Rua da Quitanda, 86, sala 218 – Centro
Rio de Janeiro, RJ – CEP 20091-005
Tel.: (21) 3175-1030
www.harpercollins.com.br

Para os agentes da Polícia do Capitólio dos Estados Unidos e
do Departamento de Polícia Metropolitana de Washington
que defenderam nossa democracia no dia 6 de janeiro de 2021.

E, como sempre, para minha esposa, Jamie,
e meus filhos, Lily e Nicholas.

Cleptocracia: *um órgão governante ou ordem de ladrões.*

— Dicionário Oxford de Inglês

Na Rússia, poder é riqueza, e riqueza é poder.

— Anders Åslund, *Russia's Crony Capitalism*

Estrasburgo
ALEMANHA
FRANÇA
Basileia
Zurique
Erlenbach
Neuchâtel
Berna
Lucerna
Féchy
Lausanne
SUÍÇA
Gênova
Chambéry
Courchevel
Maciço de
la Vanoise
ITÁLIA
Turim
FRANÇA
50 km
0
50 uni.
MAR
MEDITERRÂNEO

Parte Um

◇◇◇◇◇◇◇◇◇◇◇◇◇◇◇◇◇◇◇◇◇

MODERATO

I

JERMYN STREET, ST. JAMES'S

Sarah Bancroft invejava as almas afortunadas que acreditavam controlar os próprios destinos. Para elas, a vida não era mais complicada do que andar de metrô. Inserir o bilhete na catraca e descer na estação correta — Charing Cross ao invés de Leicester Square. Sarah nunca concordou com essas baboseiras. Sim, a pessoa podia se preparar, podia se esforçar, podia fazer escolhas, mas, no fim das contas, a vida era um jogo elaborado de providência e probabilidade. Lamentavelmente, tanto em questões de trabalho quanto de amor, ela demonstrava uma incrível falta de noção sobre a hora certa de agir. Sarah estava sempre um passo adiante ou um passo atrás. Ela perdia muitos metrôs. Várias vezes, embarcava na composição errada, quase sempre com resultados desastrosos.

Sua última mudança de carreira parecia se encaixar neste padrão azarado. Após se estabelecer como uma das mais notáveis curadoras de museus em Nova York, decidiu se mudar para Londres e assumir a gestão diária da Isherwood Fine Arts, uma fornecedora de obras de qualidade de antigos mestres italianos e holandeses desde 1968. E sua chegada foi seguida rapidamente pela eclosão de uma pandemia mortal. Mesmo o mundo da arte, que atendia aos caprichos dos super-ricos globais, não estava imune à devastação do contágio. Quase da noite para o dia, os negócios da galeria degringolaram para algo próximo a uma parada cardíaca. Se o telefone chegava a tocar, geralmente era um comprador ou seu representante ligando para desistir de uma venda. Desde a versão musical em West End de *Procura-se Susan desesperadamente*, declarou a amarga mãe de Sarah, Londres não assistia a uma estreia menos auspiciosa.

A Isherwood Fine Arts já tinha visto tempos difíceis antes — guerras, ataques terroristas, crises do petróleo, colapsos de mercado, casos de amor desastrosos — e, ainda assim, de alguma forma, sempre tinha conseguido sobreviver. Sarah havia trabalhado na galeria por um breve período, quinze anos antes, enquanto servia como agente clandestina da Agência Central de Inteligência (CIA). A operação foi um empreendimento conjunto Estados Unidos-Israel, dirigida pelo lendário Gabriel Allon. Com a ajuda de um Van Gogh perdido, ele colocou Sarah na comitiva de um bilionário saudita chamado Zizi al-Bakari e ordenou que ela encontrasse o mentor terrorista escondido nela. A vida de Sarah nunca mais foi a mesma.

Quando a operação terminou, ela passou vários meses se recuperando em um esconderijo da agência na região de criação de cavalos da Virgínia do Norte. Depois disso, trabalhou no Centro de Contraterrorismo da CIA em Langley. Também participou de várias operações conjuntas americano-israelense, todas sob o comando de Gabriel. A inteligência britânica estava ciente do passado de Sarah e de sua presença em Londres — o que não era nada surpreendente, pois ela atualmente dividia a cama com um agente do MI6 chamado Christopher Keller. Em geral, um relacionamento como o deles era proibido, mas no caso de Sarah foi feita uma exceção. Graham Seymour, o diretor-geral do MI6, era um amigo pessoal, assim como o primeiro-ministro Jonathan Lancaster. De fato, não muito depois de sua chegada a Londres, Sarah e Christopher tiveram um jantar confidencial na residência oficial do premier.

Com exceção de Julian Isherwood, proprietário da galeria que levava seu nome, os habitantes do mundo da arte de Londres não sabiam sobre nada disso. No que dizia respeito aos colegas e concorrentes de Sarah, ela era a bela e brilhante historiadora da arte americana que iluminou o mundo deles por um breve período em um inverno sombrio, havia muito tempo, apenas para descartá-los por gente como Zizi al-Bakari, que ele descanse em paz. E agora, depois de uma viagem tumultuada pelo mundo secreto, ela havia retornado, provando assim seu ponto de vista a respeito de providência e probabilidade. Finalmente, Sarah pegou o trem certo.

Londres a recebeu de braços abertos e com poucas perguntas. Ela mal teve tempo de colocar a papelada em dia antes que o vírus invadisse a cidade. Sarah o contraiu no início de março na Feira Europeia de Belas Artes, em Maastricht, e prontamente infectou Julian e Christopher. O primeiro passou quinze dias terríveis no University College Hospital. Sarah foi poupada dos piores sintomas, mas enfrentou um mês de febre, fadiga, dor de cabeça e falta de ar que a dominavam cada vez que saía da cama. Não foi surpresa que Christopher tenha escapado ileso e assintomático. Sarah o puniu obrigando-o a lhe fazer todas as vontades. De alguma forma, o relacionamento dos dois sobreviveu.

Em junho, Londres despertou do lockdown. Após três testes negativos para o vírus, Christopher voltou ao trabalho em Vauxhall Cross, a sede do MI6, mas Sarah e Julian esperaram até o dia do solstício de verão antes de reabrir a galeria. Ela ficava em uma rua sem saída tranquila de paralelepípedos e comércio conhecida como Mason's Yard, entre a sede de uma pequena empresa de navegação grega e um pub, que nos dias inocentes anteriores à peste era frequentado por lindas secretárias que andavam de scooters. No andar superior havia uma gloriosa sala de exposição inspirada na famosa galeria de Paul Rosenberg em Paris, onde Julian passara muitas horas felizes quando criança. Sarah e ele dividiam um escritório amplo no segundo andar com Ella, a recepcionista atraente, porém inútil. Durante a primeira semana de volta aos negócios, o telefone tocou apenas três vezes. Ella deixou que todas as três chamadas caíssem na secretária eletrônica. Sarah informou a ela que seus serviços, ruins como eram, não seriam mais necessários.

Não havia sentido em contratar uma substituta. Os especialistas alertavam a respeito de uma segunda onda cruel quando o tempo esfriasse, e os lojistas de Londres foram aconselhados a esperar mais lockdowns impostos pelo governo. A última coisa que Sarah precisava era de outra boca para alimentar. Ela, então, decidiu não desperdiçar o verão. Venderia uma pintura, qualquer pintura, mesmo que isso a matasse.

Encontrou uma, quase por acidente, ao fazer um inventário do número catastrófico de obras não vendidas nos depósitos lotados de Julian: *A tocadora de alaúde*, óleo sobre tela, 152 por 134 centímetros, talvez do início do período Barroco, bastante danificada e suja. O recibo original e os registros de envio ainda estavam guardados nos arquivos de Julian, junto com uma cópia amarelada da procedência. O proprietário conhecido mais antigo era um conde Fulano de Tal de Bolonha, que em 1698 vendeu o quadro ao príncipe Beltrano de Liechtenstein, que por sua vez vendeu ao barão Sicrano de Viena, onde permaneceu até 1962, quando *A tocadora de alaúde* foi adquirido por um negociante em Roma, que acabou passando para Julian. A pintura havia sido atribuída de várias formas à escola italiana, a um seguidor de Caravaggio, e, de maneira mais promissora, ao círculo de Orazio Gentileschi. Sarah teve um palpite. Ela mostrou a obra ao erudito Niles Dunham, da National Gallery, durante o período de três horas que Julian reservava diariamente para o almoço. Niles aceitou sem muita convicção a missão dada por Sarah, dependendo de um exame técnico adicional utilizando raio-x e reflectografia de infravermelho. Ele então se ofereceu para comprar o quadro de Sarah por oitocentas mil libras.

— Vale cinco milhões, até mais.

— Não durante a "Peste Bubônica".

— É o que veremos.

Normalmente, uma obra recém-descoberta de um artista importante seria trazida ao mercado com grande alarde, especialmente se o artista tivesse passado por um aumento recente de popularidade devido à sua história pessoal trágica. Mas, dada a atual volatilidade do mercado — sem contar o fato de que esta pintura havia sido *descoberta* em sua galeria —, Julian decidiu que uma venda privada seria mais apropriada. Ele ligou para vários de seus clientes mais confiáveis e não conseguiu fisgar ninguém. Nesse momento, Sarah discretamente entrou em contato com um colecionador bilionário que era amigo de um amigo. Ele manifestou interesse e, após várias reuniões, com distanciamento social, em sua residência em Londres, os dois chegaram a um preço satisfatório. Sarah exigiu uma entrada de um milhão de libras, em parte para cobrir o custo da restauração, que seria extensa. O colecionador pediu que ela fosse à casa dele às oito da noite para receber o cheque.

Tudo isso explicava, de certa forma, por que Sarah Bancroft, em uma noite chuvosa de quarta-feira no fim de julho, estava sentada em uma mesa de canto no bar do Wilton's Restaurant em Jermyn Street. O clima no salão era incerto; os sorrisos, forçados; as risadas, estrondosas, mas de certa forma falsas. Julian estava encostado no fim do bar. Com seu terno de uma das alfaiatarias de Savile Row e abundantes cabelos grisalhos, ele era uma figura bastante elegante, embora duvidosa, uma aparência que o próprio descrevia como depravação digna. Ele olhava para seu Sancerre e fingia ouvir alguma coisa que Jeremy Crabbe, o diretor do departamento de Mestres Antigos da casa de leilões Bonhams, murmurava animadamente em seu ouvido. Amelia March, da *ARTNews*, prestava atenção em uma conversa entre Simon Mendenhall, o leiloeiro-chefe parecido com um manequim da Christie's, e Nicky Lovegrove, consultor de arte para os escandalosamente ricos. Roddy Hutchinson, considerado o negociante mais inescrupuloso de toda Londres, puxava a manga do rechonchudo Oliver Dimbleby. Mas Oliver parecia não notar, pois estava apalpando a belíssima ex-modelo que agora possuía uma galeria de arte moderna bem-sucedida em King Street. A caminho da porta, ela jogou um beijo decoroso para Sarah com aqueles lábios carnudos perfeitos. Sarah tomou um gole de seu martíni com três azeitonas e sussurrou:

— Vadia.

— Eu ouvi isso!

Felizmente, foi apenas Oliver. Enfiado em um terno cinza justo, ele flutuou em direção à mesa de Sarah como um balão de barragem e se sentou.

— O que você tem contra a adorável srta. Watson?

— Os olhos dela. As maçãs do rosto. O cabelo. Os peitos. — Sarah suspirou. — Devo continuar?

Oliver acenou com a mãozinha rechonchuda em um gesto de desdém.

— Você é muito mais bonita do que ela, Sarah. Nunca esquecerei a primeira vez que vi você caminhando pela Mason's Yard. Quase parou meu coração. Se não me falha a memória, fiz papel de bobo naquela época.

— Você me pediu em casamento. Várias vezes, na verdade.

— Minha oferta ainda está de pé.

— Estou lisonjeada, Ollie. Mas infelizmente é impossível.

— Eu sou velho demais?

— De jeito algum.

— Gordo demais?

Sarah beliscou a bochecha rosada dele.

— Está na medida certa, na verdade.

— Então, qual é o problema?

— Estou envolvida.

— Em quê?

— Num relacionamento.

Ele parecia não estar familiarizado com a palavra. Os encontros românticos de Oliver raramente duravam mais do que uma ou duas noites.

— Você está falando daquele sujeito que dirige o Bentley chamativo?

Sarah tomou um gole do drinque.

— Qual é o nome dele, desse seu namorado?

— Peter Marlowe.

— Parece inventado.

Por bons motivos, pensou Sarah.

— O que ele faz da vida? — disparou Oliver.

— Você consegue guardar segredo?

— Minha querida Sarah, tenho mais segredos sujos armazenados na minha cabeça do que o MI5 e o MI6 juntos.

Ela se inclinou sobre a mesa.

— Ele é um assassino profissional.

— Sério? Trabalho interessante, não é?

Sarah sorriu. Não era verdade, claro. Fazia tempo que Christopher tinha trabalhado como matador de aluguel.

— Ele é a razão pela qual você voltou para Londres? — sondou Oliver.

— Uma das razões. A verdade é que senti uma saudade enorme de todos vocês. Até de você, Oliver. — Ela verificou a hora no telefone. — Ai, que inferno! Você seria um amor e pagaria a minha bebida? Estou atrasada.

— Em troca de quê?

— Comporte-se, Ollie.

— Por que eu iria querer me comportar? É tão chato.

Sarah se levantou e, piscando para Julian, saiu para a Jermyn Street. A chuva caiu torrencialmente de repente, mas logo um táxi veio a seu socorro. Ela esperou até que estivesse segura dentro do veículo antes de dar ao motorista o endereço de seu destino.

— Cheyne Walk, por favor. Número 43.

2

CHEYNE WALK, CHELSEA

Como Sarah Bancroft, Viktor Orlov acreditava que a vida deveria ser vivida sem a ajuda de um mapa. Criado em um apartamento sem calefação compartilhado por três famílias em Moscou, ele se tornou um multibilionário por meio de uma combinação de sorte, determinação e táticas implacáveis que até seus defensores descreveram como inescrupulosas, quando não criminosas. Orlov não escondeu o fato de que era um predador e um barão ladrão. Na verdade, ele usava esses rótulos com orgulho. "Se eu tivesse nascido inglês, eu poderia ter ganhado meu dinheiro de forma honesta", disse ele com desdém a um entrevistador britânico, após fixar residência em Londres. "Mas eu nasci russo. E ganhei uma fortuna russa."

Na verdade, Viktor Orlov não nasceu cidadão da Rússia, mas da União Soviética. Matemático brilhante, frequentou o prestigioso Instituto de Mecânica de Precisão e Ótica de Leningrado e depois desapareceu no programa de armas nucleares soviéticas, onde projetou mísseis balísticos intercontinentais de múltiplas ogivas. Mais tarde, quando questionado por que havia ingressado no Partido Comunista, admitiu que era apenas por motivos de progressão na carreira. "Creio que eu poderia ter me tornado um dissidente", acrescentou ele, "mas o gulag nunca me pareceu um lugar muito atraente."

Como integrante da elite mimada, Orlov testemunhou a decadência do sistema soviético por dentro e sabia que era apenas uma questão de tempo até que o império desmoronasse. Quando o fim chegou, ele renunciou à filiação ao Partido Comunista e jurou enriquecer. Em poucos anos, Orlov ganhou uma fortuna considerável importando computadores e outros produtos ocidentais para o incipiente mercado russo. Em seguida, usou essa fortuna para adquirir a maior empresa siderúrgica estatal da Rússia e a Ruzoil, a gigante do petróleo siberiana. Em pouco tempo, tornou-se o homem mais rico da Rússia.

Mas na Rússia pós-soviética, uma terra sem Estado de Direito, a fortuna de Orlov o tornou um homem marcado. Ele sobreviveu a pelo menos três atentados contra sua vida e, segundo rumores, mandou matar vários homens em retaliação. Mas a maior ameaça para Orlov viria do homem que sucedeu Boris Yeltsin como presidente. Ele acreditava que Viktor Orlov e os outros oligarcas haviam roubado os bens mais valiosos do país, e sua intenção era tomá-los de volta. Depois de se instalar no Kremlin, o novo comandante convocou Orlov e exigiu duas coisas: sua siderúrgica e a Ruzoil. "E mantenha seu nariz fora da política", acrescentou ele, em tom ameaçador. "Caso contrário, eu o cortarei."

Orlov concordou em abrir mão de seus interesses siderúrgicos, mas não da Ruzoil. O presidente não achou graça e ordenou que os promotores públicos abrissem uma investigação de fraude e suborno. Em uma semana, foi emitido um mandado de prisão. Orlov fugiu para Londres, onde se tornou um dos maiores críticos do presidente russo. Por vários anos, a Ruzoil permaneceu legalmente imóvel, fora do alcance de Orlov e dos novos senhores do Kremlin. Orlov concordou em entregar a empresa em troca de três agentes de inteligência israelenses mantidos em cativeiro na Rússia. Um dos agentes era Gabriel Allon.

Pela generosidade, Orlov recebeu um passaporte britânico e um encontro privado com a rainha no Palácio de Buckingham. Depois, ele empreendeu em um esforço ambicioso para reconstruir a fortuna perdida, desta vez sob o olhar atento das autoridades regulatórias britânicas, que monitoraram todas as suas transações e os seus investimentos. O império dele, dessa vez, incluía jornais renomados de Londres como o *Independent*, o *Evening Standard* e o *Financial Journal*. Ele também adquiriu o controle acionário da revista investigativa russa *Moskovskaya Gazeta*. Com o apoio financeiro de Orlov, o semanário se tornou novamente o órgão de imprensa independente de maior destaque da Rússia e uma pedra no sapato dos homens do Kremlin.

Como consequência, Orlov vivia cada dia sabendo que os formidáveis serviços de inteligência da Federação Russa planejavam matá-lo. Sua nova limusine Mercedes-Maybach estava equipada com recursos de segurança reservados para os carros oficiais de presidentes e primeiros-ministros, e sua casa na histórica Cheyne Walk, em Chelsea, era uma das mais protegidas de Londres. Um Range Rover preto ficava parado junto ao meio-fio, com os faróis apagados. Lá dentro, quatro guarda-costas, todos ex-comandantes das forças de elite do Serviço Aéreo Especial, contratados por uma discreta empresa de segurança privada sediada em Mayfair. O que estava atrás do volante levantou a mão em reconhecimento quando Sarah desceu da parte de trás do táxi. Evidentemente, ela era esperada.

A casa de número 43 era alta, estreita e coberta de glicínias. Como suas vizinhas, era recuada e ficava atrás de uma cerca de ferro forjado. Sarah andou apressada pelo caminho no meio do jardim sob o abrigo insuficiente oferecido pelo guarda-chuva compacto. O toque da campainha produziu um som ressonante, mas não houve resposta. Ela apertou o botão uma segunda vez e nada.

Normalmente, uma empregada teria atendido à porta. Mas Viktor, um notório misófobo mesmo antes da pandemia, cortou a carga horária da equipe doméstica para reduzir as chances de contrair o vírus. Eterno solteirão, ele passava a maioria das noites no escritório do terceiro andar, às vezes sozinho, geralmente com a companhia de mulheres inadequadamente jovens. As cortinas brilhavam com a luz da luminária. Sarah imaginou que Viktor estivesse em uma ligação. Pelo menos, era o que ela pensava.

Sarah tocou a campainha pela terceira vez e, não obtendo resposta, colocou o dedo indicador no leitor biométrico ao lado da porta. Viktor havia adicionado a impressão digital dela ao sistema, certamente com a esperança de que o relacionamento deles pudesse continuar após a venda do quadro ser concluída. Um sinal eletrônico informou que a leitura da digital havia sido aceita. Sarah digitou sua senha pessoal — era idêntica à que ela usava na galeria —, e as fechaduras se abriram.

Ela fechou o guarda-chuva, girou a maçaneta e entrou. O silêncio era absoluto. Chamou o nome de Viktor, mas não houve resposta. Então, Sarah atravessou o saguão de entrada, subiu a grande escadaria e chegou ao terceiro andar. A porta do escritório de Viktor estava entreaberta. Ela bateu. Sem resposta.

Sarah o chamou e entrou no cômodo. Era uma réplica exata do gabinete particular da Rainha em seu apartamento no Palácio de Buckingham — exceto pela parede de monitores de alta definição que exibia noticiários financeiros e dados de mercados do mundo inteiro. Viktor estava sentado atrás da mesa, com o rosto voltado para o teto, como se estivesse imerso em pensamentos.

Quando Sarah se aproximou da mesa, ele não fez movimento algum. Diante de Viktor estava o receptor do telefone fixo, uma taça de vinho tinto pela metade e uma pilha de documentos. A boca e o queixo estavam cobertos de espuma branca, e havia vômito na frente da camisa social listrada. Sarah não viu um sinal de respiração.

— Ai, Viktor. Santo Deus.

Enquanto estava na CIA, Sarah havia trabalhado em casos envolvendo armas de destruição em massa. Ela reconheceu os sintomas. Viktor tinha sido exposto a um agente nervoso.

Muito provavelmente, Sarah também.

Ela saiu correndo do escritório, com a mão na boca, e desceu correndo a escada. O portão de ferro forjado, o botão da campainha, o leitor biométrico, o teclado: qualquer um deles poderia ter sido contaminado. Os agentes nervosos agiam extremamente rápido. Ela saberia em um ou dois minutos.

Sarah tocou uma última superfície, a maçaneta da porta da frente pesada de Viktor. Lá fora, ergueu o rosto para a chuva que caía e esperou pela primeira onda de náusea reveladora. Um dos guarda-costas desceu do Range Rover, mas Sarah o avisou para não se aproximar. Em seguida, ela tirou o telefone da bolsa e ligou para um número da lista de contatos favoritos. A chamada foi direto para a secretária eletrônica. Como de costume, pensou ela, sua falta de noção da hora certa de agir foi impecável.

— Perdão, meu amor — disse ela, calmamente. — Mas infelizmente devo estar morrendo.

3

LONDRES

Entre as muitas perguntas sem resposta em torno dos acontecimentos daquela noite estava a identidade do homem que telefonou para o número de emergência da Polícia Metropolitana. Uma gravação automática da ligação revelou que ele falava inglês com forte sotaque francês. Mais tarde, especialistas em linguística determinaram que o sujeito provavelmente era um sulista, embora alguém tivesse sugerido que ele vinha da ilha da Córsega. Quando pediram para dizer o nome, o homem desligou abruptamente. O número de seu celular, que não deixou rastros, nunca pôde ser identificado.

As primeiras unidades chegaram ao local — Cheyne Walk número 43 em Chelsea, um dos endereços mais chiques de Londres — apenas quatro minutos depois. Lá foram recebidas por uma visão notável. Uma mulher estava parada no caminho do jardim da elegante casa geminada de tijolos, a poucos passos da porta da frente aberta. Havia um telefone celular na mão direita. Com a esquerda, ela esfregava furiosamente o rosto, que estava erguido na direção da chuva torrencial. Quatro homens robustos em ternos escuros a observavam do lado oposto da cerca de ferro forjado, como se ela fosse uma louca.

Quando um dos policiais tentou se aproximar dela, a mulher gritou para ele parar. Ela então explicou que o proprietário da casa, o financista russo e dono de diversos jornais Viktor Orlov, havia sido assassinado com um agente nervoso, provavelmente de origem russa. A mulher estava convencida de que também havia sido exposta à toxina, daí sua aparência e comportamento. Seu sotaque era americano, o domínio do léxico de armas químicas era completo. Os policiais presumiram que ela tinha experiência em questões de segurança, opinião reforçada por sua recusa em se identificar ou explicar por que tinha ido à casa do sr. Orlov naquela noite.

Mais sete minutos se passaram antes que as primeiras equipes do Centro de Defesa Química, Biológica, Radiológica e Nuclear, com seus trajes verdes, entrassem na casa. No andar de cima, no gabinete, encontraram o bilionário russo sentado à mesa, com as pupilas contraídas, saliva no queixo e vômito na camisa — sinais de exposição a um agente nervoso. A equipe médica não tentou ressuscitá-lo. Parecia que Orlov estava morto havia uma hora ou mais, provavelmente como resultado de asfixia ou parada cardíaca causada por uma perda de controle dos músculos respiratórios do corpo. Os testes preliminares encontraram contaminação no tampo da mesa, na haste da taça de vinho e no receptor do telefone. Não havia prova de contaminação em qualquer outra superfície, incluindo a porta da frente, o botão da campainha ou o leitor biométrico.

Isso sugeriu aos investigadores que o agente nervoso foi introduzido diretamente no gabinete de Orlov por um intruso ou visitante. A equipe de segurança do bilionário disse à polícia que ele recebeu duas ligações naquela noite, ambas de mulheres. Uma foi a americana que descobriu o corpo. A outra era russa — pelo menos, essa foi a suposição dos seguranças. A mulher não se identificou, e Orlov não lhes forneceu um nome. Nada disso era incomum, eles explicaram.

Orlov era reservado por natureza, especialmente quando se tratava de sua vida particular. Ele cumprimentou a mulher calorosamente na porta da frente — todo sorrisos e beijos ao estilo russo — e a acompanhou escada acima até o escritório, onde fechou as cortinas. Ela ficou por uns quinze minutos e saiu sozinha, o que também não era incomum no que dizia respeito ao magnata.

Eram quase dez da noite quando o agente sênior no local relatou suas descobertas iniciais à Scotland Yard. O supervisor do turno ligou para Stella McEwan, a comissária da Polícia Metropolitana, e ela, por sua vez, entrou em contato com o ministro do Interior, que alertou Downing Street. A ligação era desnecessária, pois o primeiro-ministro Lancaster já estava ciente da crise em andamento. Ele havia sido informado quinze minutos antes por Graham Seymour, o diretor-geral do MI6. O primeiro-ministro reagiu às notícias com fúria justificável. Pela segunda vez em apenas dezoito meses, parecia que os russos haviam cometido um assassinato no centro de Londres usando uma arma de destruição em massa. Os dois ataques tiveram pelo menos um elemento em comum: o nome da mulher que descobriu o corpo de Orlov.

— O que em nome de Deus ela estava fazendo na casa do Viktor?

— Uma transação de arte — explicou Seymour.

— Temos certeza de que é só isso?

— Primeiro-ministro?

— Ela não está trabalhando para o Allon de novo, está?

Seymour garantiu a Lancaster que não.

— Onde ela está agora?

— Hospital St. Thomas.

— Ela se expôs?

— Saberemos em breve. Nesse meio-tempo, é fundamental manter o nome dela longe da imprensa.

Por ser um incidente doméstico, os rivais de Seymour no MI5 assumiram a responsabilidade principal pela investigação. Eles se concentraram na primeira das duas ligações femininas de Orlov. Com a ajuda das câmeras de vigilância de Londres, a Polícia Metropolitana já havia determinado que ela chegara à casa de Orlov de táxi às 18h19. Uma análise adicional do vídeo de vigilância estabeleceu que ela havia embarcado no mesmo táxi quarenta minutos antes no Terminal 5 de Heathrow, depois de chegar em um voo da British Airways vindo de Zurique. A Polícia de Fronteira a identificou como Nina Antonova, 42 anos, cidadã da Federação Russa residente na Suíça.

Como o Reino Unido não exigia mais que os passageiros que chegassem preenchessem cartões de desembarque em papel, sua ocupação não estava aparente. Uma simples pesquisa na internet, no entanto, revelou que Nina Antonova trabalhava como repórter investigativa para o *Moskovskaya Gazeta*, o semanário anti-Kremlin de propriedade de ninguém menos que Viktor Orlov. Ela fugiu da Rússia em 2014 depois de sobreviver a um atentado contra a própria vida. De seu posto avançado em Zurique, Antonova desmascarou vários exemplos de corrupção envolvendo integrantes do círculo íntimo do presidente russo. Descrita por si mesma como dissidente, ela aparecia regularmente na televisão suíça como comentarista de assuntos de seu país.

Não era o currículo de um assassino típico do Centro de Moscou. Ainda assim, dado o histórico do Kremlin, estava longe de ser impossível. Certamente, era justificável uma entrevista com a polícia, o mais cedo possível. De acordo com as câmeras de vigilância, ela deixou a residência de Orlov às 18h35 e foi a pé para o Hotel Cadogan, na Sloane Street. Sim, confirmou o recepcionista, uma Nina Antonova havia se registrado no início daquela noite. Não, ela não estava no quarto naquele momento. Antonova deixou o hotel às 19h15, aparentemente para um jantar, e ainda não havia retornado.

As câmeras de segurança do local registraram a saída dela. Com uma cara séria, Antonova entrou no banco de trás de um táxi, chamado por um porteiro com capa de chuva. O carro a deixou não em um restaurante, mas no aeroporto de Heathrow, onde, às 21h45, ela embarcou em um voo da British Airways para Amsterdã. Uma ligação para o celular de Antonova — a Polícia Metropolitana obteve um número no formulário de registro do hotel — não foi atendida. Nesse ponto, Nina Antonova se tornou a principal suspeita do assassinato do financista russo e dono de jornal Viktor Orlov.

Em uma humilhação final, foi Samantha Cooke, do rival *Telegraph*, quem deu o furo de reportagem a respeito do assassinato de Orlov, embora seu relato contivesse poucos detalhes. O primeiro-ministro Lancaster, durante uma aparição perante repórteres do lado de fora do número dez na manhã seguinte, confirmou que o bilionário havia sido morto com uma toxina química ainda não identificada, quase certamente de fabricação russa. Ele não fez menção aos documentos descobertos na mesa de Orlov, ou às duas mulheres que o visitaram na noite do assassinato. Uma parecia ter desaparecido sem deixar vestígios. A outra estava descansando confortavelmente no Hospital St. Thomas. Por isso, o primeiro-ministro estava imensamente grato.

Ela estava encharcada até os ossos quando chegou, tremendo de frio. A equipe de tratamento intensivo não foi informada de seu nome ou profissão, apenas da nacionalidade e da idade aproximada. Eles removeram suas roupas molhadas, enfiaram-nas em uma sacola de risco biológico carmesim e deram um vestido e uma máscara para ela usar. As pupilas reagiram à luz, as passagens nasais estavam desobstruídas. A frequência cardíaca e respiração estavam elevadas.

A mulher estava com náuseas? Não estava. Dor de cabeça? Um pouquinho, admitiu ela, mas provavelmente por causa do martíni que bebeu mais cedo naquela noite. Ela não disse onde.

Sua condição de saúde sugeria que ela havia sobrevivido ilesa à exposição ao agente nervoso. No entanto, para se proteger contra a possibilidade de um início tardio dos sintomas, foram prescritos atropina e cloreto de pralidoxima, ambos administrados por via intravenosa. A atropina secou sua boca e turvou a visão, mas, além disso, a mulher não teve efeitos colaterais graves.

Depois de mais quatro horas de observação, ela foi levada em uma cadeira de rodas para um quarto em um andar superior com vista para o rio Tâmisa. Eram quase quatro da manhã quando ela adormeceu. A agitação na cama deu um susto nas enfermeiras do turno da noite — contrações musculares eram um sintoma de envenenamento por agente nervoso —, mas foi apenas um pesadelo, pobrezinha. Dois agentes uniformizados da Polícia Metropolitana vigiavam do lado de fora da porta, junto com um homem de terno escuro e um fone de ouvido de rádio. Mais tarde, a administração do hospital negaria um boato que se espalhou pela equipe médica de que o agente era do grupo da Polícia Metropolitana responsável por proteger a família real e o primeiro-ministro.

Eram quase dez horas da manhã quando a mulher acordou. Depois de fazer um desjejum leve com café e torradas, foi feita mais uma rodada de exames. As pupilas reagiram à luz, as vias nasais continuavam desobstruídas. Frequência cardíaca, respiração e pressão arterial ainda normais. Parecia, disse o médico, que ela estava fora de perigo.

— Isso significa que posso ir embora?

— Ainda não.

— Quando?

— No final da tarde, no mínimo.

A mulher estava visivelmente desapontada, mas aceitou a ordem sem sequer uma palavra de protesto. As enfermeiras fizeram o possível para deixá-la à vontade, embora todas as tentativas de puxar conversa que fugissem do assunto "condição de saúde" tivessem sido habilmente rejeitadas. Ah, ela era muito educada, mas cautelosa e distante. A mulher passou grande parte do dia assistindo à cobertura do noticiário na televisão a respeito do assassinato do bilionário russo. Aparentemente, ela estava envolvida de alguma forma, mas parecia que Downing Street estava determinada a manter seu papel em segredo. A equipe médica foi avisada para não dizer uma palavra a respeito da mulher à imprensa.

Pouco depois das cinco da tarde, ela recebeu uma ligação no telefone do quarto. Era o Número Dez na linha — o próprio primeiro-ministro, de acordo com uma das telefonistas, que jurou ter ouvido a voz dele. Poucos minutos depois que a conversa terminou, um homem de aparência juvenil com a atitude de um pároco do interior apareceu com uma muda de roupa e uma sacola de produtos de higiene pessoal. Ele escreveu algo ilegível no livro de registro de visitantes e esperou com os policiais no corredor enquanto a mulher tomava banho e se vestia. Depois de um último exame, no qual ela passou com louvor, os médicos concordaram em lhe dar alta. O homem de aparência juvenil pegou o prontuário e instruiu a enfermeira sênior a deletar o prontuário da mulher do sistema de computador. Um momento depois, tanto o arquivo quanto a mulher haviam sumido.

4

HOSPITAL ST. THOMAS, LAMBETH

Um Bentley Continental prateado esperava do lado de fora da entrada principal do hospital, com o motorista encostado tranquilamente no capô. Ele usava um sobretudo da Burberry sobre um terno transpassado da Richard Anderson, comprado na Savile Row. Seu cabelo estava descolorido pelo sol, os olhos eram de um azul brilhante. Sarah abaixou a máscara e beijou a boca do homem, que parecia exibir um sorriso irônico e permanente.

— Você realmente acha isso prudente? — perguntou Christopher.

— Muito.

Ela passou a ponta do dedo indicador pelo furinho no queixo robusto dele. A pele estava esticada e escura. Os anos que Christopher passara morando nas montanhas da Córsega o deixaram com as feições de um homem originário do Mediterrâneo.

— Você parece bem o suficiente para comer — disse Sarah.

— Eles não alimentaram você lá?

— Eu não estava com muito apetite. Não depois de ver Viktor daquele jeito. Mas vamos falar de algo um pouco mais agradável.

— Como o quê?

— Todas as maldades que vou fazer com você quando chegarmos em casa.

Sarah mordeu o lábio inferior, abriu a porta do carona do Bentley e entrou no carro. Pouco depois de se mudar para Londres, ela sugeriu a Christopher que talvez fosse melhor vender o carro e comprar algo um pouco menos ostentoso — um Volvo, por exemplo, de preferência um modelo perua. Agora, acariciada pelo couro acolchoado, ela se perguntou como poderia ter sido tão tola. Um de seus clássicos favoritos saiu do sistema de áudio aveludado. Ela cantou com Chet Baker enquanto eles cruzavam a ponte de Westminster.

Eu me apaixonei apenas uma vez, e teve que ser por você...

O tráfego da hora do rush estava tranquilo. Na margem oposta do Tâmisa, andaimes de construção tornaram a Elizabeth Tower invisível, alterando o horizonte de Londres. Até o famoso mostrador do relógio estava escondido. Nada estava certo no mundo, pensou Sarah. As coisas desmoronaram.

Tudo acontece comigo...

— Eu nunca soube que você tinha uma voz tão bonita — falou Christopher.

— Achei que espiões deveriam mentir bem.

— Eu sou um agente de inteligência. Os espiões são as pessoas que seduzimos para trair seus países.

— Isso não muda o fato de que tenho a pior voz do mundo para cantar.

— Absurdo.

— É verdade, sério. Quando eu estava na primeira série em Brearley, minha professora escreveu um longo tratado no meu boletim a respeito da minha incapacidade de cantar.

— Você sabe o que dizem a respeito de professores.

— Srta. Hopper — disse Sarah, com rancor. — Felizmente, meu pai foi transferido para Londres no ano seguinte. Ele me matriculou na Escola Americana em St. John's Wood, e eu pude deixar aquele episódio para trás.

Ela olhou pela janela, para as calçadas desertas da Birdcage Walk.

— Minha mãe e eu costumávamos dar caminhadas muito longas quando morávamos em Londres. Quando ainda falávamos uma com a outra.

Os Marlboros de Christopher estavam sobre o console central, embaixo de seu isqueiro Dunhill dourado. Sarah hesitou, mas tirou um do maço.

— Talvez você não devesse fumar.

— Você não ouviu? Dizem que mata o coronavírus. — Sarah acendeu o isqueiro e encostou a ponta do cigarro na chama. — Você poderia ter me visitado, sabe?

— O Serviço Nacional de Saúde proíbe todas as visitas a pacientes, exceto em casos de fim de vida.

— Eu fui exposta a um agente nervoso russo. O fim da vida era uma possibilidade concreta.

— Se você quer saber, eu me ofereci para ficar de guarda do lado de fora da sua porta, mas Graham não permitiu. Ele desejou melhoras, por falar nisso.

Christopher ligou a Radio Four a tempo de ouvir o início do *Six O'Clock News*. O assassinato de Viktor Orlov conseguiu substituir a pandemia como a reportagem principal. O Kremlin negou qualquer envolvimento no caso e acusou a inteligência britânica de um complô para desacreditar a Rússia. De acordo com a BBC, as autoridades locais ainda não haviam identificado a toxina usada para assassinar Orlov. Também não tinham determinado como a substância foi parar na casa do bilionário em Cheyne Walk.

— Com certeza você sabe mais do que isso — disse Sarah.

— Muito mais.

— Que tipo de agente nervoso era?

— Infelizmente isso é confidencial, querida.

— Eu também sou.

Christopher sorriu.

— É uma substância conhecida como Novichok. É...

— Uma arma binária desenvolvida pela União Soviética nos anos 1970. Os cientistas que a criaram alegaram que era de cinco a oito vezes mais letal do que o VX, o que a tornaria a arma mais mortal já produzida.

— Já terminou?

— Como os russos colocaram o Novichok no escritório do Viktor?

— Os documentos que você viu na mesa dele estavam cobertos de pó ultrafino de Novichok.

— O que eram os papéis?

— Parecem ser algum tipo de registros financeiros.

— Como eles chegaram lá?

— Ah, sim — falou Christopher. — É aí que as coisas ficam interessantes.

— E você tem certeza — perguntou Sarah, quando Christopher terminou o relato — de que a mulher que foi à casa do Viktor era mesmo Nina Antonova?

— Comparamos uma foto de vigilância dela tirada no Heathrow com uma aparição recente na televisão. O programa de reconhecimento facial determinou que era a mesma mulher. E os guarda-costas do Viktor dizem que ele a cumprimentou como se ela fosse uma velha amiga.

— Uma velha amiga com um lote de documentos envenenados?

— Quando o Kremlin quer matar alguém, geralmente é um conhecido ou sócio que batiza o champanhe. Basta perguntar ao príncipe herdeiro Abdullah, da Arábia Saudita.

— Sem chance disso acontecer. — Eles entraram na Sloane Square. A fachada escura do Royal Court Theatre passou pela janela de Sarah. — Então, qual é a sua teoria? Nina Antonova, uma conhecida repórter investigativa e dissidente declarada, foi recrutada pela inteligência russa para assassinar o homem que salvou sozinho a revista dela?

— Eu disse recrutada?

— Você escolhe a palavra.

Christopher levou o Bentley até a King's Road.

— A opinião tanto de Vauxhall Cross quanto de nossos irmãos do Thames House é que Nina Antonova é uma agente da inteligência russa que se infiltrou na *Moskovskaya Gazeta* anos atrás e ficou esperando a hora certa.

— Como você explica a tentativa de assassinato que a forçou a deixar a Rússia?

— Ação excelente do Centro de Moscou,

Sarah não descartou a teoria imediatamente.

— Há outra possibilidade...

— Qual?

— Ela foi enganada e levou os documentos envenenados para Viktor. Na verdade, dadas as circunstâncias esquisitas de sua fuga de Londres, eu diria que é a explicação mais provável.

— Não havia nada de esquisito nisso. Ela se foi antes mesmo de sabermos seu nome.

— Por que ela se hospedou em um hotel em vez de ir direto para o aeroporto? E por que Amsterdã em vez de Moscou?

— Não havia voos diretos para Moscou àquela hora. Presumimos que ela tenha voado para lá na manhã de hoje com um passaporte limpo.

— Se ela fez isso, já deve estar morta. Francamente, estou surpreso que ela tenha chegado viva ao Heathrow.

Christopher entrou na Old Church Street e seguiu para o norte, em direção a Kensington.

— Achei que os analistas da CIA eram treinados para não tirar conclusões precipitadas.

— Se alguém está tirando conclusões precipitadas, é você e seus colegas do MI5. — Sarah contemplou a brasa do cigarro. — O telefone do Viktor estava fora do gancho quando entrei no escritório. Ele deve ter ligado para alguém antes de morrer.

— Foi para Nina.

— Ah, é?

— Ela estava em seu quarto no Cadogan. Saiu do hotel alguns minutos depois.

— O GCHQ estava monitorando os telefones do Viktor?

— O governo britânico não escuta as comunicações de donos de jornais importantes.

— Viktor Orlov não era um dono de jornal comum.

— E é por isso que ele está morto.

— Você acha que os dois conversaram sobre o quê?

— Se eu tivesse que adivinhar, ele ficou bastante irritado com Nina por envenená-lo.

Sarah franziu a testa.

— Você acredita mesmo que um homem como Viktor desperdiçaria os momentos finais da vida dele dando uma bronca em sua assassina?

— Por que mais ele teria ligado para Nina vinte minutos depois de ela sair da casa dele?

— Para avisá-la que ela seria a próxima.

Christopher entrou no Queen's Gate Terrace.

— Você é muito boa, sabe?

— Para um marchand — comentou Sarah.

— Um marchand com um passado interessante.

— É você que está dizendo.

Christopher estacionou o Bentley em frente a uma casa georgiana da cor de creme de leite integral. Os dois dividiam o dúplex nos dois primeiros andares. O apartamento de cima estava no nome de uma empresa de fachada, registrada nas Ilhas Cayman. Quase cem mil propriedades britânicas de luxo tinham donos secretos, muitas em distritos elegantes de Londres, como Kensington e Knightsbridge. Nem o MI6 era capaz de determinar a verdadeira identidade do vizinho ausente de Christopher.

Ele desligou o motor, mas hesitou antes de abrir a porta.

— Algo errado? — perguntou Sarah.

— Uma luz na cozinha está acesa.

— Você deve ter esquecido de desligá-la quando saiu hoje de manhã.

— Não esqueci. — Christopher enfiou a mão dentro do paletó e tirou uma Walther PPK. — Espere aqui. Não vou demorar.

5

NAHALAL, ISRAEL

Como diretor-geral do Escritório, Gabriel Allon tinha permissão para usar, na maioria das vezes, esconderijos como bem quisesse. No entanto, ele considerava eticamente inaceitável requisitar um esconderijo emprestado com o propósito de tirar sua esposa e seus filhos do apartamento apertado na rua Narkiss, na Jerusalém sob lockdown. A seu pedido, a Governança apresentou uma taxa de aluguel mensal condizente com o mercado. Ele prontamente dobrou o valor e ordenou que o departamento de pessoal do governo deduzisse a quantia de seu salário. Além disso, em nome da transparência total, Gabriel encaminhou cópias de toda a papelada relevante para a Kaplan Street para aprovação. O primeiro-ministro, que estava sendo indiciado por corrupção pública, se perguntou por que tanto excesso de pormenores.

A propriedade em questão não era luxuosa. O bangalô pequeno, usado principalmente para interrogatórios e como abrigo de agentes de campo cujo disfarce fora revelado, estava localizado em Nahalal, um antigo *moshav** no Vale de Jezreel, cerca de uma hora

* Assentamento rural em que cada família mantém a própria fazenda e casa. (N. do T.)

ao norte do Boulevard Rei Saul. Havia poucos móveis, mas eles eram confortáveis, e a cozinha e os banheiros tinham sido reformados recentemente. Havia vacas no pasto, galinhas no galinheiro, vários acres de terra cultivável e um jardim gramado à sombra de eucaliptos. Como o *moshav* era protegido por uma força policial local de elite, segurança não era um problema.

Chiara e as crianças se instalaram no bangalô no fim de março e ali permaneceram depois que o clima agradável da primavera cedeu lugar ao calor do auge do verão. As tardes eram insuportáveis, mas à noite soprava um vento fresco da Alta Galileia. A piscina comunal do *moshav* foi fechada por decreto do governo, e uma onda de infecções no verão tornou impossível sair com outras crianças. Não foi problema — Irene e Raphael se contentaram em passar os dias organizando jogos elaborados envolvendo as galinhas e o rebanho de cabras do vizinho. Em meados de junho, a pele deles estava da cor de café mocha. Chiara besuntava os filhos de protetor solar, mas de alguma forma eles se bronzearam ainda mais.

— A mesma coisa aconteceu com os judeus que fundaram o *moshav* em 1921 — explicou Gabriel. — Raphael e Irene não são mais moradores de cidade mimados. São filhos do vale.

Durante a primeira onda da pandemia, ele esteve ausente na maior parte do tempo. Armado com um novo jato Gulfstream e malas cheias de dinheiro, ele viajou o mundo em busca de ventiladores pulmonares, material de teste e trajes médicos de proteção. Fez a maior parte das compras no mercado clandestino e depois transportou pessoalmente a carga de volta para Israel, de onde foi distribuída para hospitais em todo o país. Quando a notícia dos esforços de Gabriel chegou à imprensa, um colunista influente do *Haaretz* sugeriu que ele considerasse uma carreira na política pós-Escritório. A reação foi tão favorável que muitos formadores de opinião se perguntaram se aquilo era um teste de popularidade.

Gabriel, que achou toda aquela atenção indesejada embaraçosa, emitiu uma declaração oficial rejeitando qualquer interesse em um cargo eleito — o que os mesmos formadores de opinião interpretaram como prova acima de qualquer dúvida de que ele pretendia concorrer ao Knesset* quando seu mandato expirasse. A única questão não resolvida, disseram eles, era sua filiação partidária.

Mas, no início de junho, o Escritório estava mais uma vez envolvido em atividades mais tradicionais. Assustado por novas informações a respeito da determinação de Teerã em construir uma arma nuclear, Gabriel colocou uma grande bomba em uma fábrica de centrífugas em Natanz. Seis semanas depois, em uma operação ousada realizada a mando dos americanos, uma equipe de assassinos do Escritório matou um agente importante da Al-Qaeda no centro de Teerã. Gabriel vazou detalhes do assassinato para um repórter amigável do *New York Times*, nem que fosse para lembrar aos iranianos de que era capaz de entrar no país deles quando quisesse e atacar à vontade.

Apesar do ritmo operacional acelerado do verão, ele costumava chegar a Nahalal a tempo para o jantar. Chiara colocava uma mesa do lado de fora no frescor do jardim, e Irene e Raphael contavam alegremente os detalhes do dia, que invariavelmente eram idênticos aos do dia anterior. Depois, Gabriel os levava para um passeio ao longo das estradas de terra das fazendas do vale e contava histórias de sua infância no jovem estado de Israel.

Ele nasceu no *kibutz* vizinho de Ramat David. Não havia computadores ou celulares, obviamente, nem televisão — os aparelhos de TV só chegaram a Israel em 1966. Mesmo assim, sua mãe não quis um em sua casa, temendo que isso interferisse em seu trabalho. Gabriel explicou aos filhos como costumava ficar sentado aos pés

* Parlamento de Israel. (N. do T.)

dela enquanto a mãe pintava, imitando suas pinceladas em uma tela só dele. Ele não mencionou os números tatuados no braço esquerdo da mãe. Ou as velas acesas em sua casa para os membros da família que não sobreviveram aos campos de concentração. Ou os gritos que ouvia nos outros bangalôs em Ramat David, tarde da noite, quando os demônios chegavam.

Aos poucos, contou aos filhos mais a respeito de si mesmo — um fio aqui, um fragmento acolá, pitadas de verdade misturadas com evasivas sutis, a mentira deslavada ocasional, apenas para protegê-los dos horrores da vida que ele levara. Sim, disse Gabriel, ele tinha sido um soldado, mas não muito bom. Quando deixou as Forças de Defesa de Israel, entrou na Academia de Arte e Design de Bezalel e começou o treinamento formal como pintor. Mas, no fim do ano de 1972, após um ataque terrorista nos Jogos Olímpicos de Munique, Ari Shamron, a quem as crianças chamavam de *saba*,* pediu que Gabriel participasse de uma empreitada conhecida como Operação Ira de Deus. Ele não contou aos filhos que matou pessoalmente seis integrantes da facção da Organização para a Libertação da Palestina, a OLP, responsável pelo ataque, ou que, sempre que possível, atirou neles onze vezes. Deu a entender, no entanto, que suas experiências o haviam privado da capacidade de produzir pinturas originais satisfatórias. Em vez de deixar que o talento fosse desperdiçado, Gabriel aprendeu a falar italiano e depois viajou para Veneza, onde se especializou em restauração de arte.

Mas filhos, especialmente os de agentes de inteligência, não são enganados com facilidade, e Irene e Raphael sentiram intuitivamente que o relato do pai a respeito de sua vida estava longe de estar completo. Eles sondaram com cuidado e com a orientação de sua mãe, que achava que já estava mais do que na hora de uma exumação

* "Avô" em hebraico. (N. do T.)

familiar dos esqueletos de Gabriel. As crianças já sabiam, por exemplo, que o pai já havia sido casado uma vez e que o rosto do filho morto os espreitava todas as noites nas nuvens que ele pintara na parede do quarto de Irene e Raphael. Mas como isso aconteceu? Gabriel respondeu com uma versão extremamente editada da verdade, pois sabia muito bem que aquilo abriria a caixa de Pandora.

— É por isso que você sempre olha embaixo do nosso carro antes de entrarmos?

— Sim.

— Você ama o Dani mais do que ama a gente?

— Claro que não. Mas nunca devemos esquecê-lo.

— Onde está Leah?

— Ela mora em um hospital especial não muito longe de nós, em Jerusalém.

— Ela chegou a conhecer a gente?

— Apenas o Raphael.

— Por quê?

Porque Deus, em sua infinita sabedoria, havia criado em Raphael uma duplicata do filho morto de Gabriel. Isso ele também omitiu dos filhos, pelo bem deles e de si mesmo. Naquela noite, enquanto Chiara dormia satisfeita a seu lado, ele reviveu o bombardeio de Viena nos sonhos e encontrou sua metade da cama encharcada de suor ao acordar. Talvez tenha sido apropriado, então, que ao pegar o telefone na mesa de cabeceira, ele tenha descoberto que um velho amigo havia sido assassinado em Londres.

Gabriel se vestiu no escuro e entrou no SUV para dirigir até o Boulevard Rei Saul. Depois de se submeter a uma verificação de temperatura e um teste rápido de Covid, ele subiu em seu elevador particular para o gabinete higienizado no último andar. Duas horas depois, após assistir à aparição evasiva do primeiro-ministro britânico perante repórteres do lado de fora do número dez, ele ligou para

Graham Seymour na linha direta segura. Graham não forneceu informações a mais sobre assassinato, exceto a identidade da mulher que achou o corpo por acaso. Gabriel respondeu com a mesma pergunta que o primeiro-ministro havia feito na noite anterior.

— O que em nome de Deus ela estava fazendo na casa de Viktor Orlov?

Se havia uma coisa boa na existência pós-Covid de Gabriel era o jato Gulfstream. Um G550 de conforto espantoso e matrícula danificada, a aeronave pousou no Aeroporto da Cidade de Londres às 16h30 daquele mesmo dia. O passaporte que Gabriel mostrou às autoridades de imigração era israelense, diplomático e estava em nome de um pseudônimo. Não enganou ninguém.

No entanto, depois de passar por mais um teste rápido de Covid, ele recebeu admissão provisória no Reino Unido. Um sedã da embaixada o aguardava e o levou ao número 18 de Queen's Gate Terrace, em Kensington. De acordo com a lista de nomes no painel do interfone, o ocupante do duplex inferior era alguém chamado Peter Marlowe. Como a campainha tocou sem resposta, Gabriel desceu um lance de degraus de ferro forjado até a entrada inferior e sacou a ferramenta fina de metal que costumava carregar no bolso do paletó. Nenhuma das duas fechaduras de alta qualidade ofereceu muita resistência.

Lá dentro, um alarme soou em protesto. Gabriel digitou a senha de oito dígitos no teclado e acendeu as luzes do teto, que iluminaram uma grande cozinha projetada. A alvenaria era corsa, assim como a garrafa de rosé que ele retirou da geladeira Sub-Zero bem abastecida. Ele tirou a rolha e ligou o rádio Bose que estava em cima da bancada de granito.

O governo russo negou qualquer envolvimento na morte de Orlov...

O apresentador de notícias da BBC fez uma transição estranha do assassinato de Orlov para as últimas notícias da pandemia. Gabriel desligou o rádio e bebeu um pouco do vinho corso. Finalmente, às 18h20, um Bentley Continental parou na rua e dele saiu um homem bem vestido. Um momento depois, o sujeito estava parado na porta aberta da cozinha, com uma Walther PPK nas mãos estendidas.

— Olá, Christopher — disse Gabriel, enquanto erguia a taça de vinho em saudação. — Faça o favor de abaixar essa merda de arma. Caso contrário, um de nós pode se machucar.

6
QUEEN'S GATE TERRACE, KENSINGTON

Christopher Keller era integrante de um clube extremamente pequeno — a irmandade de terroristas, assassinos, espiões, traficantes de armas, ladrões de arte e padres decaídos que tentaram matar Gabriel Allon e ainda andavam pela face da terra. Os motivos de Christopher para aceitar o desafio foram financeiros, e não políticos. Na época, ele era empregado de um tal Don Anton Orsati, líder de uma família criminosa da Córsega especializada em assassinatos de aluguel. Ao contrário de muitos dos idiotas que o precederam, Christopher era um oponente digno, um ex-membro da elite do SAS, a força especial do Exército britânico, que havia servido infiltrado na Irlanda do Norte durante um dos períodos mais violentos dos conflitos no país. Gabriel havia sobrevivido apenas porque Christopher, por cortesia profissional, recusou-se a puxar o gatilho quando teve a chance de dar o tiro. Alguns anos depois, Gabriel retribuiu o favor convencendo Graham Seymour a dar a Christopher um emprego no MI6.

Como parte de seu acordo de repatriação, Christopher recebeu permissão para ficar com a fortuna considerável que acumulou enquanto trabalhava para Don Orsati. Ele havia investido uma parte do dinheiro — oito milhões de libras, para ser exato — no duplex em Queen's Gate Terrace. Quando Gabriel apareceu pela última vez sem avisar, os cômodos estavam praticamente sem mobília. Agora o imóvel estava decorado com bom gosto em seda estampada e chita, e havia um leve, porém inconfundível cheiro de tinta fresca no ar. Era óbvio que Christopher havia dado autorização e recursos ilimitados a Sarah. Gabriel aprovou com relutância o relacionamento dos dois, certo de que seria breve e desastroso. Ele até providenciou para que Sarah trabalhasse na galeria de Julian, apesar das preocupações com a segurança dela. Gabriel tinha que admitir, apesar da exposição a um agente nervoso russo, que Sarah parecia mais feliz do que em muitos anos. Se alguém tinha conquistado o direito de ser feliz, pensou Gabriel, esse alguém era Sarah Bancroft.

Descalça, ela estava deitada em uma poltrona estofada na sala de estar do andar de cima, com uma taça de vinho na mão. Os olhos azuis estavam fixos em Christopher, que ocupava uma poltrona igual à direita dela. Gabriel se instalou em um canto distante, onde estava a salvo dos micróbios dos dois e eles dos de Gabriel. Sarah o cumprimentou com um ar de surpresa agradável, mas sem sequer um beijo na bochecha ou um abraço rápido. Esses eram os costumes sociais do admirável mundo novo da Covid: todos eram intocáveis. Ou talvez, pensou Gabriel, Sarah estivesse apenas tentando mantê-lo à distância. Ela nunca escondeu o fato de que estava desesperadamente apaixonada por ele, mesmo quando pediu a aprovação de Gabriel para sair de Nova York e se mudar para Londres. Parecia que Christopher finalmente havia quebrado o feitiço. Gabriel suspeitou que havia se intrometido em um momento íntimo. Ele tinha uma ou duas coisas que queria esclarecer antes de partir.

— E você tem certeza a respeito da autoria da obra? — perguntou Gabriel.

— Eu não a teria oferecido a Viktor se não tivesse certeza. Não seria ético.

— Desde quando a ética tem alguma coisa a ver com ser um *marchand*?

— Ou um agente de inteligência — respondeu Sarah.

— Mas os antigos mestres italianos não são exatamente a sua área de especialização, são? Na verdade, se bem me lembro, você escreveu sua dissertação em Harvard a respeito dos expressionistas alemães.

— Na tenra idade de 28 anos. — Ela afastou uma mecha solta de cabelo loiro do rosto usando apenas o dedo médio. — E antes disso, como você bem sabe, fiz meu mestrado em história da arte no Instituto Courtauld, aqui em Londres.

— Você procurou uma segunda opinião?

— Niles Dunham. Ele me ofereceu oitocentos mil na hora.

— Para uma Artemisia? Ultrajante.

— Eu disse isso a ele.

— Ainda assim, no geral, teria sido prudente aceitar o valor.

— Acredite, pretendo ligar para ele logo de manhã.

— Por favor, não.

— Por que não?

— Porque nunca se sabe quando será necessário um quadro recém-descoberto de Artemisia Gentileschi.

— Precisa ser restaurado — disse Sarah.

— Quem você tinha em mente para a tarefa?

— Visto que você não estava disponível, eu esperava poder convencer David Bull.

— Achei que ele estivesse em Nova York.

— Ele está. Almocei com ele antes de sair. Um homem tão adorável.

— Você já falou a respeito da restauração com ele?

Sarah fez que não com a cabeça.

— Quem mais sabia da venda para Viktor além de Julian?

— Ninguém.

— E você não deixou escapar no Wilton's?

— Eu sou uma ex-espiã e agente infiltrada. Eu não deixo as coisas *escaparem*.

— E quanto a Viktor? — insistiu Gabriel. — Ele contou para alguém que você estava indo para Cheyne Walk ontem à noite?

— Com Viktor, acho que tudo é possível. Mas por que a pergunta?

Christopher respondeu em nome de Gabriel.

— Ele está se perguntando se os russos estavam tentando matar dois coelhos com uma cajadada só.

— Viktor e eu?

— Você tem um histórico bastante longo quando se trata de russos — comentou Gabriel. — Isso remonta aos tempos do nosso velho amigo Ivan Kharkov.

— Se o Centro de Moscou quisesse me matar, eles teriam marcado uma hora para ver um quadro na Isherwood Fine Arts.

Gabriel olhou para Christopher.

— E vocês têm certeza de que os documentos contaminados foram de fato entregues por Nina Antonova?

— Não a vimos colocar aquelas porcarias na mesa de Viktor, se é isso que você está perguntando. Mas alguém deu os documentos a ele, e Nina é a candidata mais provável.

— Por que Jonathan não mencionou o nome dela hoje de manhã, do lado de fora do número dez?

— Orgulho nacional, para início de conversa. Como você pode imaginar, havia rostos vermelhos por toda parte quando percebemos que ela havia fugido do país antes mesmo de começarmos a procurá-la. O ministro do Interior está planejando fazer o anúncio amanhã de manhã.

— Mas e se Sarah estiver certa? E se Nina foi enganada para entregar esses documentos? E se Viktor conseguiu avisá-la antes de morrer?

— Ela deveria ter chamado a polícia ao invés de fugir do país.

— Ela não confia na polícia. Você também não confiaria se fosse um jornalista russo.

O telefone de Gabriel vibrou com uma mensagem recebida. Ele tinha sido forçado, finalmente, a se separar de seu amado BlackBerry Key2. O novo aparelho era um Solaris de fabricação israelense, considerado o celular mais seguro do mundo. O de Gabriel foi personalizado de acordo com as próprias especificações. Maior e mais pesado do que um smartphone comum, o aparelho era capaz de se defender de ataques remotos dos hackers mais sofisticados do mundo, incluindo a NSA americana e o Serviço de Comunicações Especiais da Rússia, o Spetssviaz.

Christopher olhou para o aparelho de Gabriel com inveja.

— É tão seguro quanto dizem?

— Eu poderia enviar um e-mail do meio do Donut com total confiança de que o governo de Sua Majestade nunca seria capaz de lê-lo.

O Donut era como os funcionários do GCHQ da Grã-Bretanha se referiam à sua sede circular em Cheltenham.

— Posso pelo menos segurá-lo? — perguntou Christopher.

— Na era de Covid? Nem pensar.

Gabriel digitou a senha de catorze caracteres, e a mensagem de texto apareceu na tela. Ele franziu a testa enquanto lia.

— Algo errado?

— Graham me convidou para jantar. Aparentemente, Helen está fazendo cuscuz.

— Minhas condolências. Só sinto muito por não me juntar a você.

— Você vai, na verdade.

— Diga a Graham que vou ficar devendo essa.

— Ele é o diretor-geral de seu serviço.

— Eu sei disso — disse Christopher, olhando para a bela mulher deitada na poltrona estofada. — Mas creio que tenho uma oferta muito melhor.

7

EATON SQUARE, BELGRAVIA

Quando Helen Liddell-Brown conheceu Graham Seymour em um coquetel em Cambridge, ele lhe disse que seu pai trabalhava para um departamento muito enfadonho do Ministério das Relações Exteriores. Helen não acreditou em Graham, pois o tio dela ocupava um cargo sênior no mesmo departamento, que era conhecido pelos profissionais do ramo como a Firma e pelo resto do mundo como MI6. Ela aceitou a proposta de casamento de Graham com a condição de que ele arrumasse um emprego respeitável na cidade. Mas, um ano após o casamento, ele a surpreendeu ao ingressar no MI5, uma traição pela qual Helen — e o pai de Graham, aliás — nunca o perdoou.

Ela puniu Graham adotando políticas estritamente de esquerda. Helen se opôs à Guerra das Malvinas, fez campanha pelo congelamento das armas nucleares e foi presa duas vezes em frente à Embaixada da África do Sul na Trafalgar Square. Graham nunca sabia que horrores o aguardavam na porta de casa todas as noites quando voltava do escritório. Certa vez, ele comentou com um colega que, se Helen não fosse sua esposa, ele teria aberto um arquivo a respeito dela e grampeado seu telefone.

Se aquela foi a estratégia secreta de Helen para atrapalhar a carreira do marido, ela falhou completamente. Depois de servir por vários anos na Irlanda do Norte, Graham assumiu o controle da divisão de contraterrorismo do MI5 e, em seguida, foi promovido ao posto de vice-diretor de operações. Ele tinha a intenção de, no fim do mandato, aposentar-se em sua *villa* em Portugal, mas seus planos mudaram quando o primeiro-ministro Lancaster lhe ofereceu as chaves do antigo serviço de seu pai — uma jogada que surpreendeu a todos no ramo de inteligência, exceto Gabriel, que provocou o conjunto de circunstâncias que levaram à nomeação de Graham. Com os americanos se voltando para assuntos domésticos e rompidos por divisões políticas, os laços entre o Escritório e o MI6 haviam se tornado extremamente próximos. Os dois serviços operavam juntos rotineiramente, e informações importantes fluíam entre Vauxhall Cross e Boulevard Rei Saul. Gabriel e Graham se viam como defensores da ordem internacional do pós-guerra. Dado o atual estado dos assuntos globais, era uma tarefa cada vez mais ingrata.

A aceitação de Helen Seymour à ascensão de seu marido ao pináculo da inteligência britânica foi, na melhor das hipóteses, relutante. A pedido de Graham, ela abrandou a postura política e se distanciou um pouco dos amigos mais heréticos. Ela praticava ioga todas as manhãs e passava as tardes na cozinha, onde se entregava à paixão pela culinária exótica. Durante a última visita de Gabriel à residência do casal Seymour, ele consumiu heroicamente um prato de paella, violando as leis nutricionais judaicas. O cuscuz de frango foi um raro triunfo. Até Graham, que era hábil em remexer a comida no prato para criar a ilusão de consumo, se serviu de uma segunda porção.

No fim da refeição, Graham limpou os cantos da boca cuidadosamente com o guardanapo de linho e convidou Gabriel para se juntar a ele no andar de cima em seu gabinete lotado de livros. Uma corrente de ar soprou pela janela aberta com vista para a Eaton Square. Gabriel duvidava da eficácia dessas precauções, acreditando que elas facilitariam a transferência do vírus do hospedeiro para um receptor involuntário. Ele olhou para a televisão na parede, sintonizada na CNN. Um painel de especialistas políticos estava debatendo a eleição presidencial americana, que ocorreria em apenas três meses.

— Gostaria de fazer uma previsão? — perguntou Graham.

— Acredito que Christopher vai propor casamento a Sarah em algum momento no próximo ano.

— Eu estava falando a respeito da eleição.

— Vai ser mais apertado do que as pesquisas estão prevendo, mas ele não pode ganhar.

— Ele vai aceitar o resultado?

— Impossível.

— E depois?

Graham foi até a janela e abaixou o caixilho sem fazer esforço. Ele não parecia feito para uma tarefa tão mundana. Com seus traços perfeitos e cabelos abundantes na cor de chumbo, ele lembrava a Gabriel um daqueles modelos masculinos que apareciam em anúncios de canetas tinteiro de ouro e relógios de pulso caros, o tipo de bugigangas desnecessárias que saíram de moda com a pandemia. Graham fazia seres inferiores se sentirem ainda mais inferiores, especialmente os americanos.

— Dizem que você chegou a Londres em um novo e chique Gulfstream — disse ele, retomando o assento. — A matrícula está bem apagada.

— Por um bom motivo. Meus muitos amigos e admiradores no Irã estão bastante zangados comigo no momento.

— Isso é o que dá você explodir a fábrica de centrífugas deles. Francamente, estou surpreso que você tenha encontrado tempo em sua agenda lotada para vir aqui tão em cima da hora.

— Uma querida amiga minha estava se sentindo mal. Pensei em visitá-la.

— Sua querida amiga está muito bem.

— Infelizmente, o mesmo não pode ser dito de Viktor Orlov.

— Viktor não é da sua conta.

— Ele era meu contato, Graham. E se não fosse pelo dinheiro dele, eu estaria morto. Assim como a minha esposa.

— Pelo que me lembro — falou Graham —, fui eu quem convenceu Viktor a abrir mão da empresa de petróleo em troca da liberdade. Se tivesse algum juízo, ele não teria chamado atenção. Em vez disso, comprou a *Gazeta* e se colocou de propósito na mira do Kremlin. Era apenas uma questão de tempo até que o pegassem.

— Com Nina Antonova?

Graham fez uma careta.

— Em algum momento, talvez a gente tenha que restabelecer alguns limites entre o seu serviço e o meu.

— Você não acredita mesmo que ela seja uma assassina do Centro de Moscou, não é?

— Às vezes, dois mais dois são mesmo só quatro.

— Mas às vezes são cinco.

— Apenas no quarto 101 do Ministério do Amor, Winston.

— Sarah tem uma teoria interessante — respondeu Gabriel. — Ela acredita que Nina foi enganada para entregar os documentos contaminados.

— E quando Sarah chegou a essa conclusão? Durante os trinta segundos em que esteve dentro do gabinete de Viktor?

— Ela tem instintos excelentes.

— Isso está longe de ser uma surpresa. Afinal, foi você quem a treinou. Mas o Centro de Moscou nunca teria confiado uma arma tão perigosa a alguém que não estivesse totalmente sob seu controle.

— Por que não, ora?

— E se ela tivesse aberto o pacote no voo da British Airways vindo de Zurique?

— Mas ela não fez isso. Ela entregou o pacote para Viktor. E ele, que era paranoico com a própria segurança e com toda razão, esperou até que ela saísse antes de abri-lo. O que isso lhe diz?

— Isso me diz que Nina Antonova e seus controladores no Centro de Moscou desenvolveram um método bastante inteligente de fazer um pacote contaminado passar pelas defesas formidáveis de Viktor. Eles devem estar comemorando seu sucesso mais recente nesse exato momento.

— Não tem como ela estar em Moscou, Graham.

— Bem, ela não está em Zurique, e o telefone dela está fora do ar.

— E o cartão de crédito?

— Nenhuma atividade recente.

— Isso porque os russos estão procurando por ela, e ela sabe disso. Obviamente, precisamos encontrá-la primeiro.

— Ao meio-dia de amanhã, Nina Antonova será a mulher mais procurada do mundo.

— A menos que você demore a divulgar o nome e a fotografia dela por tempo suficiente para que eu a encontre.

Graham ficou em silêncio.

— Dê-me 72 horas — disse Gabriel.

— Não posso. — Graham fez uma pausa e acrescentou: — Mas você terá 48 horas.

— Isso não é muito tempo.

— É tudo que você vai conseguir.

— Nesse caso — falou Gabriel —, sei que você não vai se importar se eu pegar a Sarah emprestada.

— De jeito nenhum. Por onde pretende começar?

— Queria conversar com alguém que já trabalhou com Nina na *Gazeta*. Alguém que pudesse pressupor se ela era uma jornalista de verdade ou uma assassina do Centro de Moscou. — Gabriel sorriu. — Você saberia onde eu poderia encontrar alguém assim, não é, Graham?

— Sim — respondeu ele. — Acho que sim.

8

LONDRES-NORWICH

O departamento de Transporte deixou um sedã Vauxhall em Pembridge Square, a chave colada com fita adesiva embaixo do para-choque traseiro e uma Beretta 9mm escondida no porta-luvas. Gabriel pegou o carro às 9h30 da manhã seguinte e dirigiu para Knightsbridge. Sarah estava tomando um cappuccino no Concerto Caffè, em Brompton Road, com uma máscara pendurada em uma das orelhas. Rindo, ela entrou no banco do carona.

— Um Vauxhall? O que aconteceu? Eles não conseguiram encontrar um Passat para você?

— Pelo visto não havia um disponível em todo o Reino Unido.

— Devíamos ter levado o Bentley de Christopher.

— Agentes de inteligência não dirigem carros assim, a menos que estejam trabalhando para os russos.

— Diz o homem que tem o próprio avião.

— Ele pertence ao Estado de Israel.

— Como quiser, querido. — Sarah olhou para a fachada da Harrods e falou, calmamente: — Os tijolos estão na parede.

Gabriel teve um sobressalto involuntário. Sarah colocou a mão no braço dele.

— Perdão, eu não deveria ter feito isso.

— Obviamente, você e Christopher estão conversando na cama a respeito de operações anteriores.

— Ficamos trancados no duplex juntos por três meses, sem nada para fazer a não ser assistir à pandemia na televisão e compartilhar nossos segredos mais profundos e sombrios. Christopher me contou tudo sobre o caso Eamon Quinn e da verdadeira história por trás do atentado à bomba da Harrods. Ele também mencionou algo a respeito de uma mulher por quem se apaixonou enquanto trabalhava disfarçado em Belfast.

— Suponho que você tenha retribuído com uma história trágica que vivenciou.

— Muitas, na verdade.

— Meu nome chegou a ser citado?

— Eu devo ter mencionado que já fui desesperadamente apaixonada por você.

— Por que contou isso a ele?

— Porque é verdade.

— Mas você não está mais apaixonada por mim?

— Nem um pouco. — Sarah olhou de soslaio para ele. — Você ainda *é* um pedaço de mau caminho, no entanto.

— Para um homem de idade avançada.

— Você não parece que tem...

— Cuidado, Sarah.

— Eu ia dizer mais de cinquenta.

— Como você é generosa.

— Qual é o seu segredo?

— Eu tenho uma alma jovem.

Ela deu uma risada desdenhosa.

— Você é a alma mais velha que já conheci, Gabriel Allon. É uma das razões pelas quais me apaixonei por você.

Ele seguiu pela Strand até a Kingsway, depois dirigiu até os bairros da zona nordeste de Londres até a M11. Não havia muito trânsito por causa da pandemia, o que existia era formado principalmente por caminhões e trabalhadores de atividades essenciais. Eles chegaram a Cambridge antes do meio-dia e uma hora depois se aproximaram de Norwich, a capital não oficial da Ânglia Oriental.

Gabriel deixou o Vauxhall em um estacionamento perto da catedral do século XII e conduziu Sarah em um passeio a pé de uma hora pelo antigo centro da cidade. Depois de realizar uma série de manobras de contravigilância consagradas, eles seguiram para Bishopsgate. Uma fileira de chalés de tijolos vermelhos em um declive dava para as quadras esportivas desertas da Escola Secundária de Norwich. Gabriel apertou a campainha do número 34 e deu as costas para a câmera instalada acima da porta.

Uma voz feminina se dirigiu a ele em inglês pelo interfone. O sotaque era vagamente russo; o tom, hostil.

— O que quer que você esteja vendendo, não estou interessada.

— Não estou vendendo nada, professora Crenshaw.

— Quem é você?

— Um velho amigo.

— Eu não tenho amigos. Eles estão todos mortos.

— Nem todos.

— Como nos conhecemos, por favor?

— Nós nos conhecemos em Moscou há muito tempo. Você me levou para o cemitério Novodevichy e disse que, para entender a Rússia moderna, era preciso conhecer o passado dela. E que para conhecer o passado da Rússia, a pessoa tinha que andar entre os ossos dela.

Um longo momento se passou.

— Vire-se para que eu possa dar uma olhada em você.

Gabriel girou lentamente e ergueu o olhar para as lentes da câmera de segurança. Uma campainha soou, um ferrolho estalou. Ele colocou a mão na maçaneta. Sarah entrou logo atrás.

— Estava começando a achar que você tinha se esquecido de mim.

— Nem por um minuto.

— Quanto tempo se passou?

— Cem anos.

— Só isso?

Eles estavam sentados a uma mesa de ferro forjado do lado de fora, no jardim malcuidado. Olga Sukhova estava segurando uma caneca de chá de barro contra o peito. Seu cabelo, antigamente comprido e loiro, estava curto, escuro e salpicado de cinza, e havia rugas ao redor de seus olhos azuis. Um cirurgião plástico havia suavizado as feições dela. Mesmo assim, o rosto ainda era incrivelmente bonito. Heroico, vulnerável, virtuoso: o rosto de um ícone russo em carne e osso. O rosto da própria Rússia.

Gabriel tinha vislumbrado aquela face pela primeira vez em uma recepção diplomática na Embaixada de Israel em Moscou. Ele se passava por Natan Golani, um funcionário de nível médio do Ministério da Cultura que se especializara em criar laços artísticos entre Israel e o resto do mundo. Olga era uma repórter investigativa russa de destaque que recentemente descobrira um segredo muito perigoso — um segredo que ela compartilhou com Gabriel durante o jantar na noite seguinte em um restaurante georgiano perto da Arbat. Depois, na escadaria escura do prédio residencial em que ela morava, em Moscou, eles foram alvo de uma tentativa de assassinato. Os russos fizeram um segundo atentado contra eles alguns meses depois, em Oxford, onde Olga trabalhava como uma professora de russo chamada Marina Chesnikova. Hoje, ela era conhecida como doutora Sonia Crenshaw, uma professora ucraniana de estudos russos contemporâneos na Universidade da Ânglia Oriental.

— O que aconteceu com o sr. Crenshaw? — perguntou Gabriel. — Ele fugiu com outra mulher?

— Faleceu, infelizmente.

— Isso vem acontecendo muito por aí.

— Sim — concordou Olga. — Eu me estabeleci aqui em Norwich alguns meses depois do funeral. Não é Oxford, veja bem, mas a Ânglia Oriental tem uma das melhores universidades modernas. Kazuo Ishiguro estudou escrita criativa aqui.

— *Os vestígios do dia* é um dos meus romances favoritos.

— Eu li pelo menos dez vezes. Pobre Stevens. Uma figura tão trágica.

Gabriel se perguntou se Olga, talvez inconscientemente, estava se referindo a si mesma. Ela pagou um preço terrível por se opor, por meio do jornalismo, ao grupo cleptomaníaco de ex-agentes da KGB que haviam assumido o controle da Rússia. Como milhares de outros dissidentes fizeram antes dela, Olga escolheu o exílio. O dela foi mais duro do que a maioria. Olga não tinha um amor porque amores não eram confiáveis. Não tinha filhos porque filhos podiam ser alvos de seus inimigos. Ela estava sozinha no mundo.

Olga olhou para Gabriel por cima da borda da caneca.

— Li a respeito de sua promoção recente nos jornais. Você se tornou uma celebridade e tanto.

— A fama tem suas desvantagens.

— Especialmente para um espião. — O olhar dela se voltou para Sarah. — Não concorda, srta. Bancroft?

Sarah sorriu, mas não disse nada.

— Você ainda está trabalhando para a CIA? — perguntou Olga. — Ou encontrou um emprego honesto?

— Estou administrando uma galeria de arte em St. James.

— Creio que isso responda à minha pergunta. — Olga se virou para Gabriel. — E sua esposa? Ela está bem, espero.

— Nunca esteve melhor.

— Filhos?

— Dois.

A expressão ficou radiante.

— Quantos anos?

— Eles farão cinco em breve.

— Gêmeos ainda por cima! Como você é sortudo, Gabriel Allon.

— A sorte teve muito pouco a ver com isso. Chiara e eu nunca teríamos saído vivos da Rússia se não fosse por Viktor.

— E agora ele está morto. — Ela baixou a voz. — É por isso que você veio me ver de novo depois de todos esses anos.

Gabriel não respondeu.

— A Polícia Metropolitana foi bastante cautelosa a respeito dos detalhes do assassinato do Viktor.

— Por um bom motivo.

— Eles identificaram a toxina?

— Novichok. Estava escondida em um envelope com documentos.

— E quem deu esses documentos a Viktor?

— Uma repórter da *Gazeta*.

— Foi a Nina, por acaso?

— Como você sabia?

Olga sorriu com tristeza.

— Talvez seja melhor começarmos do início, sr. Golani.

— Sim, professora Crenshaw. Talvez seja melhor.

9

BISHOPSGATE, NORWICH

Em 25 de abril de 2005, o presidente da Rússia declarou o colapso da União Soviética como "a maior catástrofe geopolítica" do século XX. Olga trabalhou até tarde da noite na resposta editorial da *Gazeta*, que previu com precisão o início de uma nova Guerra Fria e o fim da democracia russa. Depois, ela e alguns colegas se reuniram no NKVD, um boteco localizado na esquina da redação da *Gazeta*, no distrito de Sokol, em Moscou. Como costumava acontecer, eles foram vigiados por dois capangas da FSB em jaquetas de couro, que pouco se esforçaram para esconder sua presença.

O clima naquela noite foi fúnebre. Um dos colegas de Olga, um homem chamado Aleksandr Lubin, ficou extremamente bêbado e cometeu a imprudência de puxar briga com os agentes da FSB, o Serviço Federal de Segurança russo. Ele foi salvo de uma surra apenas pela intervenção de uma jovem jornalista freelancer que às vezes frequentava o bar. O editor-chefe da *Gazeta* ficou tão impressionado com sua bravura que lhe ofereceu um emprego como repórter.

— Talvez você se lembre dele — disse Olga. — Ele se chamava Boris Ostrovsky.

Como muitos jornalistas russos, a carreira de Ostrovsky terminou violentamente. Injetado com um veneno russo enquanto atravessava a Praça de São Pedro, ele desmaiou na basílica poucos minutos depois, ao pé do Monumento ao Papa Pio XII. O rosto de Gabriel foi o último que ele viu.

— E você tem certeza de que foi Aleksandr quem puxou briga com os agentes da FSB e não o contrário?

— Por que você pergunta?

— Porque se eu quisesse me infiltrar em uma empresa de notícias, eu talvez tivesse agido exatamente da mesma maneira.

— Nina? Uma agente da FSB?

— Na verdade, os britânicos consideram que ela trabalha para o Serviço de Inteligência Estrangeiro (SVR). Acham que ela está de volta ao Centro de Moscou, esperando que o czar pendure uma medalha no pescoço dela.

— É isso que você acha?

— Estou mais interessado na sua opinião.

— Nina Antonova não é espiã de ninguém. Ela é uma excelente repórter e uma jornalista esplêndida. Eu sei muito bem. Boris me disse para ser a tutora dela.

— Ela admirava você?

— Ela me adorava.

Olga lembrou a Gabriel que, nos meses seguintes ao assassinato de Boris Ostrovsky, ela serviu como editora-chefe da *Gazeta*, um título que renunciou depois de fugir da Rússia e se estabelecer na Grã-Bretanha. O Kremlin planejou a venda da *Gazeta* para um aliado do presidente russo, e o semanário político outrora competente se tornou um jornal de escândalos repleto de reportagens sobre pop stars russos, homens vindo do espaço sideral e lobisomens que habitavam as florestas fora de Moscou. Nina foi sumariamente demitida pelo novo proprietário, junto com vários outros integrantes da redação, mas voltou para a *Gazeta* depois que foi adquirida por Viktor Orlov. Sua primeira reportagem expôs um grande projeto de construção na costa do mar Negro, um retiro presidencial de um bilhão de dólares financiado com fundos desviados ilegalmente do tesouro federal da Rússia.

— No minuto em que a reportagem saiu, a vida dela estava em perigo. Era apenas uma questão de tempo até o czar mandar a FSB matá-la.

— Dezoito tiros à queima-roupa do lado de fora do Ritz-Carlton na rua Tverskaya — disse Gabriel. — E ainda assim ela saiu sem um arranhão.

— Você está imaginando que o ataque foi encenado?

— O pensamento passou pela minha cabeça.

— E os três espectadores inocentes que foram mortos?

— Desde quando a inteligência russa se preocupa com espectadores inocentes? — Sem receber resposta, Gabriel perguntou: — Você manteve contato com Nina depois de vir para a Grã-Bretanha?

— Sim.

— E também depois dela se estabelecer em Zurique?

Olga concordou com a cabeça.

— Você se encontrou com ela alguma vez?

— Apenas uma. Foi durante a festa de setenta anos do Viktor, na mansão dele em Somerset. Todos os bacanas estavam lá. Mil e quinhentos amigos íntimos dele. Suspeito que metade deles eram agentes da inteligência russa. Foi um milagre ele ter sobrevivido àquela noite.

— Você o via muitas vezes?

— Não muitas. Era muito perigoso. Nós nos comunicávamos principalmente por mensagens de texto criptografadas e por e-mails. De vez em quando, falávamos ao telefone.

— Quando foi a última vez?

— Acredito que foi no fim de abril ou talvez no início de maio. Viktor tinha alguns documentos valiosos a respeito de uma empresa com sede na Suíça conhecida como Omega Holdings. A Omega possui companhias e outros ativos avaliados em vários bilhões de dólares, todos cuidadosamente escondidos sob camadas e mais camadas de empresas de fachada, muitas delas registradas em países como Liechtenstein, Emirados Árabes Unidos, Panamá e Ilhas Cayman. Viktor estava convencido de que a Omega estava sendo usada por um russo importante para fins de lavagem de ativos estatais saqueados, escondendo-os no Ocidente.

— E Viktor sabia um pouco a respeito de pilhagem de ativos estatais.

Olga deu um sorriso fugaz.

— Nosso Viktor estava longe de ser perfeito. Mas estava comprometido com uma Rússia livre e democrática, uma Rússia decente que estava alinhada com o Ocidente ao invés de em guerra com ele.

— Ele sabia a identidade do russo importante?

— Ele disse que não.

— Você acreditou nele?

— Não exatamente.

— Quem poderia ser?

— Eu poderia recitar de cabeça os nomes de cem candidatos possíveis. Eles iriam desde altos funcionários do governo a empresários e mafiosos com ligações com o Kremlin.

— Viktor disse onde conseguiu os documentos?

— Ele os recebeu da Nina.

— E Viktor estava preocupado com a autenticidade dos documentos?

— Se estava, nunca falou. Portanto, presumo que ele acreditou que os documentos eram genuínos.

— Então por que Nina voou para Londres na quarta-feira à noite e deu a Viktor um pacote de documentos contaminados com Novichok? E por que ele foi tolo o suficiente para abri-lo?

— Obviamente, ele confiava nela. Mas tenho certeza de que ela não teve nada a ver com a morte do Viktor. Nina é um peão em um jogo muito maior, o que significa que a vida dela está em perigo.

— Mais uma razão pela qual precisamos encontrá-la o mais rápido possível. — Gabriel fez uma pausa e perguntou: — Você não saberia onde ela está, saberia, Olga?

— Não — respondeu ela. — Mas eu conheço alguém que pode saber.

— Quem?

— George-ponto-Wickham-arroba-Outlook-ponto-Com.

Ela se levantou sem dizer outra palavra e entrou no chalé. Quando voltou, estava segurando um MacBook Pro, que colocou sobre a mesa diante de Gabriel. Na tela, havia uma conta do Gmail de alguém chamada Elizabeth Bennet.

— Aprendi a falar inglês lendo Jane Austen — explicou ela. — *Orgulho e preconceito* é meu romance favorito.

— Você não está enganando ninguém, sabe? Não o GCHQ e certamente não o Spetssviaz.

— Qual é a alternativa? Isolamento digital total?

— Quantas pessoas têm o endereço?

— Sete ou oito, incluindo Nina. Mas ontem à tarde recebi um e-mail de um endereço do Outlook que não reconheci. — Ela apontou para a mensagem na caixa de entrada. — George Wickham, aquele sorrateiro. Um vagabundo, um canalha, um jogador compulsivo. Apenas um amigo íntimo saberia usar o nome dele.

O e-mail havia chegado às 11h37 da quinta-feira, cerca de doze horas após a chegada do voo de Nina a Amsterdã. Gabriel abriu e leu o texto. Era uma única frase, escrita no tom afetado e datado de uma romance de costumes do início do século XIX.

Eu ficaria muito grata se você dissesse a seus amigos britânicos que não tive nada a ver com o ato desagradável da noite de ontem em Chelsea.

— Você percebeu que o e-mail foi enviado pela Nina?

— Não de início. Mas eu tinha quase certeza de que o *ato desagradável* a que a autora se referia era o assassinato de Viktor.

— O que você fez?

— Verifique minha caixa de enviados.

Gabriel clicou em ENVIADOS. Às 11h49, Olga havia respondido com uma única frase:

Quem é você?

A resposta chegou duas horas depois.

S...

Gabriel clicou no ícone de RESPONDER e começou a digitar.

Por favor me diga onde você está. Um amigo meu vai te ajudar.

— O que você acha? — perguntou ele.

— Não é exatamente a forma de escrever da Jane Austen, mas serve.

Gabriel disparou o e-mail para o além e olhou para a tela. A espera, ele pensou. Sempre a espera.

Olga foi buscar uma garrafa de vinho na geladeira e colocou um pouco de música no MacBook. O vinho era um sauvignon blanc da Nova Zelândia, refrescante e delicioso. A música era da coleção notável de prelúdios de Rachmaninoff abrangendo todas as 24 tonalidades maiores e menores. Quando vidas estavam em jogo, declarou Olga, apenas uma trilha sonora russa serviria.

Quando uma hora se passou sem resposta, ela ficou ansiosa. Para se distrair, falou da Rússia, o que só piorou seu humor. O presidente russo, lamentou ela, era agora um verdadeiro czar em tudo, menos no nome. Um recente referendo fraudulento lhe conferiu autoridade constitucional para permanecer no poder até 2036. Todos os meios pacíficos de dissidência foram eliminados, e os partidos de oposição autorizados pelo Kremlin eram uma farsa.

— Eles são uma aldeia Potemkin para criar a ilusão de democracia. São idiotas convenientes.

Depois de mais meia hora sem resposta, Olga sugeriu que pedissem algo para comer. Gabriel ligou para um restaurante indiano na Wensum Street e vinte minutos depois pegou a comida na calçada. No caminho de volta para Bishopsgate, ele não viu nenhum sinal de vigilância, britânica ou russa. Ao entrar no jardim, encontrou Olga sentada diante do laptop aberto, com Sarah olhando por cima do ombro.

— Onde ela está? — perguntou Gabriel.

— Ainda em Amsterdã — respondeu Olga. — Nina quer saber a identidade do amigo que gostaria de ajudá-la.

— Ela sabe que fui eu que tirei você da Rússia?

Olga hesitou, depois concordou com a cabeça.

— Vá em frente.

Ela digitou a mensagem e clicou em ENVIAR. Três minutos depois, o MacBook emitiu um sinal sonoro com a resposta de Nina.

— Ela vai se encontrar com você no Museu Van Gogh amanhã às duas da tarde.

— Talvez ela pudesse ser um pouco mais específica.

Olga fez a pergunta. A resposta chegou imediatamente. Gabriel sorriu ao ler.

Girassóis...

10

AEROPORTO DA CIDADE DE LONDRES - AMSTERDÃ

— O casal adorável — disse Christopher Keller. — Imagine encontrar vocês dois aqui, entre todos os lugares improváveis.

Ele estava vasculhando um armário na cozinha dianteira do Gulfstream G550 de Gabriel, estacionado na pista iluminada do Aeroporto da Cidade de Londres. Gabriel e Sarah haviam ido de carro para lá diretamente de Norwich. O gerente noturno do serviço aeroportuário havia se esquecido de mencionar que um consultor de negócios que atendia pelo nome de Peter Marlowe já havia embarcado na aeronave, sem dúvida porque o sr. Marlowe indicou que trabalhava para a empresa secreta sediada no grande prédio comercial ao pé da Vauxhall Bridge.

Ele abriu outro armário.

— Eu me lembro de quando você tinha de contar com a gentileza de estranhos quando precisava de um avião particular. Embora seja curioso como você consegue se virar sem uma equipe de bordo.

— Procurando por algo? — perguntou Gabriel.

— Um pouco de uísque para amenizar meu dia. Não precisa ser nada premium, veja bem. O Monsieur Walker cairia bem. Black Label, se tiver.

— Não tenho. Mas tem vinho na geladeira.

— Francês, espero.

— Israelense, na verdade.

Christopher suspirou. Ele estava vestido com um terno escuro e gravata. O sobretudo da Burberry estava pousado em um assento no compartimento de passageiros, junto com uma bolsa de viagem da Prada de aparência elegante.

— Você se importaria de me dizer o que está fazendo aqui? — perguntou Gabriel.

— O Serviço Secreto de Inteligência e nossos irmãos do outro lado do rio monitoram de maneira rotineira as condições de aeronaves particulares usadas por dignitários estrangeiros em visita ao país e por diversos encrenqueiros internacionais. Portanto, ficamos compreensivelmente intrigados quando sua tripulação preencheu um plano de voo e reservou uma vaga de partida para as 22h30. — Christopher abriu a geladeira e retirou uma garrafa aberta de sauvignon blanc israelense. — Por que Amsterdã?

— Gosto de cidades com canais.

Christopher tirou a rolha e cheirou.

— Tente novamente.

— Vou tirar Nina Antonova do frio.

— E o que exatamente você está planejando fazer com ela?

— Isso depende do que ela tem a dizer.

— Graham gostaria de estar presente no interrogatório dela.

— Ah, é?

— Ele também gostaria que o interrogatório acontecesse em solo britânico.

— Fui eu quem a encontrou.

— Com a ajuda de uma jornalista russa exilada residente na Grã-Bretanha sob nossa proteção. Sem falar na minha companheira e parceira, com quem eu moro. — Ele serviu uma taça de vinho e entregou para Sarah. — E, a menos que sua nova aeronave sofisticada receba autorização para decolar, você não vai a lugar algum.

— Acho que eu gostava mais de você quando era um matador de aluguel.

— Eu teria cuidado se fosse você. Tenho a sensação de que vai precisar de alguém como eu antes que essa situação acabe.

— Eu sei cuidar de mim mesmo.

Christopher olhou ao redor do interior da cabine luxuosamente decorada.

— Eu que o diga.

Eles passaram a noite em quartos separados no De L'Europe Amsterdam e pela manhã tomaram café e comeram pães e doces como três estranhos praticando distanciamento social no andar de baixo, no terraço. Depois disso, Christopher saiu sozinho do hotel e caminhou até o Museu Van Gogh, lar da maior coleção do mundo de pinturas e desenhos de Vincent.

Normalmente, o museu tinha capacidade para acomodar seis mil visitantes por dia, mas as restrições ao coronavírus reduziram o número para apenas 750. Christopher comprou dois ingressos, colocou um no bolso e entregou o outro ao atendente na porta.

No saguão, um segurança uniformizado o orientou em direção a um detector de metais semelhante ao de um aeroporto. Como havia deixado a arma no hotel, ele passou pela engenhoca sem objeções. O saguão moderno de vidro estava assustadoramente silencioso. Ele bebeu um café na cafeteria e, em seguida, subiu a escada para uma sala de exposição dedicada ao trabalho de Vincent na cidade francesa de Arles, onde viveu de fevereiro de 1888 a maio de 1889.

A atração mais popular da sala eram os emblemáticos *Girassóis*, óleo sobre tela, 95 por 73 centímetros. A placa de informações da pintura não fazia menção ao fato de que, vários anos antes, ela havia sido roubada por dois ladrões profissionais, no que o chefe da polícia de Amsterdã descreveu como o melhor exemplo de assalto-relâmpago que ele já tinha visto. Os ladrões entregaram a pintura a um agente da inteligência israelense, que produziu uma cópia perfeita em um apartamento com vista para o Sena, em Paris — uma cópia que Christopher, passando-se por uma figura do submundo chamado Reg Bartholomew, vendeu a um intermediário sírio por 25 milhões de euros. O original foi descoberto em um quarto de hotel em Amsterdã quatro meses após seu desaparecimento. Curiosamente, estava em melhores condições do que quando foi afanado.

Christopher deu um passo para a esquerda e observou a tela ao lado, um retrato austero de uma Madame Roulin sentada. Então, ele se virou e examinou a sala em si. Tinha cerca de quinze por dez metros, com um piso de madeira gasto e um banco quadrado. Havia quatro entradas e saídas. Duas das passagens levavam a salas vizinhas dedicadas ao trabalho de Vincent em Saint-Rémy e Paris. As outras duas levavam à escadaria central do museu. Estava longe de ser perfeito, pensou Christopher, mas serviria.

Ele passou os trinta minutos seguintes vagando pela coleção notável — *A ponte de Langlois, O quarto, Jardim de Iris, Campo de trigo com corvos* — e em seguida desceu a escada para o saguão e saiu. Foi uma caminhada de aproximadamente 150 metros pela Museumplein até Van Baerlestraat, uma rua movimentada com ciclovias e um trilho de bonde. Usando a função de cronômetro de seu telefone do MI6, Christopher contou o deslocamento em 94 segundos.

A caminhada de volta ao De L'Europe durou 23 minutos. Gabriel estava lá em seu quarto.

— Como estava *Girassóis*? — perguntou ele.

— Sendo sincero, sempre preferi sua versão à do Vincent.

— Algum problema?

— Não gostei do detector de metais. Não há possibilidade de você levar uma arma para o museu.

— Mas você estará esperando do lado de fora. E vai levar isso. — Gabriel ergueu a Walther PPK de Christopher. — Talvez prefira usar minha Beretta.

— O que há de errado com minha arma?

— É bastante pequena, sr. Bond.

— Mas é fácil de esconder e bate forte.

— Sim — disse Gabriel. — Como um tijolo jogado em uma janela de vidro temperado.

Gabriel ligou para o manobrista às 13h15 e solicitou seu carro. Um sedã Mercedes cinza metálico esperava na rua quando ele e Christopher saíram do hotel. Sarah já estava ao volante. Ela dirigiu até o bairro dos museus e estacionou perto do Concertgebouw, a sala de concertos de música clássica neorrenascentista de Amsterdã. Christopher entregou a Walther PPK a ela e perguntou:

— Você se lembra de como usá-la?

— Destravar a segurança e puxar o gatilho.

— Ajuda se você apontar a porcaria primeiro.

Sarah guardou a arma na bolsa enquanto Christopher e Gabriel saíam do carro e começavam a cruzar a Van Baerlestraat. Mais uma vez, Christopher cronometrou a caminhada. Noventa e dois segundos. Na entrada do museu, ele deu a Gabriel o segundo ingresso que havia comprado naquela manhã.

— Roube algo bonito para mim enquanto estiver lá.

— Eu pretendo — disse Gabriel, e entrou.

Depois de passar pelo detector de metais sem ser incomodado, ele subiu a escada para a sala de exposições de Arles. Oito visitantes mascarados esperavam em uma fila segundo os protocolos de segurança da Covid em frente ao *Girassóis*. Outra meia dúzia estava contemplando outras obras emblemáticas da sala. Nenhum visitante parecia ser a jornalista russa em fuga e procurada para ser interrogada por ligação com o assassinato de Viktor Orlov.

Gabriel vasculhou as salas de Paris e Saint-Rémy, mas também não viu sinal algum dela. Ao voltar à sala de Arles, ele entrou na fila para *Girassóis*. Verificou a hora no telefone: 13h52... De repente, Gabriel sentiu uma pontada na lombar. Não foi nada, ele se encorajou. Apenas o lugar vazio onde deveria estar sua arma.

11

MUSEU VAN GOGH, AMSTERDÃ

Dakota Maxwell, de 24 anos, recém-formada em uma pequena, mas conceituada faculdade de artes liberais na Nova Inglaterra, viera para Amsterdã por amor e ficara pela maconha. Os pais dela, que viviam em grande estilo no Upper East Side de Manhattan, imploravam para que Dakota voltasse para casa, mas ela estava determinada a permanecer no exterior, como os personagens de seu romance favorito de Fitzgerald. Aspirante a escritora, a jovem esperava encontrar uma moradia adequada onde pudesse começar a trabalhar em seu primeiro manuscrito, que tinha um título, mas não enredo, e os primeiros indícios de uma história. No momento, ela residia no Tiny Dancer, um albergue localizado no Distrito da Luz Vermelha. Seu quarto tinha seis camas dispostas em dois treliches. Todas as noites, elas eram ocupadas por um elenco intercambiável de jovens na faixa dos vinte anos, cujas reflexões influenciadas por álcool e maconha enchiam vários dos cadernos de Dakota.

A mulher que chegou tarde da noite de quarta-feira era diferente. Mais velha, vestida profissionalmente, sóbria. Na manhã seguinte, durante o café, ela disse a Dakota que seu nome era Renata, que era polonesa e que morava em Londres. Seu marido desempregado, um encanador, ameaçou matá-la em um acesso de fúria quando estava bêbado. Ela se hospedou no Tiny Dancer porque o albergue aceitava dinheiro vivo e ele havia cancelado seus cartões de crédito. Renata pediu a Dakota para mudar a cor de seu cabelo loiro acastanhado. No banheiro comunitário do albergue, com produtos comprados na farmácia do outro lado da rua, Dakota tingiu o cabelo da mulher da mesma cor que o dela, preto com mechas de azul real. Ficou melhor na polonesa. Ela tinha maçãs do rosto lindas de morrer.

Com exceção de uma única ida à loja da Vodafone, onde comprou um novo celular descartável, a mulher permaneceu trancada no Tiny Dancer. Mas às onze horas da manhã de sábado, Renata acordou Dakota e inesperadamente perguntou se ela gostaria de visitar o Museu Van Gogh. Dakota, que estava de ressaca e ainda um pouco chapada, recusou. Ela cedeu, no entanto, quando a mulher explicou o verdadeiro motivo pelo qual queria a sua companhia.

Renata não era polonesa, não morava em Londres e nunca fora casada. Seu nome era Nina e ela era uma jornalista investigativa russa que estava se escondendo do Kremlin. Um homem estaria esperando em frente à pintura mais famosa do museu às catorze horas para levá-la sob custódia. Ele era amigo de um amigo. Nina queria que Dakota fizesse contato com este homem em seu nome.

— Estarei em perigo?

— Não, Dakota. Sou eu que eles querem matar.

— Qual o nome dele?

— Não é importante.

— Como ele é?

Nina mostrou a Dakota uma fotografia no Vodafone.

— Mas como vou reconhecê-lo de máscara?

— Pelos olhos dele — disse Nina.

O que explica por que, às 13h58, no primeiro dia de agosto, Dakota Maxwell, uma aspirante a romancista vivendo em exílio autoimposto em Amsterdã, estava contemplando um autorretrato de Vincent na sala de Paris do Museu Van Gogh. Quando deu catorze horas, ela foi para a sala de Arles, onde quatro visitantes esperavam em uma fila organizada, segundo os protocolos de segurança da Covid, em frente a *Girassóis*. O homem parado diretamente diante da tela era de altura e constituição medianas, longe de ser o tipo super-herói. O cabelo era curto e escuro e muito grisalho nas têmporas. A mão direita estava pousada no queixo, em um gesto pensativo. A cabeça estava ligeiramente inclinada para um lado.

Dakota passou pela fila, provocando murmúrios multilíngues de protesto dos outros visitantes, e se juntou ao homem diante da tela. Ele a encarou com os olhos mais verdes que Dakota já tinha visto. Não havia como confundi-lo com mais ninguém.

— Você tem de esperar sua vez, como todo mundo — repreendeu o homem em francês.

— Não vim aqui para ver o quadro — respondeu ela na mesma língua.

— Quem é você?

— Sou uma amiga da...

— Onde ela está? — perguntou ele, interrompendo Dakota.

— Le Tambourin.

— Ela mudou de aparência?

— Um pouco — respondeu Dakota.

— Como ela se parece?

— Comigo.

O Le Tambourin, o café elegante do museu, ficava um nível abaixo, no térreo. Uma única cliente, uma mulher sentada sozinha em uma mesa com vista para a Museumplein, a Praça dos Museus, tinha cabelos pretos com mechas azuis real. Gabriel se sentou sem ser convidado e tirou a máscara. Ela o encarou com apreensão, seguida de um grande alívio.

— Deve ser difícil para você — comentou a mulher.

— O quê?

— Ter um rosto tão famoso.

— Felizmente, é um fenômeno recente. — Ele olhou para o chá de Nina. — Você não está realmente bebendo isso, está?

— Eu pensei que seria seguro.

— Obviamente, Viktor pensava a mesma coisa. — Ele removeu a xícara de chá para a mesa ao lado. — Usar aquela garota americana lá em cima foi uma bela jogada de espionagem. Se os papéis estivessem invertidos, eu teria feito da mesma maneira.

— Para sobreviver como jornalista russa, é preciso agir de acordo com um determinado conjunto de regras.

— Em nosso ramo, elas são conhecidas como Regras de Moscou.

— Posso citá-las de cabeça — disse Nina.

— Qual é a sua favorita?

— Suponha que todos estejam sob o controle da oposição.

— Você está? — perguntou Gabriel.

— É isso que você acha?

— Eu não estaria aqui se achasse.

Ela sorriu.

— Você não é o que eu esperava.

— Como assim?

— Considerando suas façanhas, imaginei que você seria mais alto.

— Espero que não esteja desapontada.

— Muito pelo contrário. Na verdade, esta é a primeira vez que me sinto segura em muito tempo.

— Vou me sentir melhor quando você estiver a bordo do meu avião.

— Para onde você vai me levar?

— Os ingleses gostariam de esclarecer alguns detalhes de sua visita à casa de Viktor na noite da morte dele.

— Tenho certeza de que sim. Mas o que acontece se os ingleses concluírem que eu estava sob o controle da oposição?

— Eles não vão concluir isso.

— Como você pode ter certeza?

— Porque eu não vou deixar.

— Você tem influência sobre os ingleses?

— Você ficaria surpresa. — Gabriel olhou para o telefone dela. — Descartável?

Ela concordou com a cabeça.

— Deixe o telefone aí. Um colega meu está esperando do lado de fora. Tente andar em um ritmo normal. E não importa o que faça, não olhe para trás.

— Regras de Moscou — disse Nina.

Às 14h05, Sarah estava começando a ficar preocupada. Tendo agido contra os russos em várias ocasiões, ela sabia muitíssimo bem da capacidade deles e, mais importante, de sua total crueldade. Sozinha no carro, com a mão no cabo da pistola Walther, ela conjurou a imagem de uma multidão reunida em torno de um homem moribundo, caído aos pés de uma obra-prima de Van Gogh.

Finalmente, o telefone pulsou.

Estamos a caminho.

Sarah saiu do estacionamento e entrou na movimentada Van Baerlestraat. Havia uma única faixa reservada para carros e nenhum lugar para estacionar, mesmo por um ou dois minutos. Mesmo assim, ela parou rente ao meio-fio e acendeu o pisca-alerta. Olhou para a direita e avistou Gabriel e uma mulher que poderia ser Nina

Antonova caminhando de braços dados pela Museumplein. Christopher estava alguns passos atrás deles, a mão no bolso do casaco.

Nesse momento, a buzina de um carro soou, seguida por outra. Sarah deu uma olhadela pelo espelho retrovisor e viu um policial de aparência aborrecida se aproximando a pé. O homem ficou paralisado quando Gabriel abriu a porta traseira do lado direito e ajudou a mulher a entrar no banco de trás.

Christopher se sentou no banco do carona da frente e desligou o pisca-alerta.

— Dirija.

Sarah engatou a marcha do carro e pisou no acelerador.

— Próxima à esquerda — disse Christopher.

— Eu sei.

Ela fez a curva sem reduzir a velocidade e acelerou ao longo de uma rua repleta de lojas e casas com telhados triangulares. Christopher tirou a Walther do bolso do casaco de Sarah e devolveu a Beretta para Gabriel. Nina Antonova estava olhando pela janela, com o rosto molhado pelas lágrimas.

— Lá se foram as conclusões precipitadas — disse Sarah.

— Há algo que eu possa fazer para me redimir?

Ela deu um sorriso malicioso.

— Com certeza vou pensar em algo.

12

CHALÉ WORMWOOD, DARTMOOR

O Chalé Wormwood foi construído em um pequeno morro num terreno pantanoso e feito com pedra marrom que escureceu com o tempo. Atrás dele, em um pátio em ruínas, havia um celeiro reformado com escritórios e aposentos para os funcionários. O zelador era um ex-agente de campo do MI6 chamado Parish. Como sempre acontecia, ele recebeu apenas algumas horas de aviso prévio a respeito da chegada iminente. Foi Nigel Whitcombe — o jovem assistente do chefe, anotador, provador de comida, capanga e principal faz-tudo de incumbências extraoficiais — quem fez a ligação. Parish atendeu na linha segura em seu gabinete. Seu tom de voz era o de um maître de um restaurante onde era impossível encontrar mesas.

— E o tamanho do grupo? — indagou ele.

— Sete, incluindo eu.

— Sem Covid, presumo.

— Com certeza.

— Presumo que o chefe se juntará a nós?

Whitcombe murmurou algo afirmativamente.

— Hora de chegada?

— No início da noite, creio eu.

— Devo pedir à srta. Coventry para preparar o jantar?

— Se ela não se importar.

— Culinária tradicional inglesa?

— Quanto mais tradicional, melhor.

— Restrições alimentares?

— Sem carne de porco.

— Posso deduzir, então, que nosso amigo de Israel se juntará a nós?

— Pode, sim. O sr. Marlowe também.

— Nesse caso, vou pedir à srta. Coventry que faça sua famosa torta caseira. O sr. Marlowe adora.

Devido à pandemia, havia muitas semanas que o chalé não recebia visitas. Havia quartos para abrir, tapetes para aspirar, superfícies para desinfetar e uma despensa vazia para reabastecer. Parish ajudou a srta. Coventry com as compras no supermercado Morrisons em Plymouth Road, e às 19h30 ele estava parado no pátio escuro enquanto o elegante Jaguar do chefe subia agilmente pela estrada comprida. Nigel Whitcombe chegou pouco depois em uma van de transporte de passageiros sem nome com insulfilme nas janelas. Ele estava acompanhado por uma mulher bonita de traços eslavos que tinha uma leve semelhança com uma famosa jornalista russa que havia sido reinstalada na Grã-Bretanha vários anos antes. Qual era o nome dela? *Sukhova*... Sim, era isso, pensou Parish. *Olga Sukhova*...

Whitcombe entregou o telefone da mulher para Parish — dispositivos móveis eram proibidos no chalé, pelo menos no que dizia respeito aos visitantes — e a conduziu para o interior. O sol mergulhou abaixo do horizonte, a escuridão tomou conta do pântano. Parish notou o aparecimento das primeiras estrelas da noite, seguidas logo depois por uma lua minguante. Muito apropriado, pensou ele. Hoje em dia, tudo parecia estar minguando.

Ele marcou a hora em seu velho relógio de pulso Loomes quando outra van de transporte de passageiros apareceu quicando na entrada. O sr. Marlowe surgiu primeiro, parecendo ter acabado de voltar de um feriado ao sol. Em seguida, saíram duas mulheres. Parish calculou que elas estavam na casa dos quarenta anos. Uma era loira e bonita, talvez fosse americana. A outra tinha o cabelo da cor da asa de um corvo, com mechas azuis curiosas. Parish a considerou como outra russa.

Finalmente, o israelense saiu da van como a rolha de uma garrafa. Parish, que mal conseguia se levantar da cama sem romper alguma coisa, sempre invejou a agilidade e a resistência ilimitada do sujeito. Seus olhos verdes pareciam brilhar na meia-luz.

— É você, Parish?

— Infelizmente, sim, senhor.

— Você nunca vai se aposentar?

— E fazer o quê? — Parish aceitou o celular pesado do israelense. — Pensei que gostaria de ficar em seu antigo quarto, então o reservei. A srta. Coventry encontrou algumas roupas que o senhor deixou para trás após sua última visita. Acho que ela as colocou na última gaveta da cômoda.

— Ela é muito gentil.

— A menos que seja contrariada, senhor. Eu tenho as cicatrizes para provar.

Como Parish, a srta. Coventry era do antigo serviço. Ela havia trabalhado como ouvinte durante os últimos anos da Guerra Fria. Asseada, beata e vagamente formidável, ela estava parada diante do fogão, com um avental amarrado na cintura larga, quando a mulher com curiosos cabelos pretos e azuis entrou no chalé. A mulher de aparência eslava, que poderia ou não ser a famosa Olga Sukhova, esperava ansiosamente no saguão de entrada, ao lado do chefe. Uma das mulheres soltou um grito de alegria — qual delas, a srta. Coventry não sabia dizer. O homem que ela conhecia como

Peter Marlowe havia se plantado na passagem e estava bloqueando sua visão.

— Srta. Coventry, meu amor. — Ele soltou um sorriso maroto para ela. — A senhorita certamente é um colírio para os olhos.

— Bem-vindo de volta, sr. Marlowe.

No saguão, as duas mulheres conversavam agora em russo animado. O sr. Marlowe estava espiando pela janela do forno.

— O que elas estão dizendo? — perguntou ele baixinho.

— Uma delas está aliviada porque a outra ainda está viva. Parece que são velhas amigas. Evidentemente, já se passaram vários anos desde que se viram.

— Os microfones estão ligados?

— Isso é da alçada do sr. Parish, não da minha. — Ela pegou uma travessa do aparador e, como quem não quer nada, perguntou: — Sua nova namorada linda também gosta de empadão de carne?

— A senhorita não deixa passar nada, não é?

A srta. Coventry sorriu.

— Americana, não é?

— Isso mesmo.

— Ela é uma de nós?

— Uma prima distante.

— Não vamos ficar bravos com ela por isso. Embora eu tivesse esperanças para o senhor e para a srta. Watson.

— Ela também.

A intenção da srta. Coventry era servir um jantar com distanciamento social do lado de fora, no jardim, mas quando um vento forte noroeste soprou repentinamente, ela armou uma mesa tradicional na sala de jantar. O primeiro prato foi uma torta de cebola com salada de endívia e queijo Stilton, seguida pelo empadão de carne. Ela e o sr. Parish jantaram na mesinha da alcova da cozinha. De vez em quando, ela escutava um trecho de conversa no cômodo ao lado. Não havia como evitar — ouvir às escondidas, assim como cozinhar, lhe era natural. Eles estavam discutindo a respeito do bilionário russo que foi assassinado na própria casa em Chelsea. Aparentemente, a russa de cabelos negros e azuis estava envolvida de alguma forma. A amiga americana do sr. Marlowe também.

Para a sobremesa, a srta. Coventry serviu um pudim de pão acompanhado de manjar. Pouco antes das 21 horas, ela ouviu cadeiras sendo arrastadas no chão de madeira, o que indicou que a refeição havia terminado. Era tradição do chalé servir café na sala de estar. O chefe e o cavalheiro israelense levaram seus cafés para o gabinete ao lado e convidaram a russa de cabelos pretos e azuis a se juntar a eles. As gentilezas acabaram. Havia chegado a hora, como se costumava dizer nos velhos tempos, da verdade.

Em outra vida, antes da queda do Muro e do Ocidente perder o rumo, a srta. Coventry poderia muito bem estar curvada sobre um gravador de rolo na sala ao lado, com um lápis na mão. Agora tudo era feito digitalmente, até as transcrições. Bastava o toque em um botão. Mas essa era a alçada do sr. Parish, pensou ela enquanto enchia a pia da cozinha com água. Não dela.

13
CHALÉ WORMWOOD, DARTMOOR

Parish acionou o botão em questão às sete da noite. No entanto, devido a uma falha técnica provocada pelos dedos ágeis de Nigel Whitcombe, nenhuma gravação de áudio ou transcrição escrita dos trabalhos daquela noite jamais foram parar no registro oficial do caso. Se tal documento existisse, teria revelado que o interrogatório de Nina Antonova, a única suspeita do assassinato de Viktor Orlov, começou com o e-mail que ela recebeu no fim de fevereiro. Como muitos jornalistas investigativos, Antonova divulgava seu endereço eletrônico no Twitter. Ele era hospedado no ProtonMail, um serviço criptografado fundado em Genebra por cientistas que trabalhavam nas instalações de pesquisa da CERN.* O ProtonMail utilizava criptografia de ponta a ponta do lado do cliente, que codificava a mensagem antes de chegar aos servidores da empresa. Ambos estavam localizados na Suíça, fora do alcance jurisdicional dos Estados Unidos e da União Europeia.

---

* CERN (antigo acrônimo para *Conseil Européen pour la Recherche Nucléaire* ou Organização Europeia para a Pesquisa Nuclear, na tradução oficial dos documentos do Governo brasileiro). (N. do T.)

— Como você acessa a conta? — perguntou Graham.

— Só no meu computador.

— Nunca por dispositivo móvel?

— Nunca.

— Onde está o computador?

— No meu apartamento em Zurique. Eu moro no Distrito Três. Wiedikon, para ser mais exata.

— Você trabalha de casa, suponho?

— Todos nós trabalhamos assim hoje em dia, não?

Ela estava sentada com o corpo empertigado diante da lareira apagada, com uma xícara sobre um pires equilibrados no joelho. Graham havia se acomodado na cadeira em frente, mas Gabriel andava lentamente de um lado para o outro pelo perímetro da sala, como se lutasse contra a consciência pesada. Atrás da porta fechada vinha o murmúrio de vozes. Lá fora, o vento soprava no beiral.

— Presumo que os russos saibam seu endereço? — sondou Graham.

— Eu não ficaria surpresa se estivesse na lista de mala direta da embaixada — respondeu Nina.

— Você é cuidadosa com sua rede Wi-Fi?

— Eu tomo todas as precauções normais. Mas também sei muitíssimo bem que é impossível proteger totalmente as comunicações de uma pessoa das várias agências de vigilância de estado, incluindo o GCHQ da Grã-Bretanha. Além disso, os russos não são muito discretos. Às vezes, eles colocam uma equipe do lado de fora do meu apartamento, apenas para me informar que estão sempre observando. Também deixam mensagens ameaçadoras na minha secretária eletrônica.

— Você já mostrou essas mensagens para a polícia suíça?

— E dar a eles uma desculpa para revogar minha cobiçada autorização de residência? — Ela fez que não com a cabeça. — Zurique é um lugar excelente para monitorar o fluxo de dinheiro sujo que sai da Rússia. Também é um lugar bastante agradável para morar.

— E o e-mail? — perguntou Graham. — De quem era?

— Sr. Ninguém.

— Perdão?

— É assim que ele se referia a si mesmo. Sr. Ninguém.

— Idioma?

Inglês, respondeu ela. O sr. Ninguém disse que deixou um pacote de documentos para Nina em um complexo de atletismo não muito longe do apartamento dela. Desconfiada de uma armadilha do Kremlin, ela pediu que ele lhe enviasse os documentos por e-mail. Mas 24 horas se passaram sem resposta, e Nina colocou uma máscara protetora e um par de luvas de borracha e se aventurou no vazio distópico. O complexo de atletismo tinha uma pista de corrida artificial vermelha, em torno da qual quatro zuriquenhos sem máscara disparavam perdigotos. Árvores cercavam o perímetro. Ao pé de uma, ela descobriu um pacote retangular embrulhado em plástico preto grosso e selado com fita adesiva transparente.

Nina esperou até voltar para casa antes de abri-lo com cuidado. Dentro, havia cerca de cem páginas de registros financeiros relacionados a transferências eletrônicas, negociações de ações e outros investimentos, como grandes compras de propriedades comerciais e residenciais. Uma corporação aparecia com frequência, uma empresa de fachada registrada na Suíça chamada Omega Holdings. Todos os documentos eram da mesma instituição.

— Qual?

— RhineBank AG. Especialistas financeiros geralmente se referem ao RhineBank como o banco mais sujo do mundo. Não é de surpreender que tenha vários clientes russos.

— O que você fez com os documentos?

— Eu fotografei as dez primeiras páginas e enviei por e-mail para um conhecido especialista em corrupção do Kremlin.

— Viktor Orlov?

Ela concordou com a cabeça.

— Ele ligou alguns minutos depois, praticamente sem fôlego. "Onde você conseguiu isso, Nina Petrovna?" Quando expliquei, ele me disse para apagar as fotos do meu telefone imediatamente.

— Por quê?

— Segundo ele, os documentos eram perigosos demais para serem transmitidos eletronicamente.

Viktor Orlov voou para Zurique no dia seguinte em seu jato particular. Nina o encontrou no saguão do serviço aeroportuário do Aeroporto de Zurique, em Kloten. O olho esquerdo do russo tremia enquanto ele folheava os documentos, um cacoete que surgia sempre que Orlov estava ansioso ou empolgado.

— Suponho que Viktor estivesse empolgado...

— Ele disse que os documentos diziam respeito às finanças pessoais de um russo muito importante. Alguém próximo do presidente. Alguém de seu círculo íntimo.

— Ele disse quem era?

— Ele disse que seria melhor se eu não soubesse o nome do homem. Em seguida, me instruiu a entregar o próximo lote de documentos para ele sem abrir o pacote.

Gabriel interrompeu a lenta jornada em volta do perímetro da sala.

— Como ele sabia que haveria uma próxima vez?

— Viktor disse que o primeiro lote de documentos foi apenas a ponta do iceberg, que tinha de haver mais.

— Como você reagiu?

— Eu contei que o sr. Ninguém era minha fonte. Aí eu o lembrei da promessa que ele fez ao adquirir a *Gazeta*.

— Que promessa foi essa?

— Que ele nunca se meteria em questões editoriais ou usaria a *Gazeta* para acertar contas políticas com o Kremlin.

— E você acreditou nele?

— Viktor me fez exatamente a mesma pergunta.

A próxima entrega, continuou ela, ocorreu na segunda semana de março, em uma marina na costa oeste do Lago de Zurique. A terceira entrega foi no início de abril na cidade de Winterthur; a quarta, em Zug. Houve uma calmaria em maio, mas junho foi um mês agitado, com entregas na Basileia, em Thun e em Lucerna. Nina relutantemente entregou todos os pacotes para Viktor no mesmo aeroporto.

— E ele sempre abria os pacotes na sua presença? — perguntou Graham.

Nina concordou com a cabeça.

— Ele alguma vez se sentiu mal depois? Uma dor de cabeça repentina? Náusea?

— Nunca.

— E você?

— Nada.

— E o pacote que você trouxe para Londres na noite de quarta-feira? — perguntou Graham. — Onde o sr. Ninguém o deixou?

— Numa pequena aldeia chamada Bargen, perto da fronteira com a Alemanha. Ele disse que seria a última entrega. Falou que o material seria abrangente e inequívoco.

— Por que Viktor não recolheu os documentos em Zurique?

— Ele disse que já tinha um compromisso marcado.

— O que era?

— Uma mulher, é claro. Com o Viktor, sempre era uma mulher.

— Por acaso ele mencionou o nome dela?

— Sim — respondeu Nina. — O nome dela era Artemisia.

* * *

Normalmente, Viktor era mão fechada quando se tratava de despesas de viagem, mas ele permitiu que Nina voasse para Londres na primeira classe. Ela colocou os documentos na bolsa de mão e a mala no compartimento superior. O colega de assento era um homem que falava inglês, tinha uma aparência modernosa e usava uma máscara protetora sob medida que combinava com a gravata de seda. Nina teve alguns minutos de conversa fiada abafada com o sujeito, apenas para estabelecer que ele não era um oficial da FSB, do SVR ou de qualquer outra divisão da inteligência russa.

— Quem era ele? — perguntou Graham.

— Um banqueiro de Londres. Do Lloyds, se bem me lembro. — Nina deu a ele um sorriso falso. — Mas o senhor já sabia disso, não é, sr. Seymour?

Ela passou pelo controle de passaportes sem demora — o que o sr. Seymour também sabia — e pegou um táxi para Cheyne Walk. Viktor tinha acabado de tirar a rolha de uma garrafa de Château Pétrus. Ele não ofereceu uma taça para Nina.

— Isso não é típico do Viktor — disse Graham. — Sempre soube que ele era um anfitrião extremamente generoso.

— Ele esperava outra visita. Suponho que seria Artemisia. Quem quer que fosse, ela salvou minha vida. Viktor estava com tanta pressa que não abriu o pacote na minha presença.

— Você saiu às 18h35.

— Se o senhor diz.

— Existe algum motivo para você ter ido a pé até o hotel em vez de pegar um táxi?

— Sempre gostei de andar por Londres.

— Mas você estava com uma mala.

— Ela tinha rodinhas.

— Você notou se estava sendo seguida?

— Não. O senhor notou?

Graham ignorou a pergunta.

— E quando você chegou ao hotel?

— Eu me servi uma vodca do frigobar. Viktor ligou alguns minutos depois. No instante em que ouvi a voz dele, soube que alguma coisa estava errada.

— O que ele falou?

— Você ouviu a gravação.

— Não há nenhuma.

Ela deu a Graham um olhar descrente antes de responder.

— Viktor disse que tinha acabado de vomitar e estava com dificuldade para respirar. Ele estava convencido de que havia sido envenenado.

— E ele a acusou de tentar matá-lo?

— Viktor? — Nina fez que não com a cabeça. — Ele perguntou se eu também estava me sentindo mal. Quando falei que estava bem, ele me disse para sair da Grã-Bretanha o mais rápido possível.

— Ele temia que os russos também tentassem matar você?

— Ou que tentariam me envolver no complô contra ele — respondeu ela. — Como o senhor sabe, sr. Seymour, os órgãos russos de segurança estatal raramente matam alguém sem um plano de jogar a culpa em outra pessoa.

— Razão pela qual você deveria ter telefonado para a polícia. Você se incriminou quando fugiu do país.

— Viktor me disse para não chamar a polícia. Falou que ele mesmo faria isso. Só depois que meu avião pousou em Amsterdã eu soube que ele estava morto. Obviamente, me culpo pelo que aconteceu. Se eu nunca tivesse recolhido aquele primeiro pacote de documentos do sr. Ninguém, Viktor ainda estaria vivo. O Centro de Moscou vem planejando matá-lo há anos. E eles me usaram para colocar a arma do crime nas mãos dele.

Graham ficou em silêncio.

— Por favor, sr. Seymour. O senhor tem que acreditar em mim. Eu não tive qualquer coisa a ver com a morte do Viktor.

— Ele acredita em você — falou Gabriel do outro lado da sala. — Mas gostaria de ver os e-mails do sr. Ninguém, incluindo o que ele deixou na vila suíça de Bargen. Você *salvou* os e-mails, não foi, Nina?

— Claro. Só espero que o Centro de Moscou ou o Spetssviaz não tenha invadido minha conta e os excluído.

— Quando foi a última vez que você verificou?

— Na manhã do assassinato do Viktor.

— Isso foi há três dias.

— Eu estava com medo de que eles pudessem identificar minha localização se eu acessasse a conta.

— Você não tem nada a temer aqui, Nina. — Gabriel olhou para Graham. — Não é verdade, sr. Seymour?

— Eu me abstenho de julgar até ver esses e-mails.

Nina olhou em volta do quarto antigo.

— Há um computador neste lugar?

O computador estava localizada no celeiro reformado, no gabinete de Parish. Visitas estavam estritamente proibidas de colocar as mãos nele, pois possuía uma conexão segura com Vauxhall Cross. O chefe pediu a Parish que esperasse do lado de fora no corredor com Nigel Whitcombe enquanto a mulher de cabelo preto e azul acessava sua conta no ProtonMail, uma humilhação que Parish sofreu com indignação mal disfarçada.

— Mas ela é uma russa maldita! — disse ele em tom baixo.

— Uma das boas — respondeu Whitcombe com uma voz arrastada.

— Não sabia que havia qualquer russo bom. — Do lado oposto da porta veio uma manifestação repentina de digitação firme e confiante. — Ela é jornalista, não é?

— Nada mal, Parish.

A digitação cessou, e seguiu-se um silêncio. Foi um silêncio tenso, pensou Parish — como o silêncio ameaçador que paira em um ambiente após uma acusação de infidelidade ou traição. Finalmente, a porta foi escancarada e saiu o chefe, junto com a russa de cabelo preto e azul e o cavalheiro de Israel. Os três desceram a escada, com Nigel Whitcombe correndo atrás. O sr. Marlowe se juntou a eles no pátio. Algumas palavras foram trocadas. Então, o corso e o cavalheiro israelense pularam na parte de trás de uma van de transporte, que disparou em alta velocidade em direção ao portão.

Parish voltou ao gabinete. O computador estava ligado. Na tela havia um e-mail aberto. De acordo com o registro da hora, a mensagem tinha chegado à caixa de entrada da mulher no início daquela noite, quando ela estava se sentando para o jantar da srta. Coventry. Parish fechou o programa rapidamente, mas não antes que os olhos passassem involuntariamente pelo texto. Era dirigido a uma sra. Antonova e tinha três sentenças. A língua era o inglês; a pontuação, correta e profissional. Não havia pontos de exclamação ou elipses desnecessárias no lugar de um ponto final. O assunto era surpreendentemente mundano, dada a reação que provocou, alguma coisa a respeito de um pacote que havia sido deixado na Cidade Antiga de Berna. Na verdade, a única coisa que Parish achou minimamente interessante foi o nome da pessoa que o enviou.

Sr. Ninguém...

14

BERNA

O local da entrega estava localizado a poucos passos da beira de uma trilha arborizada que se estendia pela margem do rio Aar. A possibilidade de envolvimento da Rússia exigia que Gabriel presumisse o pior, que o conteúdo do pacote, seja lá o que fosse, estava contaminado com o mesmo agente nervoso que matara Viktor Orlov. Se fosse o caso, o pacote deveria ser removido imediatamente por uma equipe da Coordenadoria de Biodiversidade e Recursos Naturais, a CBRN, para impedir que um transeunte inocente ou uma criança curiosa o abrisse por engano. O que deixou Gabriel sem escolha a não ser incluir os suíços na história.

O protocolo e as boas maneiras ditavam que ele entrasse em contato com seu equivalente no NDB, o serviço de segurança doméstica e inteligência externa da Suíça. Em vez disso, ele telefonou para Christoph Bittel, que dirigia o setor doméstico. Certa vez, os dois tiveram uma discussão em uma mesa de interrogatório. Agora eram mais ou menos aliados. Mesmo assim, Bittel atendeu ao telefone com cautela. Uma ligação de Gabriel raramente trazia boas notícias, ainda mais quando chegava depois da meia-noite.

— O que foi agora?

— Eu preciso que você pegue um pacote para mim.

— Existe alguma chance de isso poder esperar até de manhã?

— Nenhuma.

— Onde está o pacote?

Gabriel explicou.

— Conteúdo?

— É possível que sejam documentos financeiros confidenciais. Por garantia, você deve presumir que estão contaminados com pó ultrafino de Novichok.

— Novichok? — perguntou Bittel, assustado.

— Está prestando atenção agora?

— Isso tem alguma coisa a ver com o assassinato de Viktor Orlov?

— Eu explico quando chegar lá.

— Você não está mesmo pensando em entrar em um avião, está?

— Um avião particular.

— Há mais alguma coisa que você possa me dizer a respeito do pacote?

— Tenho a sensação de que os russos podem estar vigiando. Se não for muito incômodo, gostaria que você os espantasse antes de enviar a equipe da CBRN.

— E como eu faria isso?

— Faça barulho, Bittel. De que outra forma?

Noventa minutos depois, à 1h47, hora local, unidades da Polícia Federal Suíça armaram um cordão de isolamento em torno da normalmente tranquila Cidade Antiga de Berna. Eles não deram explicação alguma, embora os noticiários subsequentes dessem a entender que o serviço de inteligência suíço tivesse recebido uma denúncia confiável a respeito de uma bomba escondida perto de um mercado popular. A fonte do alerta nunca foi identificada de forma segura e, apesar de uma busca prolongada e intensa no bairro elegante, nenhum explosivo foi encontrado. Não foi surpresa, pois tal artefato nunca existiu.

O verdadeiro alvo da atividade policial no início da madrugada foi um pacote de aparência benigna ao pé de um choupo perto da margem do rio Aar. De formato retangular, ele estava embrulhado em plástico grosso e lacrado com fita adesiva transparente. Uma equipe da CBRN removeu o objeto pouco antes das quatro da manhã e o transportou para o Instituto Federal de Proteção Química, Biológica e Nuclear na cidade vizinha de Spiez. Lá, ele foi submetido a uma bateria de testes para contaminantes biológicos, radiológicos ou químicos, incluindo o agente nervoso mortal de fabricação russa conhecido como Novichok. Todos os testes deram negativos.

Depois disso, o conteúdo do pacote, tendo sido removido do invólucro original de plástico, foi colocado em uma valise de alumínio para ser levado à sede do NDB em Berna. Gabriel e Christopher chegaram lá alguns minutos depois das oito da manhã, na traseira de um carro da embaixada israelense. Bittel recebeu os dois em seu gabinete no último andar. Alto e careca, ele tinha o semblante severo de um pastor calvinista e a palidez de um homem com pouco tempo para atividades ao ar livre. Gabriel apresentou seu companheiro de viagem como um agente do MI6 chamado Peter Marlowe e em seguida entregou o relatório prometido a respeito da conexão entre o pacote de documentos e o assassinato de Viktor Orlov. Bittel acreditou em metade do que leu, o que de certa forma era justificável.

— E a jornalista da *Gazeta*? — perguntou ele. — Onde ela está agora?

— Em algum lugar onde os russos nunca a encontrarão.

O telefone na mesa de Bittel soou baixinho. Ele ergueu o fone e disse algumas palavras em suíço-alemão antes de desligar. Um momento depois, um agente do NDB apareceu na porta com a valise na mão. Por puro reflexo, Gabriel e Christopher se afastaram enquanto Bittel removia o conteúdo: uma pilha de papel com mais ou menos cinco centímetros de espessura. Ele exibiu a primeira página. Estava em branco, assim como as 25 seguintes.

— Parece que os russos estavam se divertindo um pouco às suas custas.

— Isso significaria que eles têm senso de humor.

Bittel folheou outras vinte páginas e então parou.

— E aí? — perguntou Gabriel.

Bittel arrastou a página pelo tampo da mesa. Seis palavras em fonte sem serifa e corpo vinte.

Eu sei quem matou Viktor Orlov.

— Posso fazer outra sugestão? — perguntou Gabriel depois de um instante.

— Com certeza — disse Bittel secamente.

— Descubra quem deixou isso ao lado daquela árvore.

A trilha tinha sido pavimentada recentemente e era preta como um disco de vinil. De um lado, a terra subia abruptamente em direção ao limite da Cidade Antiga. Do outro, fluíam as águas verde tom de muco do rio Aar. O choupo se agarrava precariamente ao aterro gramado, com um banco de alumínio de cada lado. Para chegar à árvore, era preciso passar a perna por cima de uma grade de madeira de aparência rústica e atravessar um trecho de terreno aberto.

A câmera de vigilância mais próxima estava a mais ou menos cinquenta metros rio abaixo. Fora instalada no topo de um poste de luz, no qual um grafiteiro havia rabiscado uma ofensa aos imigrantes muçulmanos. Bittel obteve o equivalente a uma semana de vídeos de vigilância, começando no alvorecer do domingo anterior e concluindo com a remoção do pacote pela equipe da CBRN. Gabriel e Christopher analisaram o material em um laptop do NDB, dentro de uma sala de conferências envidraçada. Bittel aproveitou o tempo para limpar a bagunça de sua caixa de entrada de e-mails. Tirando isso, por ser um domingo tranquilo na Suíça, a sede do NDB estava quase deserta. O único som era o toque ocasional de um telefone que ninguém atendia.

O e-mail do sr. Ninguém havia chegado na caixa de entrada do ProtonMail de Nina Antonova às 20h36. Gabriel sincronizou o vídeo de vigilância com aquela hora e depois o reproduziu no modo retroceder com o dobro da velocidade normal.

Por vários minutos, a trilha permaneceu deserta. Finalmente, duas figuras apareceram na extremidade da imagem, um homem usando um chapéu modelo fedora e um cachorro grande de raça não reconhecível. Homem e animal andaram de costas em direção à câmera e pararam brevemente ao lado de uma lata de lixo, da qual o homem pareceu tirar um pequeno saco plástico. Os dois pararam novamente ao lado do poste, onde o cão estava agachado na beira da trilha. O que aconteceu a seguir foi reproduzido na ordem inversa.

— Eu gostaria de poder *desver* isso — gemeu Christopher.

A noite virou crepúsculo e o crepúsculo virou uma tarde dourada de verão. Uma folha caída se levantou como uma alma ressuscitada e se prendeu a um galho do choupo. Namorados passearam, corredores correram, o rio fluiu — tudo ao contrário. Gabriel ficou impaciente e aumentou a velocidade da reprodução. Christopher, entretanto, parecia ligeiramente entediado. Enquanto servia na Irlanda do Norte, ele passou duas semanas observando um suspeito de ser terrorista do IRA do interior de um sótão de Londonderry. A família católica que vivia abaixo de Christopher nunca soube que ele esteve ali.

Mas quando o marcador de tempo atingiu 14h27, Christopher se empertigou repentinamente na cadeira. Uma figura havia passado por cima da cerca de madeira e caminhava para trás em direção à margem do rio. Gabriel clicou em PAUSAR e deu zoom na imagem, mas não adiantou; a câmera estava muito longe. A figura era pouco mais que uma mancha digital.

Ele clicou em RETROCEDER e a mancha removeu a mochila que estava usando. No pé do choupo, a figura recuperou um objeto.

Um pacote retangular embrulhado em plástico grosso e selado com fita adesiva transparente....

Gabriel clicou em PAUSAR.

— Olá, sr. Ninguém — disse Christopher baixinho.

Gabriel clicou em RETROCEDER novamente e observou o sr. Ninguém colocar o pacote na mochila e se sentar em um dos bancos de alumínio. De acordo com o marcador de tempo do vídeo, ele permaneceu lá por doze minutos antes de retornar à trilha.

— Ande por aqui — sussurrou Gabriel. — Eu quero dar uma olhada em você.

A mancha distante parecia ouvi-lo, porque um momento depois ela estava andando de costas em direção ao poste onde a câmera de vigilância estava montada. Gabriel aumentou a velocidade da reprodução e depois clicou em PAUSAR.

— Ora, ora — falou Christopher. — Imagine só.

Gabriel deu um zoom. Cabelo loiro na altura dos ombros. Calça jeans com stretch. Um par de botas elegantes.

O sr. Ninguém era uma mulher.

★ ★ ★

Lâmpadas fluorescentes foram se acendendo conforme Gabriel e Christopher seguiam Bittel por um corredor até o centro de operações do NDB. Um único técnico estava jogando xadrez no computador contra um oponente em uma terra distante. Bittel deu a ele um número de câmera e uma referência de marcação de tempo, e um momento depois a mulher que se autodenominava "sr. Ninguém" apareceu no monitor principal na frente da sala. Desta vez, eles observaram a entrega na sequência correta. Ela se aproximou pelo leste, passou por cima da cerca de madeira e passou doze longos minutos contemplando o rio antes de colocar o pacote no pé do choupo e partir para o oeste.

O técnico mudou para uma nova câmera, que capturou a subida dela por um lance de escada de concreto até a orla da Cidade Antiga. De lá a mulher foi à estação ferroviária, onde, às 15h10, embarcou em um trem para Zurique.

A composição chegou exatamente uma hora depois. Na Bahnhofplatz, ela pegou o bonde número 3 e foi até a Römerhofplatz, no Distrito 7, um bairro residencial nas encostas do Zürichberg. De lá, fez uma caminhada agradável pela subida da Klosbachstrasse até o pequeno prédio residencial moderno no número 21 da Hauserstrasse.

Dois minutos depois que ela entrou no edifício, uma luz apareceu em uma janela do terceiro andar. Uma verificação rápida em um banco de dados de propriedades mantido pelo governo indicou que a unidade residencial em questão pertencia a Isabel Brenner, uma cidadã da Alemanha. Mais uma verificação revelou que ela atuava como diretora de compliance no escritório de Zurique do RhineBank AG, também conhecido como o banco mais sujo do mundo.

15

QUARTEL-GENERAL DO NDB, BERNA

Via de regra, é raro espiões de países diferentes trabalharem bem juntos. Compartilhar uma fofoca regional ou um alerta a respeito de uma célula terrorista é comum, ainda mais entre aliados próximos. Mas os serviços de inteligência evitam operações conjuntas sempre que possível, simplesmente porque essas empreitadas acabam expondo agentes e as técnicas de campo que eles tanto prezam. Os mestres da espionagem guardam esses segredos com ciúme, como receitas de família, e só os revelam sob coação. Além disso, interesses nacionais quase nunca se alinham com perfeição, ainda mais quando se trata de questões de altas finanças. Era verdade o que diziam a respeito de dinheiro. Ele mudava mesmo tudo.

Como o pó ultrafino Novichok, o dinheiro era inodoro, insípido, portátil e fácil de esconder. E às vezes, obviamente, era mortal. Alguns homens matavam por ele. E quando tinham dinheiro suficiente, matavam qualquer pessoa que tentasse tirá-lo de suas mãos. Cada vez mais, grande parte do dinheiro que fluía pelas veias e artérias do sistema financeiro global era sujo. Era derivado de atividades criminosas ou drenado dos cofres do Estado por autocratas cleptomaníacos. Ele envenenava tudo o que tocava. Até quem era saudável não estava imune à devastação do dinheiro sujo.

Muitas instituições financeiras estavam dispostas a emporcalhar as mãos com ele — por uma taxa substancial, obviamente. Uma dessas instituições era o RhineBank AG. Pelo menos, esse era o boato — lavagem de dinheiro era um dos poucos delitos financeiros pelos quais o banco não tinha sido punido. Seu confronto mais recente com reguladores ocorreu em Nova York, quando foi multado em cinquenta milhões de dólares pelo SEC, a Comissão de Valores Mobiliários dos Estados Unidos, por negociar com um traficante sexual condenado. De cabeça quente, um operador de derivativos do RhineBank comentou que o pagamento era menor do que seu bônus anual. Ele foi tolo o suficiente a ponto de repetir a afirmação em um e-mail, que acabou nas páginas do *Wall Street Journal*. Durante o miniescândalo que veio a seguir, a porta-voz do banco evitou as perguntas que indagavam se o operador realmente ganhou uma quantia tão astronômica de dinheiro. E quando o bônus foi divulgado em um processo corporativo subsequente, gerou outro escândalo.

O banco estava sediado em uma torre ameaçadora no centro de Hamburgo, que os críticos de arquitetura zombavam chamando de falo de vidro e aço. Sua movimentada filial em Londres ficava na Fleet Street e a de Nova York ocupava um novo arranha-céu cintilante com vista para o rio Hudson. Como o RhineBank era um banco global, obedecia a uma sopa de letrinhas de agências reguladoras. Qualquer uma delas ficaria interessada em saber que uma diretora de compliance da filial de Zurique estava deixando pacotes de documentos confidenciais em locais de entrega espalhados pela Suíça inteira. Se algum dia a natureza desses documentos se tornasse pública, os preços das ações do RhineBank provavelmente cairiam, o que por sua vez teria um impacto prejudicial em seu famoso balanço superfaturado. O dano se espalharia pelos sócios da instituição, os bancos dos quais ele recebia empréstimos ou emprestava dinheiro em troca. Peças de dominó cairiam. Dada o estado frágil da economia europeia, outra crise financeira era uma possibilidade evidente.

— Obviamente — disse Christoph Bittel —, uma situação como essa não seria do interesse da Confederação Suíça e de sua importantíssima indústria de serviços financeiros.

— Então, o que devemos fazer com essa mulher? — perguntou Gabriel. — Fingir que ela não existe? Varrê-la para debaixo do tapete?

— Isso é uma tradição aqui na Suíça. — Bittel olhou para Gabriel do outro lado da mesa retangular cintilante na sala de conferências. — Mas você já sabe disso.

— Nós fechamos minhas contas na Suíça há muito tempo, Bittel.

— Todas elas? — Bittel sorriu. — Recentemente, tive a oportunidade de assistir mais uma vez ao interrogatório que fiz com você após o bombardeio daquela galeria de antiguidades em St. Moritz.

— Como foi da segunda vez?

— Creio que fiz o melhor que pude. Ainda assim, gostaria de ter sido capaz de ter obrigado você a revelar mais alguns detalhes. O caso Anna Rolfe, por exemplo. Sua primeira aventura na Suíça. Ou foi o assassinato de Hamidi? É difícil não confundir os casos. — Recebido por silêncio, Bittel continuou: — Tive a sorte de ver Anna se apresentar com Martha Argerich algumas semanas antes do lockdown. Uma noite de sonatas de Brahms e Schumann. Ela ainda toca com o mesmo ardor. E Argerich... — Ele ergueu as mãos. — Bem, o que mais se pode dizer?

— Qual Brahms?

— Eu acredito que foi o Sol maior.

— Ela sempre adorou.

— Ela está morando aqui na Suíça novamente, na antiga *villa* de seu pai em Zürichberg.

— Não diga.

— Quando foi a última vez que você a viu?

— Anna? — Gabriel olhou para Christopher, que observava o trânsito da tarde de domingo passando pela A6, com um meio sorriso no rosto. — Já faz muito tempo.

Bittel voltou ao assunto em questão.

— Não seremos os únicos a sofrer se houver um escândalo. Os ingleses têm muitos negócios com o RhineBank, assim como os americanos.

— Se a situação for tratada de maneira adequada, não haverá escândalo. Mas se o banco violou a lei, deve ser punido de acordo.

— O que eu digo aos reguladores do RhineBank?

— Nada.

Bittel ficou chocado.

— Não é assim que fazemos as coisas aqui na Suíça. Nós seguimos as regras.

— A menos que não seja conveniente. Aí vocês desrespeitam as regras tão rápido quanto todos nós. Não somos policiais ou reguladores, Bittel. Nosso negócio é roubar os segredos de outras pessoas.

— Recrutar Isabel Brenner como agente? É isso que você está dizendo?

— De que outra forma vamos descobrir o nome do figurão russo que tem saqueado bens do Estado, escondendo-os aqui no Ocidente?

— Não sei se quero saber o nome dele.

— Nesse caso, deixe-me cuidar da situação.

Bittel soltou um longo suspiro.

— Por que sei que vou me arrepender disso?

Gabriel não se preocupou em dar garantias de que seu colega suíço não se arrependeria. Operações de inteligência, assim como a vida, eram invariavelmente cheias de arrependimentos. Ainda mais quando envolviam russos.

— O que você quer de nós? — perguntou Bittel finalmente.

— Eu gostaria que você ficasse fora do meu caminho.

— Certamente podemos fornecer *alguma* assistência. Vigilância física, por exemplo.

Gabriel indicou Christopher com a cabeça.

— O sr. Marlowe cuidará da vigilância, pelo menos, por enquanto. Mas, com sua aprovação, gostaria de adicionar outro agente à nossa equipe.

— Apenas um?

Gabriel sorriu.

— Eu só preciso de um.

16

ZURIQUE

Eli Lavon chegou ao Aeroporto de Zurique, Kloten, no fim da tarde seguinte. Ele usava um suéter de cardigã por baixo da jaqueta de tweed amarrotada e uma echarpe no pescoço. Seu cabelo era ralo e estava despenteado. Os traços do rosto eram comuns e facilmente esquecidos. Os agentes de imigração que foram ao avião de Lavon na pista não se deram ao trabalho de inspecionar seu passaporte. Nem verificaram os dois grandes volumes de bagagem com laterais de alumínio, que estavam abarrotados de equipamentos sofisticados de vigilância e comunicação.

Um atendente da ExecuJet, uma das agências aeroportuárias, colocou as malas na parte de trás da BMW X5 que esperava do lado de fora. Lavon sentou-se no banco do carona e franziu a testa.

— Você não deveria ter um guarda-costas ou dois?

— Eu não preciso de guarda-costas — respondeu Gabriel. — Eu tenho o Christopher.

Lavon olhou para o banco traseiro vazio.

— Não sabia que ele era tão bom assim.

Sorrindo, Gabriel entrou na estrada de acesso e seguiu pelo limite do campo de aviação.

— Como foi o voo? — perguntou ele, enquanto um jato que se aproximava passava voando baixo.

— Solitário.

— Não é maravilhoso?

— Voos particulares? Creio que poderia me acostumar com isso. Mas o que vai acontecer quando a pandemia acabar?

— O próximo diretor-geral do Escritório não voará pela El Al.

— Já pensou sobre qual alma azarada vai suceder você?

— Essa decisão é do primeiro-ministro.

— Mas você já tem um candidato em mente.

Gabriel olhou de soslaio para Lavon.

— Eu queria falar com você sobre seu futuro, Eli.

— Estou muito velho para ter um futuro. — Lavon sorriu tristemente. — Apenas um passado muito complicado.

Como Gabriel, Eli Lavon era um veterano da Operação Ira de Deus. No léxico hebraico da equipe, ele tinha sido um *ayin*, um rastreador e especialista em vigilância. Quando a unidade se desfez, Lavon se estabeleceu em Viena, onde abriu uma pequena agência de investigação chamada Wartime Claims and Inquiries. Com um orçamento apertado, ele conseguiu rastrear milhões de dólares em ativos saqueados durante o Holocausto e desempenhou um papel importante ao arrancar um acordo multibilionário dos bancos da Suíça. Brilhante e inflexível, Lavon logo conquistou o desprezo dos maiores banqueiros suíços. O *Neue Züricher Zeitung*, em um editorial mordaz, uma vez se referiu a ele como "aquele pequeno troll obstinado de Viena".

Ele olhou com tristeza pela janela.

— Você pode me dizer por que estou de volta à Suíça?

— Um problema com um banco.

— Qual é desta vez?

— O banco mais sujo do mundo.

— O RhineBank?

— Como você adivinhou?

— O título deles é indiscutível.

— Você já fez negócios com esse banco?

— Não — disse Lavon. — Mas sua mãe e seus avós, sim. Veja bem, o distinto RhineBank AG de Hamburgo financiou a construção de Auschwitz e a fábrica que produziu as pastilhas de Zyklon B usadas nas câmaras de gás. Também traficou ouro dental retirado da boca dos mortos e ganhou honorários enormes com a arianização de empresas de propriedade de judeus.

— Foi um empreendimento lucrativo, não é?

— Bastante. Hitler foi muito bom para os resultados financeiros do banco. O relacionamento foi além da mera conveniência. O RhineBank estava totalmente comprometido.

— E depois da guerra?

— Ele se adaptou às circunstâncias e ajudou a financiar o milagre econômico alemão. Não é de surpreender que seus executivos seniores fossem todos anticomunistas ferrenhos. Correram rumores de que vários estavam na folha de pagamento da CIA. O diretor foi convidado para a segunda posse de Eisenhower em 1957.

— Tudo foi perdoado?

— Foi como se Auschwitz nunca tivesse acontecido. O RhineBank aprendeu que poderia se safar de qualquer coisa, e testaram isso na prática várias vezes. Em 2015, os americanos multaram o banco em 250 milhões de dólares por ter ajudado os iranianos a escaparem de sanções internacionais. — Lavon balançou a cabeça lentamente. — Eles farão negócios com qualquer pessoa.

— Incluindo um figurão russo que está escondendo seu dinheiro adquirido ilegalmente aqui no Ocidente.

— Quem disse isso?

— Isabel Brenner. Ela é diretora de compliance da filial do RhineBank em Zurique.

— Isso é um alívio.

— Por quê?

— Dado o histórico do banco — respondeu Lavon —, não achei que eles tivessem qualquer diretor de compliance.

Durante o trajeto até o centro de Zurique, Gabriel relatou a Eli Lavon a série improvável de eventos que antecedeu o retorno dos dois à Suíça. O reencontro que já deveria ter acontecido havia muito tempo com sua velha amiga Olga Sukhova em Norwich. A retirada da ex-colega de Olga, Nina Antonova, de Amsterdã. O pacote que havia sido deixado na base de um choupo à margem do rio Aar. Em seguida, ele descreveu as cláusulas do acordo incomum que havia fechado com Christoph Bittel, o vice-diretor de um serviço estrangeiro de inteligência razoavelmente amigável, embora, às vezes, adversário.

— Só você para convencer os suíços, o povo mais isolado do mundo, a deixá-lo realizar uma operação no solo deles.

— Eu não lhes dei muita escolha.

— E quando eles descobrirem que o único agente a mais que você trouxe para a missão é o pequeno troll obstinado do escândalo das contas do Holocausto?

— Isso foi há muito tempo, Eli.

— E quanto ao sr. Marlowe? Quantos assassinatos ele executou na Suíça antes de entrar para o MI6?

— Ele diz que não consegue se lembrar.

— Nunca é um bom sinal.

Lavon acendeu um cigarro e baixou a janela para soprar a fumaça.

— Vai fumar mesmo? — implorou Gabriel.

— Fumar me ajuda a pensar.

— No que está pensando?

— Estou me perguntando por que os russos não tiraram Isabel Brenner de circulação. E por que não pegaram aquele pacote de documentos que ela deixou em Berna.

— Qual é a resposta?

— A única explicação é que ela fez cada uma das entregas *antes* de enviar os e-mails para Nina Antonova. Os russos não conhecem a identidade dela.

— E o pacote em Berna?

— Eles achavam que Nina fosse a pessoa que iria buscá-lo para que pudessem matá-la. Mas você pode ter certeza de que os russos não acreditaram naquele pequeno golpe que você e seus amigos suíços deram na noite de ontem. Eles sabem que têm um problema.

— Sabem mesmo — disse Gabriel calmamente.

— Quanto tempo você pretende vigiá-la antes de envolvê-la?

— Tempo suficiente para ter certeza de que ela não é uma agente russa com um disfarce inteligente.

Gabriel dobrou na Talackerstrasse e diminuiu a velocidade até parar colado ao meio-fio diante da fachada do edifício do Credit Suisse. Do outro lado da rua, ao lado da sede da UBS, ficava o RhineBank em Zurique.

Eram quase dezoito horas. O êxodo noturno havia começado. Finalmente, Gabriel apontou para uma mulher que acabara de sair da porta do RhineBank.

Terninho escuro de grife, blusa branca, um par de sapatos que pareciam caros. Visual banqueira chique.

— Essa é a nossa garota. O sr. Ninguém.

Ela era alta e esguia como uma modelo, com braços e pernas compridos e mãos elegantes. Sua beleza era óbvia, porém parcialmente escondida pela seriedade da expressão. À meia-luz da rua, era impossível determinar a cor dos olhos, embora fosse passível de perdão presumir que eram azul-claros. O cabelo era loiro e balançava como o pêndulo de um metrônomo enquanto Isabel Brenner caminhava.

— Qual a idade dela? — perguntou Lavon.

— O passaporte diz 34.

— Casada?

— Aparentemente, não.

— Como isso é possível?

— As coisas são diferentes hoje em dia, Eli.

Lavon observou a mulher atentamente por um momento.

— Para mim, ela não parece russa. Ela também não anda como uma russa.

— Você consegue identificar uma russa pelo jeito que ela anda?

— Você não?

Um momento se passou em silêncio. Então, Gabriel perguntou:

— O que você está pensando agora, Eli?

— Estou me perguntando por que uma bela jovem como essa arriscaria sua carreira para dar a uma jornalista russa documentos financeiros confidenciais a respeito de um cliente importante.

— Talvez ela tenha uma consciência.

— Não é possível. O RhineBank não contrata ninguém cuja consciência não tenha sido arrancada ao nascer.

Ela dobrou a esquina e entrou na Paradeplatz. Gabriel avançou a tempo de vê-la embarcar no bonde número 8. Alguns segundos depois, Christopher entrou na mesma composição.

— Imbecil — disse Lavon. — A pessoa tem que entrar *antes* do alvo, não depois.

— Você vai trabalhar isso com ele, Eli.

— Eu já tentei — retrucou Lavon. — Ele nunca escuta.

17

ERLENBACH, SUÍÇA

Christoph Bittel sugeriu que Gabriel conduzisse a operação a partir de um dos esconderijos do NDB. Não foi surpresa que diretor-geral do Escritório tenha recusado educadamente. Os esconderijos, segundo ele estimava, estavam cheios de microfones e câmeras de alta qualidade — visto que a eletrônica era aspecto da espionagem no qual os suíços se destacavam. A Governança encontrou uma casa à beira do lago no subúrbio de Erlenbach, em Zurique, que havia sido ocupada pela última vez por um executivo do Goldman Sachs. Gabriel pagou o aluguel de um ano inteiro e depois fechou rapidamente a empresa de fachada que realizou a transação, impedindo assim que seus novos aliados suíços encontrassem algum meio de penetrar em sua rede global de finanças secretas.

Ele se instalou na *villa* no fim da tarde de segunda-feira junto com os outros dois integrantes de sua equipe operacional recém-formada. E às 8h15 de terça-feira, eles cometeram seu primeiro delito em solo suíço. O principal criminoso foi Christopher Keller, que entrou sem ser visto no apartamento de Isabel Brenner enquanto ela andava em direção ao ponto de bonde na Römerhofplatz. No tempo em que permaneceu lá dentro, ele copiou o conteúdo do laptop de Isabel, invadiu sua rede Wi-Fi, escondeu um par de escutas e conduziu uma busca rápida e minimamente invasiva nos pertences dela. O armário de remédios não continha provas de doenças ou enfermidades físicas, exceto por um frasco vazio de comprimidos para dormir. As roupas e peças íntimas eram de bom gosto e discretas, nada sugerindo um lado obscuro, e as várias obras sérias de literatura nas prateleiras indicavam que Isabel Brenner preferia ler em inglês em vez de seu alemão nativo. Os CDs empilhados em cima do aparelho de som inglês eram predominantemente clássicos, junto com algumas obras-primas de jazz de Miles Davis, John Coltrane, Bill Evans e Keith Jarrett. Na sala de estar, ao lado de um tripé de partitura, havia um estojo de violoncelo de fibra de vidro.

— Havia um violoncelo dentro? — perguntou Gabriel.

— Eu não olhei — admitiu Christopher.

— Por que não?

— Porque raramente alguém tem um estojo de violoncelo como peça decorativa. Uma pessoa tem um estojo desse para armazenar e transportar seu violoncelo.

— Talvez pertença ao namorado dela.

— Não há namorado. Pelo menos, não um namorado que passe algum tempo no apartamento dela.

O laptop revelou o número do celular de Isabel. E às 13h30, enquanto almoçava com um colega em um café perto do trabalho, ela sucumbiu a um ataque de *malware* cometido pela Unidade 8200, o serviço de inteligência de Israel para captação e rastreio de sinais. Em minutos, o sistema operacional do telefone começou a enviar dezoito meses de e-mails, mensagens de texto, registros de calendário, dados de localização de GPS, metadados de telefone, informações de cartão de crédito e histórico de navegação na internet. Além disso, o *malware* assumiu o controle da câmera e do microfone, transformando o celular em um transmissor de áudio e vídeo em tempo integral. O que significava que, onde quer que Isabel fosse, Gabriel e sua equipe iriam com ela. No léxico da vigilância eletrônica, eles a *possuíam*.

A organização meticulosa da vida digital de Isabel reforçou a impressão que Christopher Keller tivera durante a breve visita ao apartamento dela: Isabel era uma pessoa de enorme inteligência e talento, sem vícios ou falhas morais. O mesmo não podia ser dito, porém, da empresa de serviços financeiros para a qual ela trabalhava. Na verdade, os documentos retirados dos dispositivos de Isabel mostravam um banco que não seguia as regras normais e cuja cultura predominante era a de lucro a qualquer preço, em que se esperava que os operadores produzissem retornos sobrenaturais em cima dos investimentos, mesmo que suas apostas arriscadas levassem o banco à beira da insolvência.

Servir como vigilante da ética e da legalidade em uma instituição assim era correr um alto risco diário, conforme foi provado pelo e-mail enviado por Isabel a Karl Zimmer, chefe do RhineBank em Zurique, a respeito de uma série de transferências eletrônicas realizadas pelo departamento de gestão de fortunas. Ao todo, mais de quinhentos milhões de dólares foram transferidos de bancos na Letônia para contas no RhineBank nos Estados Unidos. Os bancos letões, ressaltou ela, eram conhecidos por serem o primeiro porto de escala financeiro para grande parte do dinheiro sujo que saía da Rússia. No entanto, os gestores de patrimônio de Zurique aceitaram os fundos sem realizar nem um mínimo de devida diligência. Para ocultar a origem do dinheiro dos reguladores americanos, que conheciam muitíssimo bem a conexão Rússia-Letônia, retiraram o código do país das transferências eletrônicas.

— Isabel estava preocupada que isso demonstrasse uma nítida consciência de culpa — explicou Lavon. — Devo dizer que ela parecia muito menos preocupada com a legalidade das transferências. Foi mais como um aviso amigável de um integrante leal da equipe.

— E como Herr Zimmer reagiu? — perguntou Gabriel.

— Ele sugeriu que discutissem o assunto offline. Palavra dele, não minha.

— Qual era a data?

— Dezessete de fevereiro. Dez dias depois, durante a hora do almoço, ela andou até um complexo de atletismo no Distrito 3. Aquele com a pista artificial vermelha — acrescentou Lavon. — Os dados de localização coincidem com todas as outras entregas também, com exceção do pacote que matou Viktor.

— Alguma outra viagem interessante?

— Ela foi para o Reino Unido em meados de junho e novamente no fim de julho. Na verdade, ela estava lá dois dias antes de Viktor ser assassinado.

— Londres é uma capital financeira global — comentou Gabriel.

— O que torna ainda mais surpreendente o fato de Isabel nunca ter posto os pés na filial do RhineBank de Londres.

— Onde ela foi?

— Não sei. Ela desligou o telefone por várias horas em ambas as visitas.

— Quanto tempo ela ficou?

— Uma única noite.

— Em que hotel?

— O Sofitel, no Heathrow. Ela pagou a conta com o cartão de crédito pessoal. A passagem aérea também. Em ambas as viagens, pegou o primeiro voo de volta para Zurique e estava no trabalho às nove da manhã.

O celular de Isabel, assim como o apartamento dela, não continha nenhum indício de um noivo ou um parceiro romântico de longa data, homem ou mulher. Mas naquela noite, depois de embarcar no bonde número 8 na Paradeplatz, ela combinou de beber na sexta-feira com alguém chamado Tobias. Quando a condução chegou à Römerhofplatz, Isabel comprou algumas coisas no mercado Coop e, seguida por Christopher Keller, subiu a ladeira do Zürichberg até seu apartamento. Pouco depois de sua chegada, os dois microfones ocultos captaram o som da Suíte para Violoncelo em Ré Menor de Bach. Vários minutos se passaram até Gabriel e Lavon perceberem que não estavam ouvindo uma gravação.

— O tom dela é...

— Inebriante — disse Gabriel.

— E não parece estar usando partituras.

— Obviamente, ela não precisa.

— Nesse caso — falou Lavon —, tenho outra pergunta para ela.

— Qual?

— Por que uma mulher que toca violoncelo assim trabalharia para o banco mais sujo do mundo?

— Vou perguntar a ela.

— Quando?

— Assim que eu tiver certeza de que Isabel não é uma russa com um disfarce inteligente.

— Ela pode não andar como uma russa — disse Lavon, enquanto Isabel iniciava o segundo movimento da suíte. — Mas toca violoncelo como se fosse.

Ao todo, o computador pessoal de Isabel Brenner rendeu cerca de trinta mil documentos internos do RhineBank e mais de cem mil e-mails de sua conta corporativa. Era material demais para Lavon revisar sozinho. Ele precisava da ajuda de um investigador financeiro experiente que conhecesse muito bem os jeitinhos perversos dos cleptocratas do Kremlin. Felizmente, Gabriel conhecia uma pessoa assim. Ela era uma repórter investigativa de um semanário engajado de Moscou que regularmente expunha os crimes dos ricos e poderosos da Rússia. E talvez o mais importante era que essa pessoa manteve contato regularmente com Isabel Brenner, ainda que de forma anônima, durante vários meses.

A repórter em questão chegou ao esconderijo na tarde de quarta-feira e se juntou à investigação de Eli Lavon dos documentos do RhineBank, deixando Christopher com o fardo de vigiar Isabel sozinho. Ele a seguia para o trabalho todas as manhãs e para casa novamente todas as noites. Na maioria delas, Isabel ensaiava violoncelo por pelo menos uma hora antes de preparar algo para comer e telefonar para a mãe na Alemanha. Ela nunca mencionava o trabalho. Tampouco discutia esse assunto com o pequeno círculo de amigos com quem mantinha contato regular. Não havia qualquer coisa nas comunicações de Isabel que sugerisse que ela era um contato ou agente da inteligência russa ou alemã. Christopher não viu indício algum de que mais alguém a estivesse observando.

Na quinta-feira, ao sair do trabalho, Isabel bebeu com uma colega no Bar au Lac, na Talstrasse. Ao voltar para casa, ela ensaiou violoncelo sem pausa por três horas. Depois disso, assistiu a uma reportagem na televisão suíça a respeito de uma jornalista russa desaparecida chamada Nina Antonova. Parecia que seus colegas da *Moskovskaya Gazeta* não tinham notícias dela desde a quarta-feira anterior, quando Antonova voou de Zurique a Londres para uma reunião com o proprietário da revista, que foi assassinado. O editor-chefe da *Gazeta* pediu ajuda ao governo britânico para localizá-la. Talvez não seja de surpreender que ele não tenha feito um pedido semelhante ao Kremlin.

Isabel teve uma noite agitada e na manhã seguinte saiu do apartamento vinte minutos mais tarde do que de costume. Depois de deixar a bolsa em seu escritório, ela foi para a sala de conferências do último andar a fim de participar de uma teleconferência obrigatória para a empresa inteira com o Conselho dos Dez, o comitê executivo do banco. Isabel almoçou sozinha e, ao retornar ao trabalho, teve uma conversa irritante com Lothar Brandt, o chefe do departamento de gestão de fortunas. Evidentemente, Brandt estava destruindo as operações com transferências suspeitas. Isabel o aconselhou a reconsiderar várias das transações maiores. Caso contrário, ele arriscaria ativar vários alertas automáticos em Nova York e Washington. Ele, por sua vez, aconselhou Isabel a praticar um ato sexual em si mesma antes de expulsá-la de sua sala.

A amargura da conversa ainda era evidente no rosto de Isabel quando ela saiu do RhineBank às 18h15. Christopher a seguiu a bordo de um número 8 na Paradeplatz, assim como Nina Antonova, que tomou o assento ao lado de Isabel. Quando o bonde deu uma guinada para a frente, Nina entregou uma única folha de papel para ela. Seis palavras em fonte sem serifa e em corpo vinte.

Eu sei quem matou Viktor Orlov.

Isabel se dirigiu a Nina em alemão, com olhar baixo.

— Espero que você tenha processado a pessoa que fez isso com seu cabelo.

Nina pegou a folha de papel de volta.

— Eu arrisquei minha vida ao dar aqueles documentos. Por que você não publicou uma reportagem?

— Viktor disse que era muito perigoso.

— Eu sou responsável pela morte dele?

— Não, Isabel. Eu sou.

— Por quê?

— Vou deixar meu amigo explicar. Ele gostaria de falar com você hoje à noite. O que significa que você vai ter de desmarcar seu encontro com o Tobias.

— Como sabe que vou me encontrar com ele?

Nina olhou para o telefone de Isabel.

— Diga a ele que você teve uma emergência no trabalho. Acredite, você não vai se arrepender.

Isabel enviou a mensagem de texto e desligou o telefone sem esperar resposta.

— Não era um encontro. Íamos apenas sair para beber.

— Não me lembro quantas vezes eu disse a mesma coisa para mim mesma.

Isabel apertou a mão de Nina.

— Eu pensei que você estava morta.

— Eu também — disse Nina.

18

RÖMERHOFPLATZ, ZURIQUE

Um homem de cabelo loiro com olhos azuis brilhantes e um bronzeado permanente seguiu as duas mulheres ao sair do bonde na parada que Isabel sempre fazia na Römerhofplatz. Enquanto atravessavam a rua, ele a conduziu com a mão em direção a uma BMW X5 que estava à espera. Nina se juntou a eles no banco de trás. O homem ao volante parecia um comerciante de livros raros. Ele entrou no trânsito tranquilo da noite como se temesse que houvesse crianças pequenas por perto e seguiu para o sul pela Asylstrasse.

O homem ao lado de Isabel agora digitava alguma coisa em seu celular.

— Para quem você trabalha? — perguntou ela.

— Um departamento muito enfadonho do Ministério das Relações Exteriores britânico.

— MI6?

— Se você diz.

— Qual o seu nome?

— Os suíços parecem achar que é Peter Marlowe.

— E é?

— Longe disso.

Isabel olhou para o homem ao volante.

— E ele?

— Se unirmos esforços, tenho certeza de que pensaremos em alguma coisa. — Christopher deu um sorriso tranquilizador para ela. — Você está em boas mãos, Isabel. Não tem nada a temer.

— A menos que vocês dois sejam da inteligência russa.

— Nós odiamos os russos. — Ele sorriu para Nina. — Excluindo a nossa companheira aqui, é claro.

— Como vocês me acharam?

— Temos uma bela imagem sua deixando aquele pacote em Berna na outra noite. Várias imagens, na verdade.

— Vocês não tinham o direito de hackear meu telefone.

— Concordo, mas infelizmente não tivemos escolha.

— Descobriram algo interessante?

— As senhas para suas lojas on-line favoritas, todos os sites que você visitou na vida e todas as pessoas cujos perfis você já espiou nas redes sociais. Você verificou o Twitter da Nina mais de quatrocentas vezes nos últimos seis meses.

— Só isso?

— Também encontramos mais de uma dúzia de contas de e-mail. Você possui seis endereços somente no ProtonMail. Você envia a maioria das suas mensagens de texto usando um serviço criptografado que não conseguimos penetrar.

— É por isso que nós usamos esse serviço.

— Nós?

— Funcionários do RhineBank. A alta administração nos incentiva a realizar comunicações confidenciais usando nossas contas pessoais criptografadas em vez de endereços de e-mail corporativos.

— Por quê?

— Para manter nossas deliberações escondidas dos reguladores. Por que mais?

— Você gosta de Haydn? — perguntou Christopher de repente.

— Perdão?

— O compositor.

— Eu sei quem ele é.

— Você procurou o nome dele várias vezes na semana do assassinato de Viktor Orlov. Eu queria saber se você tem uma afinidade especial com a música de Haydn.

— Quem não tem?

— Eu sempre preferi Mozart.

— Mozart adorava Haydn.

— Você também pesquisou uma coisa chamada Grupo Haydn — disse ele para Isabel. — Por algum motivo, você usou a letra G maiúscula.

— Vocês têm um bom software.

— Eles são um quarteto de cordas? Um trio?

Ela fez que não com a cabeça.

— Como eu imaginava.

Eles passaram pela filial do Banco Comercial Russo em Zurique e, alguns segundos depois, pelo Gazprombank.

— Território inimigo — comentou o inglês.

— Não no que diz respeito ao RhineBank. Fazemos altos negócios lucrativos com ambas as instituições.

— E com o MosBank?

— Os bancos mais conceituados o evitam. Mas, como sabe por ler meus e-mails, o MosBank é nosso parceiro russo mais importante. — Isabel fez uma pausa e perguntou: — Isso foi um teste?

Christopher olhou para o telefone e não respondeu. Eles haviam entrado no subúrbio de Zollikon. A Seestrasse os levou pela margem do lago até a cidade de Küsnacht e depois Erlenbach. Ali, o homem baixinho ao volante passou devagar pelos portões de uma *villa* murada. Tinha torres de vigilância e aparência hostil. Vários sedãs escuros estavam parados no caminho da entrada. Seguranças patrulhavam o gramado.

O homem baixinho parou e desligou o motor, como se estivesse aliviado por ter chegado ao destino sem incidentes. Imediatamente, um segundo carro parou atrás deles. Evidentemente, eles tinham sido seguidos.

— Entre, Isabel — disse o inglês em tom cordial. — Conheça os outros.

A porta da *villa* estava aberta para recebê-los. Eles atravessaram uma galeria central à meia-luz até uma grande sala de estar com janelas altas com vista para o oeste através do lago. A mobília era estofada com brocado, os tapetes eram orientais e desbotados. Várias pinturas a óleo decoravam as paredes, paisagens e naturezas mortas, nada muito ousado. De algum lugar veio o som do Trio para Piano em Mi Maior de Haydn. Isabel olhou para o inglês, que mais uma vez sorria.

— Nós escolhemos a música especialmente para você.

Havia dois homens sentados em poltronas perto de uma das janelas. Um deles tinha a expressão inescrutável de um banqueiro suíço, embora o corte e a qualidade do terno indicassem que ele trabalhava para o governo e não para o setor privado. O segundo homem parecia um personagem de um mistério ambientado em uma casa de campo inglesa — vilão ou protagonista, Isabel não conseguia decidir.

Nenhum dos dois pareceu ter notado a chegada dela. O mesmo aconteceu com o homem parado diante de uma natureza morta de frutas e flores recém-colhidas, com uma mão no queixo e a cabeça ligeiramente inclinada para o lado. Seus olhos eram de um tom verde incomum. Como jade, pensou Isabel. Ela tentou adivinhar a idade do sujeito, mas não conseguiu chegar a um número. Quando ele finalmente falou, foi em alemão, com o sotaque inconfundível de alguém que havia sido criado em Berlim.

— Você gosta de pinturas, Isabel?

— Boas pinturas. Não lixo de segunda categoria como essa.

— Não é tão ruim. Só está muito suja. — O homem fez uma pausa. — Assim como o banco para o qual você trabalha. Felizmente, a pintura pode ser restaurada. Não sei se o mesmo pode ser dito sobre seu empregador.

— Para quem você trabalha? — perguntou ela. — Para a BaFin* ou um dos serviços alemães de inteligência?

— Nenhuma das anteriores. Na verdade, eu nem sou alemão.

— Você fala como um alemão.

— Aprendi o idioma com minha mãe. Ela nasceu no distrito de Mitte, em Berlim. Eu, porém, nasci em Israel. Antigamente, eu teria lhe dado um pseudônimo em vez do meu nome verdadeiro, que é Gabriel Allon. Uma simples pesquisa na internet revelaria que sou o diretor-geral do Serviço Secreto de Inteligência de Israel, mas, por favor, resista à tentação de digitar meu nome na caixa de pesquisas. Não existe essa coisa de navegação privada.

Os dois homens sentados perto da janela estavam olhando para um espaço vazio, como figurantes em uma peça de teatro.

— E eles? — perguntou Isabel. — Também são israelenses?

— Infelizmente, não. O belo cavalheiro de cabelo grisalho é Graham Seymour, meu equivalente no MI6.

— E o outro?

— Um agente sênior da inteligência suíça. Ele prefere permanecer anônimo por enquanto. Pense nele como uma conta numerada.

* BaFin (*Bundesanstalt für Finanzdienstleistungsaufsicht*) é a autoridade reguladora financeira da Alemanha.(N. do T.)

— Isso saiu de moda.

— O quê?

— Contas numeradas. Especialmente para pessoas com dinheiro de verdade para esconder.

Gabriel se aproximou dela lentamente.

— Devo admitir que gostamos de ouvir seu ensaio há algumas noites. Suíte para Violoncelo em Ré Menor de Bach. Todos os seis movimentos. E nem um único erro.

— Eu cometi vários, na verdade. Apenas escondi bem.

— Você é boa em esconder seus erros?

— Na maior parte do tempo, sim.

— Não ouvimos o farfalhar de partituras.

— Eu não preciso de partituras.

— Você tem uma boa memória?

— A maioria dos músicos tem. Também sou muito boa em matemática, e foi assim que acabei no RhineBank.

— Mas por que permaneceu lá?

— Pela mesma razão de outras noventa mil pessoas.

Ele se voltou para a pintura e colocou a mão no queixo.

— E se você tivesse a chance de fazer tudo de novo?

— Infelizmente, a vida não funciona assim.

Ele lambeu a ponta do dedo indicador e esfregou na tela suja.

— De onde você tirou uma ideia dessas?

19

ERLENBACH, SUÍÇA

Ele instalou Isabel em um lugar de honra e se sentou diante da lareira apagada. Gabriel recitou os detalhes básicos do currículo impressionante de Isabel, que ele e seus amigos haviam desenterrado de seu telefone celular e computador pessoal. Em nome dos integrantes do público que não falavam alemão, ele se dirigiu a Isabel em inglês. Seu sotaque era fraco e completamente impossível de localizar. O tom era o de um leiloeiro apregoando a venda de um quadro. O lote final da noite.

— Isabel Brenner, 34 anos, nascida na antiga cidade alemã de Trier em uma sólida família de classe média alta. Seu pai é um advogado importante, um homem distinto. Sua mãe, uma devota de Bach, deu a ela a primeira aula de piano aos três anos. Mas, por ocasião do seu oitavo aniversário, ela fez sua vontade e lhe deu de presente um violoncelo. Com aulas particulares, seu talento floresceu. Aos dezessete anos, recebeu um terceiro lugar na prestigiosa Competição Internacional de Música de ARD por sua interpretação da Sonata para Violoncelo em Mi Menor de Brahms.

— Isso não é verdade.

— Onde eu errei?

— Era a sonata em Fá Maior. E eu poderia interpretar ambas.

Ele franziu a testa para o pequeno homem que parecia um comerciante de livros raros aos olhos de Isabel. O chefe do MI6 e o agente de inteligência suíço observavam os trabalhos de seu posto avançado perto das janelas. O inglês de olhos azuis estava percorrendo os contatos no celular de Isabel. Ele não se dera ao trabalho de pedir a senha dela.

— Um dos instrutores mais requisitados da Alemanha se ofereceu para aceitá-la como aluna — continuou Gabriel. — Ao invés disso, matriculou-se na Universidade Humboldt de Berlim, onde estudou matemática aplicada. Obteve seu mestrado na Escola de Economia de Londres. Ao concluir sua dissertação, teve uma reunião com um recrutador do RhineBank e recebeu uma oferta de emprego na mesma hora. Seu salário inicial foi de cem mil libras por ano.

— Sem contar os bônus — comentou ela.

— Isso é muito dinheiro.

— Era uma ninharia para os padrões do RhineBank, especialmente em Londres. Mas foi três ou quatro vezes o que eu ganharia se tocasse violoncelo em uma orquestra europeia.

— Achei que você queria ser solista.

— Eu queria.

— Então por que estudou matemática?

— Eu estava com medo de não ser boa o suficiente.

— Você não se arriscou?

— Eu obtive diplomas de duas instituições prestigiosas de ensino superior e consegui um cargo bem remunerado em um dos maiores bancos do mundo. Não me considero um fracasso.

— Nem deveria. Só lamento que você tenha deixado que seu talento extraordinário fosse desperdiçado.

— Obviamente, não foi. — O rosto dela ficou vermelho de raiva. — Mas e você? Sempre foi seu sonho ser um espião?

— Eu não escolhi essa vida, Isabel. Ela foi escolhida para mim.

— E se você tivesse a chance de fazer tudo de novo? — perguntou em tom de provocação.

— Infelizmente, esse é um assunto para outra discussão. Você é a razão de estarmos reunidos aqui hoje à noite. Você nos convocou quando deixou aquela mensagem em Berna. Você é a estrela do espetáculo.

Ela examinou a sala.

— Não é exatamente a Orquestra Filarmônica de Berlim ou o Lincoln Center.

— O RhineBank também não.

— Pelo menos, nunca há um momento de tédio.

— Você chegou lá em 2010.

— Dois anos após o RhineBank e seus concorrentes levarem o sistema financeiro global à beira do colapso — disse Isabel, após concordar com a cabeça.

— E seu primeiro cargo?

— Analista júnior do departamento de gestão de risco da filial de Londres. Bastante apropriado, você não acha? — Ela deu um sorriso triste. — Gerenciamento de riscos. Uma constante na minha vida.

Mas, primeiro, Isabel teve de voltar às aulas — na Academia de Riscos, o seminário de treinamento do RhineBank, com duração de um mês e realizado em um centro de conferências alugado na costa alemã do mar Báltico. Foi presidido por Friedrich Krueger, diretor de risco do RhineBank, um ex-paraquedista alemão com uma queda por pornografia on-line e pela política neofascista de extrema direita — daí seu nome tão adequado.* Os alunos foram

---

* Ele é homônimo do verdadeiro Friedrich-Wilhelm Krüger, criminoso de guerra e comandante da SS durante a Segunda Guerra Mundial, e também do fictício Freddy Krueger, da série de cinema *A hora do pesadelo* (N. do T.)

alojados em dormitórios e submetidos a rituais de iniciação impiedosos infligidos pelo bando de instrutores sádicos de Herr Krueger. Um praticou assédios sexuais explícitos dirigidos a Isabel. Depois de uma semana de estadia, ela fez as malas e ameaçou ir embora se a conduta não cessasse. Herr Krueger a convenceu a ficar, embora mais tarde tenha inserido um relatório no arquivo de Isabel que sugeria que ela não sabia trabalhar em equipe. Seria a primeira de muitas manchas na sua ficha.

O objetivo do curso era simular *Informationsflut* ou sobrecarga de informações. No último dia, os estagiários tiveram uma hora para refazer o balanço do banco para explicar uma combinação raríssima de calamidades financeiras e políticas. Isabel concluiu a tarefa em apenas trinta minutos e então usou o tempo restante para executar a Sonata para Violoncelo em Lá Maior de Beethoven.

— Onde? — perguntou Gabriel.

Ela pousou os dedos compridos da mão esquerda na parte superior do braço direito.

— Na minha cabeça.

Isabel obteve a pontuação mais alta possível na prova final e voltou a Londres no início do ano para assumir seu novo cargo na filial do RhineBank em Fleet Street, a sede da divisão de mercados globais do banco. Como cidadã alemã, para Isabel era algo esquisito; a maioria dos bens eram importados americanos. Enquanto antigamente o RhineBank obteve a maior parte dos lucros à moda antiga — emprestando para empresas com capacidade de crédito —, agora era um *player* importante no mercado de derivativos voláteis. Na verdade, a *The Economist* declarou que o banco nada mais era do que um fundo de hedge de dois trilhões de dólares envolvido em negociações proprietárias de alto risco e alto rendimento, grande parte delas com dinheiro emprestado. O Conselho dos Dez havia estabelecido a meta de um retorno de 25 por cento sobre cada dólar, libra ou euro investido — uma soma exorbitante. Os operadores de Londres aceitaram o desafio. Eles enxergavam os mercados como cassinos e eram encorajados a romper os limites em cada negócio.

— O que eles acham dos gerentes de risco?

— Nós éramos o inimigo. Se fizéssemos uma objeção a uma transação, nos mandavam calar a boca. Freddy Krueger também não estava muito interessado em nossas preocupações. O dinheiro estava entrando, centenas de milhões de dólares por ano apenas em taxas. Ele não estava disposto a cancelar as operações. Além disso, se o pregão de Londres perdesse dinheiro em uma transação, eles compensariam na próxima. Ou era isso que Hamburgo presumia.

De vez em quando, porém, os operadores iam longe demais. Um deles apostava centenas de milhões de dólares todos os dias em alterações minúsculas do índice Libor, a taxa de empréstimo interbancária. Isabel informou suas preocupações ao chefe da filial de Londres e foi instruída, em termos que não deixam dúvida, a cuidar da própria vida. As transações envolvendo o índice Libor eram incrivelmente lucrativas. Ela persistiu na investigação, no entanto, e descobriu que o corretor em questão estava conspirando com seus equivalentes em outros bancos para manipular a própria taxa, criando assim um investimento sem perdas. Ele acabou sendo demitido e o RhineBank foi forçado a pagar uma multa de cem milhões de libras aos reguladores britânicos, uma pequena fração do que havia ganhado com a transação suja.

— Era de imaginar que eu seria recompensada por meus esforços. Em vez disso, o Krueger me repreendeu por colocar minhas preocupações em uma cadeia de e-mails que mais tarde foi obtida pela Autoridade Britânica de Conduta Financeira. Mancha número dois.

Mesmo assim, Isabel recebia promoções e aumentos salariais regulares. Depois de quatro anos no banco, ela ganhava duzentas mil libras por ano, o dobro do salário inicial. Ela também estava bastante infeliz. As horas extras, a atmosfera de panela de pressão e as batalhas regulares com os operadores sem ética tinham cobrado seu preço. Ela se refugiou no cenário vital da música clássica de Londres. Encontrou três mulheres como ela — musicistas que trabalhavam no ramo de serviços financeiros —, e elas formaram um quarteto de cordas. Duas noites por semana, Isabel tinha aulas avançadas com um instrutor no Instituto de Violoncelo de Londres. Em pouco tempo, ela estava tocando melhor do que nunca.

Os colegas de Isabel nada sabiam de sua vida dupla. Nem tampouco teriam se importado. Na maior parte, eles eram um bando de gente sem cultura. Ela evitava encontros extracurriculares com o pessoal do trabalho sempre que possível — especialmente as viagens de fim de semana regadas a álcool para destinos europeus luxuosos —, mas sua participação em um retiro de gerenciamento de risco em Barcelona no início do ano de 2016 foi obrigatória. Freddy Krueger estava embriagado. O preço das ações do RhineBank, que atingiu o ápice de 97 euros em 2007, estava patinando na casa dos vinte. O Conselho dos Dez entrou em pânico, e a cabeça do CEO estava em perigo. A de Freddy também. Ele disse aos gerentes de risco que eles precisavam não interferir e deixar os operadores ganharem dinheiro. Caso contrário, o RhineBank enfrentaria a perspectiva de um processo doloroso de corte de pessoal e reestruturação interna.

— A mensagem era clara, sem margem para dúvidas. O banco estava com problemas. Os investidores estavam rumando para as portas de saída. Alguns de nossos maiores clientes também. Freddy culpou os reguladores por tudo. Ele mandou que os enganássemos a respeito da quantidade de risco no balanço do RhineBank. Ele nunca usava a palavra *reguladores* sozinho. Eram sempre *a porra* dos reguladores.

Isabel voltou para Londres com a certeza de que o banco para o qual trabalhava estava com sérios problemas e escondia alguma coisa. Os corretores imprudentes que operavam os mercados globais praticamente pararam de responder a seus e-mails e ligações. Sem ter mais o que fazer, iniciou uma revisão particular do balanço patrimonial do RhineBank — pelo menos, da parte do balanço que ela foi autorizada a ver. O que Isabel descobriu chocou até ela. O índice de alavancagem do banco era de mais de cinquenta para um, o que deixava o RhineBank em uma dependência perigosa de dinheiro emprestado. Pior ainda, os operadores usaram esse dinheiro para comprar derivativos, cuja avaliação era difícil. Isabel programou uma simulação de computador para prever o desempenho deles durante uma crise. A simulação concluiu que muitos dos derivativos nos livros contábeis do banco não valiam um centavo, um fato que a instituição estava ocultando dos reguladores na Europa e nos Estados Unidos.

— O banco era um castelo de cartas, um esquema Ponzi* de dois trilhões de dólares que dependia de sua capacidade de pegar dinheiro emprestado a taxas extremamente baixas. Se as condições do mercado mudassem...

— O banco iria à falência?

— Muito provavelmente.

— O que você fez?

Ela escreveu um relatório detalhado — com vinte mil palavras, acompanhadas de tabelas e gráficos — e o encaminhou para Freddy Krueger. Ele a convocou em Hamburgo no dia seguinte e a sujeitou

* Esquema que envolve troca de dinheiro em ofertas atrativas, mas sem qualquer produto ou serviço entregue. Leva o nome de Charles Ponzi, precursor das chamadas pirâmides financeiras. (N. do T.)

a uma repreensão que durou uma hora. A seguir, Freddy sugeriu que talvez fosse melhor Isabel procurar emprego em outro lugar.

— Por que ele não demitiu você?

— Eu era perigosa demais para ser demitida. Se tivesse divulgado minhas descobertas, isso poderia muito bem ter levado a uma retirada em massa dos depósitos do banco. Tive que ser tratada com o máximo cuidado.

O retorno ao antigo emprego estava descartado. O chefe da filial de Londres não a queria no prédio. Freddy também não. Em apuros, o diretor de compliance, no entanto, precisava desesperadamente de mão de obra disponível, já que os muitos lapsos éticos cometidos pelo RhineBank levaram os reguladores a exigir salvaguardas internas mais fortes. Isabel voltou a Hamburgo para seis meses de treinamento, que não foram semelhantes à loucura da Academia de Risco de Freddy. Mais uma vez, ela recebeu as notas mais altas possíveis na prova final. Como resultado, recebeu permissão para selecionar onde trabalharia. Após uma reflexão cautelosa, escolheu Zurique, o posto avançado mais sujo do banco mais sujo do mundo.

20

ERLENBACH, SUÍÇA

Herr Karl Zimmer, o diretor do RhineBank em Zurique, deu as boas-vindas a Isabel em seu feudo como se ela fosse uma hóspede indesejada. Durante uma reunião tensa de apresentação, ele deixou claro que se opusera à transferência dela, mas fora indeferido pela sede. No entanto, Zimmer alegou que estava pronto e disposto a dar a ela uma chance de salvar a própria carreira, desde que Isabel não se metesse em confusão e não fizesse algo para interferir nos negócios essenciais da filial de Zurique, que estava ganhando quantias obscenas de dinheiro a qualquer custo. Ele lhe deu um escritório sem janelas que parecia uma cela, a dois níveis abaixo do pregão. A sala ficava bem no fim do corredor onde havia uma porta protegida por criptografia e biometria, atrás da qual trabalhavam os gnomos de uma unidade secreta do departamento de gestão de fortunas conhecida como Lavanderia Russa.

Os laços do RhineBank com a Rússia, explicou ela, datavam do final do século XIX, o que deixou o banco em uma posição privilegiada para aproveitar o retorno corrupto e muitas vezes violento ao capitalismo que sucedeu o colapso da União Soviética. O RhineBank em Moscou foi inaugurado durante os últimos anos da era Yeltsin e, em 2004, o Conselho dos Dez aprovou a compra do Metropolitan Financial, um pequeno banco que atendia oligarcas e criminosos russos que tinham enriquecido havia pouco tempo. O RhineBank também abriu uma linha de crédito de um bilhão de dólares para o MosBank, um concessor de empréstimos de propriedade do Kremlin controlado diretamente pelo presidente russo. O MosBank usou uma parte do dinheiro para financiar as atividades no exterior do SVR, o serviço de inteligência estrangeira do país. Também permitiu que os agentes operassem disfarçados dentro de filiais do MosBank em todo o mundo.

— O que significava que o RhineBank AG de Hamburgo estava indiretamente facilitando as operações de inteligência russa visando ao Ocidente. E estava ganhando milhões de dólares por ano em lucros nesse ínterim.

Isso nem se comparou, no entanto, aos lucros que a instituição ganhou operando a Lavanderia Russa — uma esteira rolante azeitada que tirava dinheiro sujo da Rússia e depositava dinheiro limpo no mundo inteiro, tudo por baixo de camadas impenetráveis de empresas de fachada que protegiam a identidade do cliente de reguladores, agentes da lei e, claro, de jornalistas investigativos. Grande parte do dinheiro começava a jornada no MosBank ou no Metropolitan Financial. De lá, seguia para paraísos financeiros questionáveis, como a Letônia ou o Chipre, antes de chegar a Zurique, onde os gnomos da Lavanderia faziam mágica. Eles ofereciam a seus clientes uma ampla gama de serviços, incluindo consultoria jurídica e corporativa terceirizada por meio de uma rede de advogados inescrupulosos na Suíça, Liechtenstein e Londres. Uma unidade da Lavanderia procurava oportunidades de investimento. Imóveis de luxo, especialmente nos Estados Unidos e no Reino Unido, eram priorizados. Mas, em muitos casos, o dinheiro era reembalado por outras divisões do banco e emprestado a outros clientes.

— Como você pode imaginar, o esquema é altamente vantajoso. O banco não apenas lucra com o serviço de limpeza inicial, como também cobra taxas pesadas dos mutuários.

— De que tipo de taxa de limpeza estamos falando?

— Isso depende de quanto sabão é necessário. Se a roupa estiver levemente suja, o RhineBank embolsa cerca de dez por cento. Se a roupa suja estiver manchada de sangue, o banco pode exigir até a metade. Não é de surpreender que os gnomos da Lavanderia gostem de clientes sujos. Quanto mais imundos, melhor.

— Lidar com mafiosos russos pode ser um negócio perigoso.

— Herr Zimmer está bem protegido. Lothar Brandt também.

— O chefe do departamento de gestão de fortunas.

Ela concordou com a cabeça.

— O líder da Lavanderia.

— Você conhecia a Lavanderia Russa antes de chegar a Zurique?

— Por que acha que pedi para vir para cá?

— Você se infiltrou no próprio banco para espioná-lo? É isso que está dizendo?

— Creio que sim.

— Qual foi sua motivação para dar um passo tão drástico?

— Transações espelhadas.

— E isso quer dizer...

— Digamos que um russo corrupto tenha uma montanha de rublos sujos que precisa converter em dólares. O russo corrupto não pode levar os rublos sujos ao Thomas Cook* local, então entrega o dinheiro a uma corretora, que usa os rublos sujos para comprar uma grande quantidade de ações de primeira linha no RhineBank de Moscou. Poucos minutos depois, o representante da corretora

---

* Grupo britânico que era o segundo maior operador global de viagens e turismo e o mais antigo do setor no mundo até declarar falência em 2019. (N. do T.)

no Chipre, por exemplo, *vende* exatamente o mesmo número de ações de primeira linha para o RhineBank de Londres, que paga ao cipriota em dólares. As transações são *espelhadas*, daí o nome.

Isabel descobriu as transações espelhadas enquanto estava em Londres e, de seu novo cargo em Zurique, conseguiu observar o que acontecia quando o dinheiro chegava à Lavanderia. Sua visão, entretanto, estava muito obstruída — a Lavanderia foi colocada em quarentena em relação ao resto da filial. Mesmo assim, suas atividades exigiam um verniz de conformidade interna, especialmente as transferências envolvendo grandes somas de dinheiro — em alguns casos, centenas de milhões de dólares. Todos os dias, Lothar Brandt levava pilhas de documentos ao escritório de Isabel e olhava por cima de seu ombro enquanto ela assinava cegamente onde estava indicado. Mas, de vez em quando, se ele estava ocupado com outro cliente, os documentos chegavam em um malote interno da filial, dando a Isabel a oportunidade de examiná-los o quanto quisesse. Uma firma aparecia com frequência, quase sempre em conexão com enormes transferências, compras de ações e imóveis e outros investimentos.

— Omega Holdings — disse Gabriel.

Isabel concordou com a cabeça.

— Por que a Omega se destacou?

— Pelo tamanho. A maioria dos clientes da Lavanderia utiliza dezenas de empresas de fachada, mas a Omega tinha centenas. Sempre que possível, eu fotografava os documentos no meu celular. Também pesquisei a Omega em nossos bancos de dados.

— Quanto dinheiro você encontrou?

— Doze bilhões. Mas eu tinha certeza de que havia visto apenas a ponta do iceberg. Era óbvio que o homem por trás da Omega Holdings estava no topo da cadeia alimentar russa. — Ela fez uma pausa. — Um predador alfa.

— O que você fez?

Isabel considerou brevemente prestar uma queixa anônima na FINMA, a agência reguladora suíça, mas decidiu dar o material a uma mulher que ela tinha visto na televisão suíça — uma repórter investigativa de uma revista russa que tinha um talento especial para descobrir transgressões financeiras cometidas pelos homens do Kremlin. No dia 17 de fevereiro, durante a hora do almoço, Isabel deixou um pacote de documentos em um complexo de atletismo no Distrito 3 de Zurique. Naquela noite, usando o computador em seu apartamento, ela enviou uma mensagem anônima para o endereço ProtonMail da jornalista russa. Depois, Isabel tocou a Suíte para Violoncelo em Mi Bemol Maior de Bach. Todos os seis movimentos. Sem partituras. Sem um único erro.

Em março, Isabel deixou um pacote em uma marina na costa oeste do Zürichsee, e em abril ela fez entregas em Winterthur e Zug. Várias vezes por dia, checava o Twitter de Nina Antonova e o site da *Moskovskaya Gazeta*, mas não havia reportagens a respeito de um oligarca importante ou de uma alta autoridade do Kremlin utilizando os serviços da Lavanderia Russa do RhineBank. Ela fez mais três entregas em junho — Basiléia, Thun, Lucerna. Mesmo assim, a *Gazeta* permaneceu em silêncio editorial, não lhe deixando escolha a não ser prosseguir com a investigação sozinha.

Isabel conheceu Mark Preston quando os dois eram estudantes na Escola de Economia de Londres. Depois de se formar, ele se lançou na carreira de jornalista de economia e descobriu que detestava a elite financeira de Londres. Um ávido jogador de videogame e hacker amador, Preston foi o pioneiro de uma nova forma de jornalismo investigativo, que dependia de teclas e cliques em vez de dar telefonemas e gastar a sola do sapato. Suas fontes nunca eram humanas, pois os humanos mentiam com frequência e quase sempre tinham um interesse pessoal. Ao invés disso, Preston procurava informações capturadas pelas câmeras dos smartphones — no Twitter, Facebook, Instagram e Google Street View. Ele também descobriu que, na Rússia, havia um próspero mercado clandestino de CDs abarrotados de listas telefônicas, fichas criminais e até banco de dados de passaportes nacionais. Anuários de unidades militares de elite e academias também estavam disponíveis.

A primeira grande reportagem de Preston ocorreu durante a guerra civil na Síria, quando ele provou que o regime estava usando bombas químicas contra civis inocentes. Um ano depois, ele identificou as autoridades russas responsáveis por abater o voo MH17 da Malaysian Airlines sobre a Ucrânia. A reportagem consolidou a reputação de Preston e lhe rendeu a inimizade do Kremlin. Com medo da retaliação russa, ele foi embora de Londres e se escondeu. Também se juntou ao ICIJ, o Consórcio Internacional de Jornalistas Investigativos, uma rede global sem fins lucrativos que reúne repórteres e empresas de notícias com sede em Washington.

— Você deve se lembrar que foi o ICIJ que realizou a reportagem dos Panamá Papers.* Muito do trabalho da organização tem como alvo a corrupção. Mark ajuda os investigadores financeiros identificando e rastreando os movimentos de indivíduos, especialmente os que estão ligados aos serviços de inteligência da Rússia.

— Como você se comunicava com ele?

— Da mesma forma como fazia para me comunicar com Nina. Via ProtonMail.

---

* Investigação a respeito de empresas offshore, usadas para esconder dinheiro e dificultar o rastreamento de seus verdadeiros donos. Onze milhões de documentos vazados foram esmiuçados por mais de 370 jornalistas de 76 países, incluindo o Brasil, e revelaram a criação de 214 mil empresas em mais de duzentos países e territórios. (N. do T.)

— Imagino que você não se referiu a si mesma como "sr. Ninguém".

— Não. Mas também não coloquei meu nome verdadeiro em nenhum dos e-mails. Não era necessário.

— Porque você e Mark Preston são mais do que amigos.

— Nós namoramos por um semestre.

— Quem acabou com o namoro?

— Ele, se você quer saber.

— Garoto bobo.

— Eu sempre achei.

Eles se encontraram no final do Brighton Place Pier, como que por acaso. Por insistência de Preston, Isabel desligou o telefone e removeu o cartão SIM antes de sair de Londres. Ela lhe deu cópias dos documentos e pediu que fizesse uma investigação particular em seu nome, pela qual Isabel pagaria qualquer quantia que ele pedisse. Preston concordou, embora tenha recusado a oferta de pagamento.

— Parece que ele sempre se arrependeu da maneira como me tratou.

— Talvez haja esperança para ele, afinal.

— Não nesse sentido.

Um mês se passou até que Isabel tivesse notícias dele. Desta vez, os dois se encontraram em uma pequena cidade litorânea chamada Hastings. Preston deu a ela um pen drive contendo um dossiê de suas descobertas. Ele aconselhou que Isabel tomasse cuidado. Falou que jornalistas russos foram assassinados por menos. Banqueiros suíços também.

Ela leu o dossiê naquela noite em seu quarto de hotel. Dois dias depois, soube que Viktor Orlov havia sido assassinado, aparentemente por um agente nervoso russo. Isabel esperou até a noite de sábado para enviar um e-mail criptografado para Nina Antonova. Ela havia deixado um novo pacote na margem do rio Aar, na Cidade

Antiga de Berna. Todas as páginas estavam em branco, com exceção de uma. *Eu sei quem matou Viktor Orlov...* Posteriormente, Isabel executou a Suíte para Violoncelo em Ré Maior de Bach.

— Algum erro?

— Nenhum.

— Onde está o dossiê?

Ela o tirou da bolsa.

— O pen drive e o documento do Word estão protegidos. A senha é a mesma.

— Qual é?

— O Grupo Haydn. — Isabel olhou para o inglês e sorriu. — A letra G está em maiúscula.

Parte Dois

MENUETTO & TRIO

21

ZURIQUE-VALE DE JEZREEL

Um Gulfstream de conforto espantoso e matrícula danificada partiu do Aeroporto de Zurique, em Kloten, pouco antes da meia-noite. Eli Lavon reclinou o assento e dormiu, mas Gabriel enfiou o pen drive no laptop e, com as luzes da cabine apagadas, releu o dossiê.

Era um trabalho de investigação digital impressionante, ainda mais notável pelo fato de ter sido produzido em grande parte com fontes abertas. Uma foto de Instagram aqui, um nome de um registro comercial suíço ali, transações imobiliárias, algumas pepitas de ouro descobertas nos Panamá Papers, licenciamentos de veículos de Moscou, registros de passaportes russos. Quando dispostos na sequência adequada — e vistos no contexto adequado —, os dados produziram um nome. Alguém próximo do presidente russo. Alguém de seu círculo íntimo. O guardião secreto de sua riqueza incomensurável. Os serviços de inteligência do Ocidente procuravam esse homem havia muito tempo. Mark Preston, com documentos fornecidos por uma jovem violoncelista talentosa que trabalhava para o banco mais sujo do mundo, o encontrou.

O céu de Tel Aviv estava azul-escuro com o amanhecer iminente quando o G550 pousou no Aeroporto Internacional Ben Gurion.

Dois SUVs aguardavam na pista. Lavon foi para seu apartamento no bairro de Talpiot, em Jerusalém; Gabriel, para o esconderijo no Vale de Jezreel. Depois de colocar as roupas em um saco plástico de lixo, ele subiu silenciosamente a escada e se deitou na cama ao lado de Chiara.

— E aí? — perguntou ela baixinho.

— E aí o quê?

— O que, em nome de Deus, Sarah Bancroft estava fazendo na casa de Viktor Orlov?

— Ela encontrou uma Artemisia perdida no depósito de Julian. Viktor concordou em comprar a pintura.

— É realmente uma Artemisia?

— Aparentemente, sim.

— Em bom estado?

— Ela disse que precisa de cuidados.

— Somos duas — sussurrou Chiara.

Gabriel tirou a camisola de seda da esposa. Em momentos como esses, pensou ele, havia consolo nas rotinas familiares.

Depois, ele mergulhou em um sono sem sonhos e acordou com sua metade da cama queimando com a luz do sol entrando pela janela sem cortinas. O ar no quarto estava parado, pesado e perfumado com o cheiro de terra e excremento bovino. Era o odor do vale. Quando criança, Gabriel sempre odiou aquele cheiro. Ele preferia muito mais o ar com perfume de pinho de Jerusalém. Ou o de Roma, pensou de repente, em uma noite fria de outono. Café amargo e alho fritando em azeite, fumaça de lenha e folhas mortas.

Ele pegou o telefone e ficou surpreso ao ver que era quase uma da tarde. Chiara havia deixado um café com leite na mesinha de cabeceira. Ele bebeu rapidamente e foi ao banheiro para começar o trabalho matinal diante do espelho. Em seguida, vestiu o traje habitual, um terno cinza-grafite bem ajustado e uma camisa branca, e desceu a escada.

Chiara, de legging e um pulôver sem mangas, estava sentada diante do laptop na mesa da cozinha. Seu cabelo bagunçado estava preso em um coque e havia algumas mechas soltas sobre a pele úmida de seu pescoço. Os olhos cor de caramelo se franziram de irritação.

— Achei que você tivesse sido banida do Twitter — disse Gabriel.

— Estou ajudando meu pai com um artigo que ele está escrevendo para o *Il Gazzettino.*

O pai de Chiara era o rabino-chefe de Veneza e um historiador do Holocausto na Itália. Nas raras ocasiões em que escrevia para a imprensa popular, geralmente era para emitir um aviso.

— Qual é o assunto? — perguntou Gabriel, com cautela.

— QAnon.

— A teoria da conspiração?

— QAnon não é uma teoria da conspiração. É uma ideologia extremista e tóxica que adota tropos antissemitas, como o libelo de sangue e os *Protocolos dos Sábios de Sião.* E, graças à pandemia, chegou à Europa Ocidental.

— Você se esqueceu de mencionar que o FBI considera o QAnon uma ameaça de terrorismo doméstico.

Ela tirou um documento da impressora. Era a cópia de um memorando interno do escritório de campo de Phoenix do FBI alertando a respeito da ascensão do QAnon.

— Pessoas vão morrer por causa dessa loucura.

— Concordo. Mas não perca muito tempo dentro da toca do coelho, Chiara. Você pode não encontrar o caminho da saída novamente.

— Quem você acha que ele é?

— Q?

Ela concordou com a cabeça.

— Eu sou Q.

— É mesmo? — Chiara observou Gabriel por um momento através dos óculos de leitura. — De repente, estou me sentindo muito vulgar.

— Por quê?

— Eu deixei que você abusasse de mim, e agora você está fugindo da cena do crime.

— Se bem me lembro, foi você quem iniciou a atividade. — Ele tirou uma caneca do armário e serviu o café da garrafa térmica. — Onde estão as crianças?

— Não faço a menor ideia, mas tenho certeza de que terei notícias mais tarde. — Ela sorriu. — Não se preocupe, Gabriel. Os últimos meses foram maravilhosos para elas. Uma parte de mim lamenta não podermos ficar mais.

— Por que vamos embora?

— Porque as aulas começam no mês que vem. Lembra?

— Tenho a sensação de que elas não ficarão na escola por muito tempo.

— Não diga isso.

— É inevitável um aumento das taxas de infecção, Chiara. O primeiro-ministro não terá escolha a não ser fechar o país novamente.

— Por quanto tempo?

— Até o próximo fim de ano, eu diria. Mas assim que tivermos uma porcentagem suficiente da população vacinada, a vida voltará quase ao normal. Estou confiante de que vamos chegar lá muito mais rápido do que o resto do mundo.

— Como você pode ter tanta certeza assim?

— Eu sou o diretor-geral do escritório. Eu sei coisas.

— Você sabe quem matou Viktor Orlov?

— Eu tentei contar ontem à noite, mas eu estava muito ocupado abusando de você. — Gabriel tirou o pen drive do bolso.

— O que é isso?

— Um dispositivo portátil de armazenamento com um terabyte de memória.

Chiara revirou os olhos.

— Onde você conseguiu isso?

— Uma mulher que trabalha na filial do RhineBank em Zurique. O pen drive contém um dossiê escrito por um jornalista investigativo de código aberto chamado Mark Preston.

— E o assunto do dossiê?

— Um bilionário russo que mora às margens do lago de Genebra.

— Que beleza. O bilionário tem nome?

— Arkady Akimov.

— Nunca ouvi falar dele.

— E tem um motivo para isso.

— Como ele ganha dinheiro?

— Arkady é dono de uma empresa petrolífera chamada NevaNeft, entre outras coisas. A NevaNeft compra petróleo russo com um grande desconto e vende aos clientes na Europa Ocidental com lucros inesperados.

— O que há de errado nisso?

— Preston está convencido de que Arkady é quem segura a maior parte da fortuna pessoal do presidente russo.

— Oh, céus.

— Infelizmente, a situação só melhora.

— Como isso é possível?

— Muitos dos funcionários de Arkady são ex-agentes de inteligência russos. Curiosamente, todos parecem trabalhar para a mesma pequena subsidiária de sua empresa.

— Fazendo o quê?

— Preston não conseguiu descobrir, mas conheço alguém que pode ser capaz de ajudar. — Ele fez uma pausa e acrescentou: — E você também pode.

— De que forma?

— Imprimindo o dossiê. — Gabriel inseriu o pen drive no computador de Chiara. — A senha é o Grupo Haydn. A letra G é maiúscula.

22

GALILEIA SUPERIOR, ISRAEL

Existem centros de interrogatório espalhados por Israel. Alguns estão em áreas restritas do deserto de Negev, e outros estão escondidos, despercebidos, no meio das cidades. Um deles se localiza próximo a uma estrada sem nome que liga Rosh Pina, um dos mais antigos assentamentos judeus em Israel, ao vilarejo montanhoso de Amuka. A pista que leva ao centro de interrogatório é empoeirada, rochosa e apenas transitável por Jeeps e SUVs. Há uma cerca com arame farpado e uma guarita guarnecida por jovens de aparência durona em coletes cáqui. Atrás da cerca há uma pequena colônia de bangalôs e um único prédio de metal corrugado onde os prisioneiros são mantidos. Os guardas estão proibidos de revelar onde trabalham, mesmo para as esposas e os pais. O local é tão sigiloso quanto possível. É a própria definição de secreto.

No momento, a instalação abrigava um único prisioneiro, um ex-agente do SVR chamado Sergei Morosov. Seus colegas no Centro de Moscou foram levados a acreditar que ele estava morto, vítima de um misterioso acidente de carro em um trecho de estrada vazia na Alsácia-Lorena. Eles até receberam restos mortais, cortesia do serviço francês de segurança doméstica. Na verdade, Gabriel sequestrou Morosov de um esconderijo do SVR em Estrasburgo, enfiou o russo em um mochilão e o despachou em um avião particular. Sob interrogatório coagido, ele revelou a existência de um espião russo infiltrado no pináculo do MI6. Gabriel havia levado o ex-agente sob custódia fora de Washington, nas margens do rio Potomac. Ele teve a sorte de sobreviver ao encontro; três agentes do SVR, não.

O infiltrado agora ocupava um cargo sênior no Centro de Moscou, e Sergei Morosov, servidor leal do Estado russo, era o único prisioneiro de um centro de interrogatório secreto escondido nas colinas rochosas no entorno de Rosh Pina. Ele havia passado os primeiros dezoito meses de sua estadia em uma cela. Mas, depois de um período prolongado de bom comportamento, Gabriel permitiu que Morosov se instalasse em um dos bangalôs dos funcionários. Não era diferente da casa da família Allon em Ramat David, uma pequena estrutura de blocos de concreto com paredes caiadas de branco e piso vinílico. A geladeira e a despensa eram abastecidas semanalmente com uma variedade de pratos tradicionais russos, incluindo pão preto e vodca. Morosov cuidava com o maior prazer da própria comida e limpeza. As tarefas rotineiras eram uma distração agradável da monotonia opressiva do confinamento.

A mobília da sala de estar era institucional, mas confortável. Muitos israelenses, pensou Gabriel, viravam-se com menos. Em todos os lugares havia livros e pilhas de jornais e revistas amarelados, incluindo *Die Welt* e *Der Spiegel*. Morosov falava fluentemente alemão com sotaque da KGB. A última volta de sua carreira ocorreu em Frankfurt, onde se fez passar por um especialista em assuntos bancários de algo chamado Globaltek Consulting, uma firma russa que supostamente prestava assistência a empresas que desejavam ter acesso ao lucrativo mercado do país. Na realidade, a Globaltek era uma *rezidentura** não declarada do SVR. Sua principal tarefa era identificar possíveis aliados e adquirir tecnologia industrial valiosa. Para tanto, Morosov havia envolvido dezenas de empresários alemães importantes — incluindo vários executivos seniores do RhineBank AG — em operações envolvendo *kompromat*, a abreviação russa para material comprometedor.

O bangalô não tinha telefone nem internet, mas Gabriel havia aprovado recentemente a instalação de uma televisão com conexão via satélite. Morosov estava assistindo a um programa de entrevistas na NTV, a rede de televisão russa que já foi independente e agora era controlada pela Gazprom, uma empresa de energia que pertencia ao Kremlin. O assunto era o assassinato recente do empresário russo dissidente Viktor Orlov. Nenhum dos integrantes da bancada pareceu incomodado com a morte de Viktor ou com a forma terrível de sua morte. Na verdade, todos pareciam pensar que ele havia recebido o castigo que merecia.

— Outro que bateu as botas — disse Morosov. — Não é assim que diz a expressão?

— Cuidado, Sergei. Caso contrário, posso ficar tentado a trancar você em uma jaula de novo. Você se lembra de como era lá dentro, não? Pratos descartáveis e colheres de plástico. Agasalhos azul e branco. E nada de vodca ou cigarros.

— Os agasalhos eram a pior coisa.

Sem perceber, Morosov passou a mão pela frente do suéter cor de vinho com gola redonda. A peça combinava muito bem com a camisa social azul-francês, calça gabardine e mocassins de camurça. O cabelo grisalho estava bem aparado, o rosto envelhecido recentemente

* A base de operações dentro de um país estrangeiro de onde um espião residente opera em segredo recebe o nome em russo de *rezidentura* (*резидентýра*) ou "residência" e, às vezes, fica alojada dentro de um órgão diplomático ou uma empresa de fachada. (N. do T.)

barbeado. Era de imaginar que ele estava esperando uma visita, mas não foi o caso. Como de costume, Gabriel apareceu sem avisar.

Ele apontou o controle remoto para a televisão e a ligou.

Sergei Morosov fez uma careta.

— Esse controle remoto agora está coberto com seus germes. E, se quer saber, eu me sentiria melhor se você estivesse usando máscara. — Ele borrifou o controle remoto com desinfetante. — Como está a situação lá fora?

— Considere-se com sorte por viver aqui em sua pequena bolha sem Covid.

— Eu seria muito mais feliz em um lugar só meu.

— Tenho certeza disso. Mas no minuto em que virássemos as costas, você iria direto para a Embaixada Russa e contaria uma história triste de eu ter sequestrado e trazido você aqui contra a sua vontade.

— O que é verdade.

— Mas é improvável que seu antigo serviço acredite em uma palavra dessa história. Na verdade, se por algum milagre eles conseguissem levá-lo de volta para a Rússia, provavelmente conduziriam você para um cômodo na prisão de Lefortovo, e você seria executado.

— Você conhece o povo russo muito bem, Allon.

— Infelizmente, falo por experiência própria.

— Por quanto tempo você pretende me manter aqui?

— Até que você me conte todos os segredos que vivem dentro de sua cabeçorra.

— Eu já contei.

Gabriel tirou a impressão do dossiê da valise e entregou a Morosov. O russo colocou um par de óculos meia-lua de leitura e examinou as páginas iniciais. Seu rosto não revelou emoção alguma além de uma admiração relutante.

— Você não parece muito surpreso, Sergei.

— Porque eu estaria?

— O dossiê está correto?

— Não completamente. Arkady nunca foi designado para o Ministério das Relações Exteriores soviético.

— Onde ele trabalhava?

— Na Komitet Gosudarstvennoy Bezopasnosti.

— A KGB?

Morosov confirmou lentamente com a cabeça.

— E o Grupo Haydn? — perguntou Gabriel.

— É uma subsidiária da empresa petrolífera de Arkady.

— Sim, eu sei. Mas o que ela é?

— A Komitet Gosudarstvennoy Bezopasnosti.

Gabriel pegou o dossiê de volta.

— Você deveria ter me falado a respeito de Arkady há muito tempo.

Morosov deu de ombros.

— Você nunca perguntou.

23

GALILEIA SUPERIOR, ISRAEL

Os guardas colocaram duas cadeiras no pátio principal do campo, com uma mesa dobrável entre elas. Sergei Morosov, satisfeito com a perspectiva de interação humana, mesmo que fosse com o antigo algoz, trouxe consigo uma refeição de arenque em conserva, pão preto e vodca russa. Ele fingiu ficar levemente ofendido quando Gabriel recusou a oferta de uma dose.

— Você não gosta de vodca?

— Prefiro beber um copo de diesel.

— Eu tenho um Shiraz adorável, se preferir. É de um produtor chamado Dalton.

Gabriel sorriu.

— Qual foi a graça?

— A sílaba tônica é a segunda. — Gabriel apontou para o norte. — E os vinhedos estão logo depois daquela colina.

— Há muitos vinhos de qualidade aqui em Israel.

— Fazemos o melhor possível, Sergei.

— Talvez um dia você faça a gentileza de me mostrar seu país.

— Pensando bem, acho que vou tomar aquela vodca.

Morosov esvaziou seu copo com uma girada de pulso e o colocou de volta na mesa.

— Você não gosta muito de russos, não é, Allon?

— Na verdade, tenho um grande apreço por eles.

— Diga o nome de um russo de quem você goste.

— Nabokov.

Morosov sorriu mesmo sem querer.

— Creio que você tenha o direito de nos odiar. Seu confronto com Ivan Kharkov naquela *dacha** fora de Moscou foi lendário. Você e sua esposa teriam morrido naquela manhã se não fosse pela coragem de Grigori Bulganov e o dinheiro de Viktor Orlov. Agora Grigori e Viktor estão mortos e você é o último sobrevivente. É uma posição nada invejável. Eu bem sei, Allon. Também falo por experiência própria.

Em seguida, Morosov lembrou a Gabriel de sua linhagem impecável. Ele era, para usar o termo cunhado pelo filósofo e escritor russo Zinoviev, um verdadeiro *Homo Sovieticus* — um homem soviético. Sua mãe havia servido como secretária pessoal do diretor da KGB Yuri Andropov. Seu pai, um teórico marxista brilhante, havia trabalhado para a Gosplan, a agência que supervisionava a economia planificada da União Soviética. Como integrantes do partido, os dois levaram uma vida muito além do alcance dos russos comuns. Um apartamento confortável em Moscou. Uma *dacha* no interior. Acesso a lojas especiais de alimentos e roupas. Os dois até possuíam um automóvel, um Lada vermelho-cereja que de vez em quando realmente desempenhava a função para a qual fora projetado e montado.

— Não éramos da elite, veja bem. Mas levávamos uma vida muito boa. Não foi o caso de Vladimir Vladimirovich — comentou

* Casa de campo em russo. (N. do T.)

ele, usando o nome de batismo e patronímico do presidente russo. — Vladimir Vladimirovich era um integrante do proletariado. O filho de um operário. Um verdadeiro homem do povo.

Ele foi criado, continuou Morosov, em um prédio residencial dilapidado na travessa Baskov número 12, em Leningrado. Duas outras famílias, uma ortodoxa russa devota e a outra judia praticante, compartilhavam o mesmo apartamento apertado. Não havia água quente, nem banheira, nem aquecimento além de um fogão a lenha, e nem cozinha, exceto por um única boca de gás e uma pia em um corredor sem janelas. O jovem Vladimir Vladimirovich passava a maior parte do tempo lá embaixo, no pátio coberto por lixo. De estatura baixa e compleição frágil, ele muitas vezes sofria bullying. Ele teve aulas de boxe e mais tarde estudou judô e sambo, a arte marcial soviética. Incorrigível e de temperamento explosivo, buscou oportunidades nas ruas violentas de Leningrado para colocar suas habilidades de luta à prova. Sempre que palavras ou olhares sinistros eram trocados, era invariavelmente Vladimir Vladimirovich quem desferia o primeiro soco.

De vez em quando, ele protegia meninos da vizinhança que não eram capazes de se defender sozinhos — incluindo um garoto chamado Arkady Akimov, que morava no número 14 da travessa Baskov. Um dia, Vladimir Vladimirovich viu dois meninos mais velhos ameaçando Arkady na passagem fétida que ligava os pátios de seus edifícios. Arkady era uma criança frágil que sofria de doenças respiratórias crônicas. Pior ainda, pelo menos aos olhos dos valentões da travessa Baskov, ele era um pianista promissor que protegia as próprias mãos. Vladimir comprou a briga de Arkady e espancou os dois garotos. E assim nasceu uma amizade que mudaria o curso da história russa.

Os meninos frequentaram a Escola nº 193, onde Vladimir se envolveu em confusões e Arkady se destacou. Seu sonho era estudar música no Conservatório de Leningrado, mas aos dezessete anos ele foi informado de que teve a admissão negada. Com o coração partido, Arkady acompanhou o amigo de infância até a Universidade Estadual de Leningrado e, após a formatura, os dois foram recrutados pela KGB. Depois do ensino intensivo de alemão e uma estada na escola de espionagem do Instituto Bandeira Vermelha, Vladimir e Arkady foram enviados para a Alemanha Oriental como agentes recém-formados da inteligência soviética. Sergei Morosov estava trabalhando lá na época.

— Vladimir Vladimirovich foi destacado para o fim de mundo de Dresden, mas Arkady se juntou a mim na principal *rezidentura* em Berlim Oriental. Eu era um agente tradicional de recursos humanos. Recrutei e comandei vários deles. Arkady estava em uma linha de trabalho diferente.

— Medidas ativas?*

— O básico da KGB — disse Morosov com um aceno de cabeça.

— Que tipo de medidas ativas?

As de sempre, respondeu Morosov. Propaganda, guerra política, desinformação, subversão, operações de influência, apoio a forças antissistema tanto na extrema esquerda quanto na extrema direita — tudo isso projetado para destruir o tecido da sociedade ocidental. Arkady e seus colegas da Stasi** também armaram e financiaram grupos terroristas árabes, incluindo a Organização para a Libertação da Palestina e a Frente Popular para a Libertação da Palestina.

— Você se lembra do atentado à bomba na discoteca La Belle em Berlim Ocidental em abril de 1986? Claro que Gaddafi e os líbios estavam envolvidos. Mas onde você acha que os terroristas

---

* Expressão para o conjunto de práticas dos serviços de inteligência soviéticos para manipular eventos mundiais e exercer influência externa. (N. do T.)

** Polícia secreta e agência de inteligência da Alemanha Oriental. (N. do T.)

conseguiram o explosivo plástico e o detonador antes de qualquer coisa? As impressões digitais de Arkady estavam espalhadas pelo atentado inteiro. Ele teve muita sorte de seu envolvimento não ter sido exposto quando os arquivos da Stasi se tornaram públicos após a queda do Muro.

Até os agentes da *rezidentura* de Berlim foram pegos de surpresa pela velocidade do colapso da Alemanha Oriental. Eles criaram redes *stay-behind*,* queimaram arquivos e voltaram para um futuro incerto em casa — Sergei Morosov para Moscou, Arkady e Vladimir para sua cidade natal, Leningrado. O país havia se deteriorado durante a ausência do trio. As filas estavam mais longas e as prateleiras, mais vazias. E em dezembro de 1991, quatro meses depois de um golpe malogrado liderado por homens linha-dura da KGB, a União Soviética não existia mais. A outrora poderosa KGB se extinguiu na sequência e deixou dois serviços em seu rastro. A FSB, com sede na Praça Lubyanka, cuidaria da segurança doméstica e da contraespionagem, enquanto o SVR, de seu complexo arborizado em Yasenevo, conduziria a espionagem tradicional no exterior.

Sergei Morosov decidiu permanecer no SVR, embora não tenha recebido salário por seis meses. Àquela altura, Arkady Akimov e Vladimir Vladimirovich já haviam começado o segundo ato de suas carreiras. Arkady entrou no ramo do petróleo. E Vladimir, depois de se declarar um democrata dedicado, foi trabalhar para o prefeito de Leningrado, que havia voltado ao seu nome histórico, São Petersburgo. Como chefe do Comitê de Relações Exteriores, sua função era atrair investimentos estrangeiros para uma cidade com uma taxa de criminalidade galopante. Durante o longo inverno de 1991, com a Rússia enfrentando a ameaça de fome generalizada,

---

* Jargão para operação em que um país instala organizações e grupos secretos em seu próprio território para serem usados em caso de uma invasão inimiga. (N. do T.)

Vladimir supervisionou uma série de negociações internacionais, trocando mercadorias russas em abundância como madeira, petróleo e minerais por produtos básicos de extrema necessidade como carne fresca, açúcar e óleo de cozinha. Poucos dos bens prometidos acabaram chegando, e os imensos lucros derivados da venda das mercadorias russas no exterior nunca foram devidamente contabilizados. Uma investigação determinaria posteriormente que grande parte do dinheiro foi parar no bolso de Arkady Akimov.

Subitamente rico, Arkady contratou um pequeno exército de ex-agentes da KGB e soldados especiais *spetsnaz* e travou uma guerra sangrenta por território com a família mafiosa Tambov pelo controle do porto de São Petersburgo. Em pouco tempo, ele era o principal empresário de petróleo na Rússia. Com uma parte da fortuna que crescia rapidamente, ele comprou um terreno à beira do lago e construiu uma colônia de *dachas*. Arkady deu uma *dacha* a Vladimir e as demais a homens como ele mesmo, ex-agentes da KGB que se tornaram empresários bem-sucedidos. Eles se reuniam no retiro a cada fim de semana com as esposas e filhos e planejavam o futuro. Tomariam o controle da Rússia e resgatariam seu status de superpotência. E, nesse ínterim, eles se tornariam ricos. Ricos como czares. Ricos além da imaginação. Ricos o suficiente para punir os americanos e europeus ocidentais por destruir a União Soviética. Ricos o suficiente para se vingar.

— Você não acredita naquela bobagem a respeito de o Volodya* ter sido um presidente acidental, não é, Allon? Foi uma operação da KGB simples e direta do início ao fim. Nada foi deixado ao acaso.

O candidato escolhido por eles chegou ao Kremlin em junho de 1996 e assumiu um cargo em uma diretoria obscura que administrava propriedades do governo no exterior. Com a ajuda

* Diminutivo russo para Vladimir. (N. do T.)

de Arkady Akimov e sua quadrilha de ex-funcionários da KGB, Vladimir Vladimirovich passou por uma série de promoções rápidas. Vice-chefe da Casa Civil. Diretor da FSB. E, em agosto de 1999, primeiro-ministro da Federação Russa. Seu caminho para a presidência parecia quase certo.

— Mas lembre-se, Allon...nada foi deixado ao acaso.

A primeira bomba, disse Morosov, explodiu em 5 de setembro na república do Daguestão. O alvo era um prédio residencial que abrigava principalmente soldados russos e suas famílias. Quatro dias depois, uma segunda bomba em outro prédio residencial, este na rua Guryanova em Moscou. O total de mortos foi 158, com centenas de feridos. Separatistas chechenos levaram a culpa.

Quando mais duas bombas explodiram na semana seguinte — uma em Moscou, a outra na cidade de Volgodonsk, ao sul —, a histeria varreu o país. O novo primeiro-ministro, em visita oficial ao Cazaquistão, garantiu ao povo traumatizado que sua resposta seria rápida e implacável.

— Foi quando ele fez sua famosa ameaça de que eliminaria os terroristas chechenos. Só um valentão da travessa Baskov diria uma coisa dessas. E também era mentira. Os separatistas chechenos não tiveram qualquer coisa a ver com aqueles atentados. Eles foram planejados por Arkady Akimov e executados pela FSB. Eram medidas ativas dirigidas não a um adversário estrangeiro, mas ao povo russo.

— Você pode provar isso?

— Não se *prova* essas coisas na Rússia, Allon. A pessoa simplesmente sabe que são verdadeiras.

A crise fabricada, continuou Sergei Morosov, teve o efeito desejado. Após intensificar a guerra na Chechênia, Vladimir Vladimirovich viu seu índice de aprovação disparar. Em dezembro, o presidente Boris Yeltsin, doente e embriagado, anunciou sua renúncia e nomeou um funcionário pouco conhecido como sucessor. Quatro meses depois, ele enfrentou os eleitores da Rússia pela primeira vez. Nunca se duvidou do resultado. Nada foi deixado ao acaso.

A primeira fase da operação foi concluída. Arkady Akimov e sua quadrilha de agentes da KGB conseguiram colocar um deles no Grande Palácio do Kremlin. A segunda fase estava prestes a começar. Eles se tornariam ricos. Ricos como czares. Ricos além da imaginação. Ricos o suficiente para se vingar.

24

GALILEIA SUPERIOR, ISRAEL

— Mas primeiro, disse Sergei Morosov, os oligarcas tiveram de ser subjugados. Khodorkovsky, dono da gigante da energia Yukos, era o mais rico. Mas Gusinsky, por força de seu império de mídia Media-Most, talvez fosse o mais influente. A polícia invadiu sua sede no centro de Moscou apenas quatro dias após a cerimônia de posse. Khodorkovsky sobreviveu três anos até experimentar a ira do Kremlin. Arrancado de seu jato particular durante uma parada para reabastecimento na Sibéria, ele passaria a próxima década na prisão, grande parte do tempo em um campo de trabalhos forçados perto da fronteira chinesa, onde viveria os dias fazendo luvas e as noites em confinamento solitário.

— Já Viktor se deu bem. Uma casa geminada de luxo em Cheyne Walk, uma propriedade em Somerset, uma *villa* à beira-mar em Antibes. É de imaginar por que ele arriscaria tudo isso se envolvendo com um traidor como Grigori Bulganov. — Sergei Morosov fez uma pausa. — Ou com você, Allon.

— Viktor acreditava que a Rússia poderia ser uma democracia.

— Você também concorda com essa fantasia?

— Fui cautelosamente pessimista.

— A Rússia nunca mais será uma democracia, Allon. Não conseguimos viver como pessoas normais.

— Uma mulher muito sábia uma vez me disse a mesma coisa.

— Sério? Quem?

— Continue, Sergei.

Depois que os oligarcas originais foram colocados em seus devidos lugares, disse ele, o saque começou — uma orgia desenfreada de autocontratação, esquemas de propina, transferências ilegais, desfalques, esquemas de proteção, fraudes fiscais e roubos simples e diretos que enriqueceu os homens ao redor do novo presidente. Eles se enxergavam como uma nova nobreza russa. Ergueram palácios, encomendaram brasões e viajaram pelo país por uma rede de estradas particulares. A maioria se tornou multibilionário, mas nenhum era mais rico do que Arkady Akimov. Sua empresa petrolífera, a NevaNeft, era a maior da Rússia. Assim como sua construtora, que conquistou inúmeros projetos do governo, sempre com contratos supervalorizados.

— Tais como?

— O palácio presidencial no mar Negro. Começou como uma *villa* modesta, com cerca de mil metros quadrados. Mas quando Volodya e Arkady terminaram, o preço passava de um bilhão de dólares.

Era um trocado, continuou Morosov, em comparação com o dinheiro que Arkady ganhou com os Jogos Olímpicos de Sochi. O custo para o contribuinte russo da extravagância às margens do mar Negro foi de mais de cinquenta bilhões de dólares, quase cinco vezes a estimativa original. A construtora de Arkady recebeu a maior fatia do bolo, uma rodovia e uma ferrovia de 48 quilômetros que ia do Parque Olímpico aos locais de esqui nas montanhas. O contrato foi de 9,4 bilhões de dólares.

— Foi um dos maiores golpes da história. Os americanos enviaram uma sonda a Marte por uma fração desse valor. Arkady poderia ter pavimentado a estrada com ouro por menos.

— Quanto desse dinheiro você acha que Vladimir Vladimirovich deixou que Arkady embolsasse?

— Você conhece o velho provérbio russo, Allon. O que é meu é meu, e o que é seu é meu.

— Tradução?

— Volodya controla efetivamente toda a economia russa. É *tudo* dele. Ele é quem escolhe os vencedores e perdedores. E os vencedores permanecem vencedores apenas se ele permitir.

— O presidente tira uma parte de tudo?

Morosov concordou com a cabeça.

— De tudo.

— Ele é o homem mais rico do mundo?

— O segundo mais rico, eu diria.

— Qual o tamanho da fortuna?

— Acima de cem bilhões, mas abaixo de duzentos.

— Muito abaixo?

— Não muito.

— Tem algum valor desse dinheiro no nome dele?

— Ele talvez tenha um bilhão ou 2 escondidos no MosBank em seu nome de verdade, mas o resto do dinheiro está nas mãos dos integrantes de confiança de seu círculo íntimo, como Arkady. Ele está se dando muito bem sozinho. A NevaNeft é agora a terceira maior empresa petrolífera do mundo. Arkady possui uma frota de petroleiros e investiu bilhões em oleodutos, refinarias, instalações de armazenamento e terminais na Europa Ocidental. Cerca de cinco anos atrás, transferiu seus negócios para Genebra e abriu uma empresa registrada na Suíça chamada NevaNeft Trading S/A. Há também a NevaNeft Holdings S/A., que inclui o resto de seu império.

— Por que Genebra?

— Recentemente, Genebra substituiu Londres como a capital mundial do comércio de petróleo. Todas as grandes empresas russas têm sedes e filiais lá. Genebra também fica convenientemente perto de Zurique.

— A Casa da Lavanderia Russa.

Morosov concordou com a cabeça.

— Arkady é um cliente valioso. O RhineBank ganha centenas de milhões de dólares por ano em taxas pela lavagem do dinheiro dele. Como você pode imaginar, eles não fazem muitas perguntas.

— E se fizessem?

— Eles descobririam que estão ajudando Arkady e seu amigo de infância da travessa Baskov a atingir o objetivo mais importante para os dois.

— O que seria?

— Vingança.

Foi Arkady quem escolheu o nome da unidade escondida à vista de todos dentro da NevaNeft Holdings. Ele queria algo memorável, com uma pegada forte, alguma coisa que prestasse homenagem à carreira musical que lhe fora negada pelo reitor do Conservatório de Leningrado. Como todos os jovens pianistas russos, Arkady estudou as obras-primas de Tchaikovski e Rachmaninoff, a quem ele reverenciava. Mas Arkady também memorizou várias sonatas escritas pelo compositor austríaco considerado o pai tanto do quarteto de cordas quanto da sinfonia moderna. Ele mostrou o nome para Vladimir Vladimirovich, que aprovou. Duas semanas depois, após os advogados de Arkady terem dado entrada com a papelada necessária no Registro Comercial Suíço, o Grupo Haydn S/A. nasceu.

— Que tipo de trabalho a empresa faz?

— No papel? Pesquisa de mercado e consultoria de gestão.

— E na realidade?

— Propaganda, guerra política, desinformação, subversão, operações de influência, o assassinato ocasional de defensores pró-democracia e bilionários russos exilados.

— Medidas ativas.

Sergei Morosov concordou com a cabeça.

— Tudo projetado para minar o Ocidente de dentro.

— Achei que o SVR e o GRU já estavam fazendo um bom trabalho em relação a isso.

— Estão — disse Morosov. — Mas o Grupo Haydn fornece um verniz a mais de negativa plausível porque é uma empresa privada que opera fora da Rússia. É muito pequena, tem mais ou menos vinte funcionários. Todos são ex-agentes de inteligência, os melhores do ramo e muito bem pagos.

— Quanto poder Arkady tem para realizar operações?

— Para todos os efeitos, ele é o diretor de um serviço de inteligência de elite. Mas tem que obter a aprovação de Volodya para as coisas importantes.

— Como matar Viktor Orlov?

— Claro.

— E as coisas comuns?

Grande parte, informou Morosov, envolvia secretamente transferir dinheiro ilegal para movimentos políticos e sociais que eram pró-Kremlin ou contra as instituições e a ordem, especialmente aqueles movimentos de extrema direita que se opunham à imigração e à integração econômica da Europa. O Grupo Haydn também criou uma rede de laboratórios de ideias fantasmas e jornais on-line de políticas públicas que apresentavam o ponto de vista do Kremlin sob um enfoque favorável e questionavam a efetividade da democracia ocidental e do liberalismo.

Mas a ferramenta financeira mais eficaz da unidade, disse Morosov, era a promessa de riquezas russas. Políticos, advogados, banqueiros, empresários e até agentes de inteligência: todos foram alvo de corrupção com dinheiro russo. A maioria aceitou sem reservas. E depois de terem mordido a isca inicial — a contribuição, o suborno, a oportunidade de negócios sem prejuízo —, não havia como escapar do anzol. Eles eram todos propriedades do Kremlin S/A.

— Você já se perguntou por que tantos integrantes da aristocracia britânica e francesa são repentinamente pró-Rússia? É porque Arkady está comprando cada lorde, duque, conde, visconde e marquês, um por um. O dinheiro é a maior arma da Rússia, Allon. Uma bomba nuclear só pode ser jogada uma vez. Mas o dinheiro pode ser usado todos os dias sem radiação no ar e sem ameaça de destruição garantida de ambos os lados. O dinheiro russo está apodrecendo a integridade institucional do Ocidente por dentro. E Arkady Akimov é quem está assinando os cheques.

— Você parece ter uma boa compreensão das atividades do Grupo Haydn, Sergei.

— Arkady e eu éramos camaradas dos maus e velhos tempos em Berlim. Ele também é bastante rico, sem falar que é amigo íntimo do chefe dos chefes. Fiz questão de cair nas graças dele.

— Quando foi a última vez que você o viu?

— Alguns meses antes de você me sequestrar. Nós nos encontramos na sede da NevaNeft, em Genebra. Arkady é dono do edifício no lado oeste da Place du Port. O gabinete dele fica no último andar.

— E o Grupo Haydn?

— Eles estão um andar abaixo, o sexto. Tudo é de última geração. Fechaduras biométricas, vidro à prova de som, telefones seguros. E computadores — contou Morosov. — Muitos e muitos computadores.

— Para que eles usam esses computadores?

— O que você acha?

— Acho que o Grupo Haydn está administrando uma fábrica de trolls no meio de Genebra.

— Uma fábrica muito boa — disse Morosov

— Você acha que Arkady está tentando influenciar o resultado das eleições americanas?

— Estou fora de circulação há algum tempo, Allon.

— E se você arriscasse um palpite?

— Não é preciso dizer que o Kremlin gostaria que o titular permanecesse no cargo. Portanto, parece lógico que Arkady e o Grupo Haydn estejam colocando o dedo na balança. Mas eles estão muito mais interessados em ajudar os americanos a se destruírem. Eles passam a maior parte do tempo semeando discórdia e rancor nas redes sociais e outros fóruns da internet, incluindo fóruns de discussão usados por racistas e outros extremistas. Arkady me disse que um de seus agentes conseguiu inspirar vários atos de violência política.

— De que maneira?

— Sussurrando anonimamente no ouvido de pessoas que estão no limite. Você tem assistido às notícias dos Estados Unidos ultimamente? Elas não são tão difíceis de encontrar.

Morosov esvaziou outro copo de vodca com uma virada de pulso.

— Se você continuar bebendo essa coisa aí, seu fígado vai virar concreto.

— Não é como se eu tivesse muito mais a fazer.

Gabriel pegou o dossiê e ficou de pé.

— Há mais alguma coisa que você se esqueceu de me dizer, Sergei?

— Só uma.

— Sou todo ouvidos.

— Se Arkady conseguiu chegar até Viktor Orlov, ele pode chegar até você também.

25

TIBERÍADES, ISRAEL

Vinte e cinco quilômetros ao sul de Rosh Pina, surgindo das profundezas do Grande Vale do Rifte, fica o monte Arbel. Os antigos judeus que habitavam a montanha durante a ocupação brutal da Palestina por parte dos romanos moravam em cavernas fortificadas escavadas em seus penhascos íngremes. Agora eles residiam em três assentamentos agrícolas organizados no cume da mesa. Um dos assentamentos, Kfar Hittim, ficava na planície escaldante onde Saladino, em uma tarde de verão abrasadora de 1187, derrotou o exército dos cruzados levados à loucura pela sede em uma batalha climática que deixaria Jerusalém mais uma vez nas mãos dos muçulmanos. Ari Shamron afirmou que, quando ventava de determinada maneira, ele ainda conseguia ouvir o choque de espadas e os gritos dos moribundos.

Sua *villa* cor de mel ficava nos arredores de Kfar Hittim, no topo de uma escarpa rochosa com vista para o mar da Galileia e a antiga cidade sagrada de Tiberíades. Gilah, sua esposa de temperamento forte, cumprimentou Gabriel no saguão de entrada. Com olhos melancólicos e cabelo grisalho desgrenhado, ela tinha uma semelhança incrível com Golda Meir. Gilah abriu os braços e exigiu ser abraçada.

Usando máscara, Gabriel manteve distância.

— Não é seguro, Gilah. Eu tenho viajado.

Mesmo assim, ela o abraçou.

— Nós começamos a pensar que nunca mais veríamos você. Meu Deus, quanto tempo faz?

— Não me obrigue a dizer em voz alta. É muito deprimente.

— Por que não contou que estava vindo?

— Por acaso, eu estava na vizinhança. Queria fazer uma surpresa para vocês.

Ela o apertou com força.

— Você está muito magro.

— Você sempre diz isso, Gilah.

— Vou fazer um jantarzinho para você. Ari está trabalhando em um novo rádio. O isolamento tem sido muito difícil para ele. — Gilah colocou a mão na bochecha de Gabriel. — Assim como sua ausência.

Ela se afastou sem dizer mais nada e desapareceu na cozinha. Gabriel se preparou para o pior e desceu a escada para o cômodo que era ao mesmo tempo escritório e oficina de Shamron. As estantes estavam repletas de recordações de uma vida secreta, incluindo um pequeno mostruário de vidro contendo onze cápsulas de balas calibre .22. Eli Lavon havia recolhido as cápsulas no saguão de um prédio residencial na Piazza Annibaliano, em Roma, poucos minutos depois que Gabriel matou um palestino chamado Wadal Abdel Zwaiter.

— Você tem de se livrar dessas coisas, Ari.

— Estou guardando para você.

— Eu disse que não quero.

— Uma das emissoras americanas está preparando um novo documentário importante. Os produtores gostariam de me entrevistar enquanto ainda estou entre os vivos. Sugeri que seria melhor que falassem com você também.

— Por que eu falaria a respeito disso agora, depois de todos esses anos? Só vai reabrir velhas feridas.

— Não é segredo que você foi o principal atirador da Operação Ira de Deus. Na verdade, eu soube de fonte segura que você finalmente contou a seus filhos a respeito das coisas que fez para defender seu país e seu povo.

— Há algo que você *não* saiba a respeito da minha vida?

Shamron sorriu.

— Acredito que não.

Ele estava empoleirado em um banquinho alto na bancada de trabalho, vestido com calça cáqui bem passada e uma camisa de tecido Oxford. Diante de Shamron havia um rádio Philco de jacarandá. Não havia sinal da velha bengala de oliveira, apenas um andador de alumínio que reluzia friamente com o brilho da luminária de trabalho. Com a mão direita trêmula — a mesma que calou a boca de Adolf Eichmann em uma rua às escuras na Argentina —, ele pegou um maço de cigarros Maltepe.

— Nem pense nisso, Ari.

— Por que não?

— Porque você não quer passar seus últimos dias na Terra entubado e com um ventilador.

— Eu me resignei a esse destino há muito tempo, meu rapaz. — Shamron tirou um cigarro do maço e acendeu com seu velho isqueiro Zippo. — Você vai pelo menos tirar essa máscara? Você se parece com um dos meus médicos.

— É para o seu próprio bem.

— Meus médicos me dizem a mesma coisa toda vez que me empalam com algo afiado. — Ele franziu os olhos para as vísceras expostas do rádio através de uma nuvem de fumaça. — O que o traz até Tiberíades?

— Você, Abba.

— Posso estar velho, mas não estou senil.

— Eu precisava trocar uma palavra com Sergei Morosov.

— A respeito de nosso velho amigo Viktor Orlov?

Gabriel concordou com a cabeça.

— Presumo que a morte de Viktor tenha algo a ver com dinheiro.

— De onde você tirou uma ideia dessas?

— A *villa* luxuosa que você adquiriu às margens do lago de Zurique. — Shamron franziu a testa. — Um pechincha por meros quarenta mil francos suíços por mês. Ontem à noite, quando deveria estar celebrando o Shabat com sua esposa e filhos, você recebeu um dossiê de uma jovem que trabalha na filial do RhineBank em Zurique, casa da chamada Lavanderia Russa. O dossiê em questão foi preparado por um investigador inglês com um histórico impressionante de ter revelado segredos russos. A papelada sugere que um empresário chamado Arkady Akimov é o principal guardião da imensa riqueza do presidente russo.

— Você colocou um transmissor no esconderijo de Nahalal?

— Um infiltrado — respondeu Shamron. — Aparentemente, vários funcionários de Arkady são ex-agentes do SVR e GRU. Eles trabalham para uma subsidiária de sua empresa petrolífera conhecida como Grupo Haydn. O investigador inglês não foi capaz de determinar a natureza do trabalho da unidade.

— Medidas ativas dirigidas contra o Ocidente.

— As velhas manobras soviéticas — disse Shamron.

— Eles certamente são consistentes.

— É sua intenção tirar Arkady Akimov do mercado?

— Com força máxima. O RhineBank também.

— Dada a história deplorável da empresa, nada me deixaria mais feliz. Porém, uma operação dessa escala vai consumir os últimos meses preciosos do seu mandato. — Shamron fez uma pausa. — A menos, é claro, que você esteja planejando ficar para um segundo.

— Aprendi a realizar duas tarefas ao mesmo tempo há muito tempo. Quanto a um segundo mandato, não me ofereceram.

— E se oferecessem?

— Eu tenho outros planos.

— O *Haaretz* parece pensar que você daria um ótimo primeiro--ministro.

— Imagina só!

— Imagino, sim. Mas há um boato de que você planeja se aposentar em um *palazzo* com vista para o Grande Canal em Veneza. — Shamron olhou para Gabriel com reprovação. — Sei que foi ideia de Chiara, mas você poderia ter batido o pé.

— Minha autoridade termina na porta da minha casa.

— Seu país precisa de você. — Shamron baixou a voz. — E eu também.

— Eu ainda tenho um ano e meio de mandato.

— Com sorte, eu estarei morto até lá. — Shamron soltou um suspiro de resignação. — Já pensou em seu sucessor?

— Eu esperava conseguir convencer *você* a aceitar a vaga.

— Sou muito jovem — disse Shamron. — Muito inexperiente.

— Sobram então Yaakov Rossman ou Yossi Gavish. O fato de Yaakov ser o chefe das Operações Especiais lhe dá uma vantagem. Mas Yossi tem muita experiência operacional e seria um excelente diretor.

— Nenhum deles é do seu calibre.

— Nesse caso — falou Gabriel —, talvez devêssemos fazer história.

— De que forma?

— Nomeando a primeira mulher diretora-geral do Escritório.

Shamron ficou intrigado com a ideia.

— Você tem uma candidata em mente?

— Apenas uma.

— Rimona?

Gabriel sorriu.

— Ela é a chefe das Coleções, o que significa que é responsável por recrutar e administrar uma rede mundial de agentes. Ela, por acaso, também é sua sobrinha.

— Talvez eu seja eterno, afinal. — O olhar de Shamron foi subitamente nublado por uma memória. — Você se lembra do dia em que ela caiu do patinete no meio da rua e arrancou a pele do quadril? A pobre criança ficou gritando de dor, mas eu estava tão perturbado com a visão de todo aquele sangue que não pude ampará-la. Foi você quem fez o curativo na ferida.

— Ela ainda tem a cicatriz.

— Você sempre foi bom em consertar as pessoas, Gabriel. — Shamron indicou as válvulas e os circuitos espalhados sobre a bancada de trabalho. — Eu só consigo fazer rádios antigos parecerem novos.

— Você construiu um país, Ari.

— E um serviço de inteligência — ressaltou ele. — Seria sensato da sua parte aceitar meu conselho de vez em quando.

— Que conselho você me daria a respeito de Arkady Akimov?

— Deixe outra pessoa cuidar dele.

— Tipo quem?

— Os suíços ou os ingleses.

— Eles concordaram em me deixar dirigir a operação.

— Que generoso da parte deles.

— Foi o que pensei.

— E se as coisas se complicarem?

— Os suíços me deram uma carta de saída livre da prisão.

— O que você vai fazer com a jornalista russa que entregou os documentos contaminados a Viktor?

— Por meio de dissimulação — disse Gabriel, recitando as primeiras quatro palavras do lema do Escritório.

Shamron apagou o cigarro.

— Sobrou Arkady.

— Estou pensando em fazer negócios com ele.

— Que tipo de negócio?

— Lavagem de dinheiro, Ari. O que mais?

— Achei que Arkady lavasse o dinheiro dele no RhineBank.

— Ele lava.

— Então, por que Arkady precisaria de você?

— Ainda estou vendo isso.

— *Há* uma solução bastante simples, você sabe.

— Qual?

Shamron acendeu um novo cigarro.

— Feche a Lavanderia Russa.

26

BOULEVARD REI SAUL, TEL AVIV

Três níveis abaixo do saguão do Boulevard Rei Saul havia uma porta marcada 456C. A sala do outro lado já tinha sido um local de desova de computadores obsoletos e móveis gastos, muitas vezes usado pela equipe do turno da noite como ponto de encontro clandestino para aventuras românticas. A senha da fechadura digital foi definida para a versão numérica da data de nascimento de Gabriel, supostamente o segredo mais bem guardado do escritório. Às dez horas da manhã seguinte, ele digitou o código no teclado e entrou.

Rimona Stern, chefe da divisão do Escritório conhecida como Coleções, sobrinha de Ari Shamron, colocou rapidamente a máscara.

— Ouvi dizer que você visitou Tiberíades na noite passada.

— Foi só isso que você ouviu?

— Minha tia disse que você está muito magro.

— Sua tia sempre diz isso antes de me entupir de comida.

— Como ela está levando as coisas?

— Está trancada em uma casa com seu tio há quase seis meses. Como você acha que ela está?

Subitamente, a porta se abriu e Yossi Gavish entrou na sala. Nascido em Londres, educado em Oxford, ele ainda falava hebraico com um sotaque britânico carregado. Yossi era o chefe da Pesquisa, a divisão analítica do Escritório, mas sua formação como ator shakespeareano também fazia dele um valioso agente de campo. Havia um café à beira-mar em Saint Barthélemy onde as garçonetes achavam que Yossi era um sonho e um hotel em Genebra onde o concierge fez um juramento particular de dar um tiro nele assim que o visse.

Ele foi seguido um momento depois por Yaakov Rossman e dois agentes de campo paus para toda obra chamados Mordecai e Oded. Eli Lavon chegou em seguida, seguido por Dina Sarid, a principal analista de terrorismo do Escritório e uma pesquisadora de primeira ordem que geralmente enxergava conexões que outras pessoas não notavam. Pequena e de cabelo escuro, ela mancava ligeiramente, resultado de um ferimento grave que sofreu quando um homem-bomba do Hamas se explodiu a bordo de um ônibus número 5 em Tel Aviv, em outubro de 1994. Sua mãe e duas de suas irmãs estavam entre as 21 pessoas mortas no ataque.

Mikhail Abramov saltou pela porta um momento depois. Alto e magricelo, com a pele extremamente pálida e olhos como gelo glacial, ele já tinha substituído Gabriel havia muito tempo como o principal executor de assassinatos seletivos, embora seus enormes talentos não se limitassem ao uso de armas. Nascido em Moscou, filho de dois cientistas dissidentes, ele emigrou para Israel quando adolescente. Mikhail estava acompanhado da esposa, Natalie Mizrahi. Uma judia argelina de origem francesa que falava árabe fluentemente, ela foi a agente de inteligência ocidental a penetrar nas fileiras do Estado Islâmico.

Nos corredores e nas salas de conferência do Boulevard Rei Saul, os nove homens e mulheres reunidos na sala subterrânea eram conhecidos pelo codinome Barak, a palavra hebraica para relâmpago, pela capacidade incrível de se reunir e atacar rapidamente. Eles eram um serviço dentro de um serviço, uma equipe de agentes sem medo e sem igual. Pessoas que lutaram e sangraram juntas em uma cadeia de campos de batalha secretos que se estendia de Moscou à cordilheira do Atlas, no Marrocos. Quatro deles eram chefes de divisão poderosos hoje. E pela vontade de Gabriel, um deles, em breve, faria história como a primeira diretora-geral do Escritório.

Rimona observou com atenção Gabriel se aproximar do quadro-negro — o último quadro-negro em todo o Boulevard Rei Saul — e escrever um nome com alguns movimentos ágeis da mão esquerda: Arkady Akimov, amigo de infância do presidente russo, ex-agente da KGB especializado em medidas ativas, proprietário de uma empresa de inteligência privada conhecida como Grupo Haydn, que estava tentando minar o Ocidente por dentro.

E nesse momento o Escritório, disse Gabriel à sua equipe, minaria Arkady Akimov. Eles o tirariam de seu poleiro de destaque no Ocidente, destruiriam o Grupo Haydn e confiscariam o máximo possível de seu dinheiro sujo, incluindo aquele que ele estivesse guardando para o presidente da Federação Russa. O RhineBank AG não receberia piedade. Nem, por falar nisso, qualquer outra empresa de serviços financeiros — suíça, alemã, britânica ou americana — que pudesse estar envolvida no caso.

Um ataque dessa magnitude, advertiu ele, não poderia ser lançado de fora, apenas de dentro. Isabel Brenner, a diretora de compliance do escritório do RhineBank, em Zurique, abriu uma porta para a cidadela bem-defendida de Arkady. O Escritório entraria por ela. Eles estabeleceriam um relacionamento comercial com Arkady, se tornariam sócios na cleptocracia conhecida como Kremlin S/A. Um cuidado extraordinário seria tomado em cada etapa de sua fusão. Nada, disse Gabriel, seria deixado ao acaso.

* * *

Mas como invadir a corte de um homem que considerava que todos os telefones que usava estavam grampeados, que havia escutas em todas as salas em que entrava e que todos os estranhos que cruzavam seu caminho queriam destruí-lo? Um homem que nunca falava com a imprensa, que raramente saía de sua bolha de proteção russa e que sempre estava cercado por guarda-costas vindos de unidades de elite *spetsnaz*? Até a localização de seu escritório na Place du Port de Genebra era um segredo cuidadosamente guardado. A Governança adquiriu salas comerciais no prédio em frente, e dois dos especialistas em vigilância de Eli Lavon se instalaram ali no dia seguinte. Eles tiraram fotos de todos que entravam e saíam pela porta da frente opaca de Arkady e encaminharam as imagens para o Boulevard Rei Saul, onde a equipe tentou identificar os rostos. Uma foto mostrava um homem elegante de cabelo grisalho saindo da traseira de um sedã Mercedes-Maybach. A legenda escrita por Yossi Gavish era uma obra-prima da brevidade burocrática: Akimov, Arkady. Presidente da NevaNeft Holdings, NevaNeft Trading e do Grupo Haydn.

Arkady era ainda mais circunspecto quando se tratava da localização de sua residência. Por vários anos, ele viveu discretamente no enclave endinheirado de Cologny. Mas, no verão de 2016, ele levantou acampamento e se estabeleceu em um palácio construído sob encomenda em Véchy, avaliado em mais de cem milhões de francos suíços. O enorme projeto de construção enfureceu seus novos vizinhos, incluindo um astro pop inglês que reclamou publicamente na imprensa. A identidade do proprietário da nova *villa* nunca foi divulgada, apenas a suspeita de que fosse um empresário russo, talvez com ligações com o Kremlin.

Também achavam que o mesmo empresário russo anônimo era o proprietário da maior residência privada na vila francesa de esqui de Courchevel, de uma luxuosa *villa* na Côte d'Azur, perto de Saint-Tropez, de uma mansão no subúrbio murado de Rublyovka em Moscou e de um apartamento no Billionaire's Row* de Manhattan comprado pelo preço surpreendente de 225 milhões de dólares. Ele possuía um iate, como todo bilionário, mas raramente o utilizava, pois tinha tendência a enjoar no mar. Seu jato particular era um Gulfstream, o helicóptero particular era um Airbus H175 VIP. Arkady circulava por Genebra em um comboio digno de um chefe de Estado.

Sua biografia oficial não continha referência alguma sobre o passado na KGB, apenas uma passagem sem destaques no Ministério das Relações Exteriores soviético, um trabalho que o levou brevemente para Berlim Oriental. Havia muita especulação a respeito da natureza de seu relacionamento com o presidente russo. Por meio de seus advogados, ele admitiu que os dois se conheceram quando eram meninos em Leningrado, mas negou qualquer insinuação de que fizesse parte de seu círculo íntimo. Relatos a respeito de sua vida pessoal meio complicada foram mais difíceis para os advogados abafarem. Sabia-se de dois divórcios, ambos discretos, e uma série de rumores de casos e amantes. Sua mais nova esposa era Oksana Mironova, uma bela dançarina de balé com cerca de trinta anos a menos do que ele.

Não era surpresa que a *Moskovskaya Gazeta* estivesse entre os críticos mais ferrenhos de Arkady. A revista expôs suas ligações com o palácio presidencial no mar Negro e os bilhões que ele ganhou com os contratos de construção inchados concedidos para os Jogos Olímpicos de Sochi. Vários dos artigos foram escritos por Nina Antonova, a repórter investigativa desaparecida. Após retornar ao Chalé Wormwood para aguardar seu visto permanente, ela

---

* Enclave de arranha-céus no entorno da Rua 57 de Nova York com as residências mais caras do mundo. (N. do T.)

preparou um dossiê revelador de vinte mil palavras que continha todas as alegações não comprovadas já feitas contra Arkady. Era uma leitura divertida, assim como a narrativa de Olga Sukhova a respeito de um encontro acalorado que tivera com Arkady em Moscou, em 2007, depois que surgiram relatos de que seu amigo de infância de Leningrado de alguma forma valia espantosos quarenta bilhões de dólares.

Ao que tudo indica, a fortuna pessoal do presidente russo cresceu substancialmente desde então. O mesmo aconteceu com a de Arkady Akimov, que disparou de insignificantes quatrocentos milhões de dólares em 2012 para 33,8 bilhões, de acordo com a estimativa mais recente da revista *Forbes*, o que o tornava o 44º homem mais rico do mundo. Imediatamente acima dele estava um administrador americano de fundos de hedge e, abaixo, um fabricante chinês de eletrodomésticos. Arkady, não sem alguma razão, teria ficado desapontado com a classificação.

Mas, por outro lado, a *Forbes* não possuía todas as informações. O que faltou na estimativa da revista a respeito do patrimônio líquido de Arkady foi o dinheiro que os gnomos da Lavanderia Russa enterraram no Ocidente de forma anônima. Felizmente, Gabriel tinha seus próprios gnomos — os nove homens e mulheres confinados em uma sala subterrânea três níveis abaixo do saguão do Boulevard Rei Saul.

Em quase todos os aspectos, eles eram o oposto do homem cuja vida estavam despedaçando. Eles ganhavam um salário do governo e viviam modestamente. Não roubavam, a menos que recebessem ordens para fazê-lo. Não matavam, a menos que vidas inocentes estivessem em jogo. Eram amáveis com cônjuges e amantes e cuidavam dos filhos da melhor maneira possível, enquanto, ao mesmo tempo, trabalhavam sem parar até tarde. Não tinham vícios, pois pessoas com vícios nunca eram admitidas em suas fileiras.

Eles conseguiam realizar o trabalho com o mínimo de desgosto, visto que vozes exaltadas tendiam a facilitar a disseminação do coronavírus. Até Rimona Stern, que possuía o temperamento explosivo do tio famoso, conseguia dosar o tom normalmente estentóreo. Como o distanciamento social adequado não era possível — não no espaço apertado do covil subterrâneo —, eles desinfetavam as mesas de trabalho com frequência e eram submetidos a testes regulares. De alguma forma, não houve resultados positivos.

Gabriel enfiava a cabeça pela porta da sala 456C uma ou duas vezes por dia para verificar o progresso da equipe e fazer as devidas cobranças. Ele estava ansioso para voltar a campo o mais rápido possível, antes que os suíços mudassem de ideia e declarassem que Arkady era intocável. Era óbvio para todos que o chefe estava tentado a dar o tiro que o oligarca russo tanto merecia e encerrar a questão. Mas Arkady Akimov — membro de confiança do círculo íntimo do presidente russo, proprietário de uma empresa privada de inteligência que travava uma guerra contra o Ocidente — era valioso demais para matar. Era quem Gabriel estava procurando havia muito tempo. Ele não deixaria nada ao acaso.

Mas como penetrar na corte de Arkady?

Normalmente, era uma falha ou a vaidade que deixavam um homem vulnerável, mas Gabriel instruiu a equipe a encontrar a única qualidade redentora de Arkady Akimov. Certamente, pediu ele, devia haver pelo menos *uma* razão para o oligarca russo estar ocupando espaço no planeta. Foi Dina Sarid, enquanto revisava o site inútil da NevaNeft, que descobriu. Por meio do ramo da empresa que cuidava de ações de caridade, Arkady Akimov doou centenas de milhões de dólares para orquestras, conservatórios e museus de arte na Rússia e em toda a Europa Ocidental, muitas vezes com pouca ou nenhuma publicidade.

Como se descobriu, Arkady também era um subscritor frequente de concertos e festivais, o que lhe permitia socializar com algumas das figuras de maior destaque do mundo da música clássica. Uma busca reversa de imagens nas redes sociais revelou uma fotografia do russo, notoriamente avesso a câmeras, ao lado do violinista francês Renaud Capuçon, com um largo sorriso no rosto. Arkady tinha uma expressão idêntica quando posou ao lado da violinista alemã Julia Fischer. E com o compatriota de Julia Christian Tetzlaff. E com os pianistas Hélène Grimaud e Paul Lewis. E com os maestros Gustavo Dudamel e Sir Simon Rattle.

Dina duvidava do valor operacional de sua descoberta. No entanto, ela imprimiu as fotos em papel de alta qualidade e colocou na mesa de Gabriel. Uma hora depois, durante sua visita noturna à sala 456C, ele escreveu mais dois nomes no quadro-negro. Um era um velho inimigo; o outro, uma velha amante. Em seguida, Gabriel descreveu para a equipe o primeiro ato da fusão planejada entre o Escritório e a cleptocracia conhecida como Kremlin S/A. Seria um encontro aparentemente casual em uma ocasião de gala, um evento que Arkady Akimov moveria céus e terra para comparecer. Coquetéis e canapés não seriam suficientes. Gabriel precisava de uma atração estelar, uma celebridade internacional cuja presença tornaria obrigatório o comparecimento para a elite endinheirada da sociedade suíça. Ele também precisava de um financista para desempenhar o papel de benfeitor da noite, um modelo de virtude corporativa conhecido pelo compromisso com causas que vão desde a mudança climática até a redução da dívida de países menos desenvolvidos. Exatamente o tipo de homem que Arkady Akimov adoraria corromper com dinheiro sujo da Rússia.

27
GENEBRA

O RhineBank AG de Hamburgo não foi a única instituição financeira que fez negócios lucrativos com a Alemanha nazista. O Banco Nacional da Suíça aceitou várias toneladas de ouro do Reichsbank ao longo dos seis anos da Segunda Guerra Mundial e obteve um lucro considerável de vinte milhões de francos suíços. Os principais bancos suíços também aceitaram nazistas de alto escalão como clientes — incluindo ninguém menos que Adolf Hitler, que depositou os direitos autorais de seu manifesto antissemita *Mein Kampf* em uma conta do UBS em Berna.

Mas, na maioria das vezes, os líderes do partido e os assassinos oficiais do alto escalão da SS recrutaram os serviços de banqueiros privados discretos, como Walter Landesmann. Uma figura menor no setor bancário de Zurique antes da guerra, Landesmann era, no início de 1945, o guardião secreto de uma vasta fortuna de origem ilícita, e uma grande parte dela permaneceu sem ser retirada, porque seus clientes acabaram presos como criminosos de guerra ou foram forçados a buscar refúgio na distante América do Sul. Sem nunca perder uma oportunidade, Landesmann usou o dinheiro para transformar seu banco em uma das empresas de serviços financeiros mais importantes da Suíça. E, após sua morte, ele o deixou como herança para seu único filho, um jovem financista carismático chamado Martin.

Martin Landesmann conhecia muitíssimo bem a origem do crescimento rápido do banco no pós-guerra e não perdeu tempo se livrando dele. Com os lucros da venda, ele criou a GVI, Global Vision Investments, uma firma de investimentos em startups inovadoras, especialmente no campo de energia alternativa e agricultura sustentável. Sua paixão permanente, no entanto, era a fundação de caridade One World. Martin entregava remédios aos doentes, comida aos famintos e água aos sedentos, muitas vezes com as próprias mãos. Consequentemente, ele era muito querido pelos bacanas de Aspen e Davos. Seu círculo de amigos influentes incluía políticos de destaque e luminares do Vale do Silício e de Hollywood, onde sua produtora financiava documentários a respeito de temas como mudança climática e direitos dos imigrantes. O filme mais recente de Martin foi o autorretrato lisonjeiro *One World*. Sua legião de críticos, principalmente de direita, se perguntou por que ele não chamou o documentário de *São Martin*.

O primeiro uso documentado do apelido foi em um perfil desfavorável publicado na revista *Spectator*. Hoje era usado regularmente tanto por seus defensores quanto pelos detratores. Martin o detestava em segredo, talvez porque o apelido não tivesse um pingo de verdade. Apesar de toda a sua piedade corporativa, ele era implacável na busca pelo lucro, mesmo que isso exigisse devastar as florestas tropicais ou despejar carbono na atmosfera. Entre seus empreendimentos mais lucrativos estava a Keppler Werk GmbH, uma empresa de metalurgia que fabricava algumas das melhores válvulas industriais do mundo. A Keppler Werk fazia parte de uma rede global de empresas que forneciam tecnologia nuclear para a República Islâmica do Irã em violação das sanções da Organização das Nações Unidas — uma rede que Gabriel havia penetrado e depois usado para sabotar quatro instalações secretas de enriquecimento de urânio no Irã. A participação de Martin no caso não foi voluntária.

Ao contrário dos pronunciamentos públicos, ele não manipulava exclusivamente o próprio dinheiro. A GVI era a proprietária clandestina do Meissner PrivatBank de Liechtenstein, e o Meissner PrivatBank era o portal de uma operação sofisticada de lavagem de dinheiro utilizada principalmente por figuras do crime organizado e indivíduos ricos avessos à tributação. Por uma taxa substancial e poucas perguntas, Martin transformava dinheiro sujo em ativos que poderiam ser guardados indefinidamente ou convertidos em dinheiro limpo. Gabriel e Graham Seymour estavam cientes das atividades extracurriculares de Martin. Os reguladores financeiros suíços, não. Para eles, São Martin Landesmann era o único financista suíço que nunca tinha andado fora da linha.

Ele fugiu da fria e cinzenta Zurique após a venda rápida do banco sujo de seu pai e se estabeleceu na refinada Genebra. A GVI estava sediada no Quai du Mont-Blanc, mas o verdadeiro centro nervoso do império de Martin era Villa Alma, sua grande propriedade à beira do lago na Rue de Lausanne. O chefe de segurança de longa data de Martin cumprimentou Gabriel no pátio. A última conversa entre os dois foi conduzida diante do cano de uma SIG Sauer P226. Gabriel segurava a pistola.

— Você está armado? — perguntou o guarda-costas em um suíço-alemão atroz.

— O que você acha? — respondeu Gabriel em um *Hochdeutsch** correto.

---

* "Alto alemão": a norma culta da língua alemã, ensinada nas escolas e aos estrangeiros. (N. do T.)

O segurança estendeu a mão com a palma voltada para cima. Gabriel passou por ele e entrou no saguão reluzente, onde São Martin Landesmann, banhado por uma coroa de luz dourada, esperava em toda a sua glória. Ele estava vestido, como de costume, tal qual a metade inferior de uma escala de tons de cinza: suéter de cashmere cinza-escuro, calças grafite, mocassins pretos. Quando combinadas com o cabelo grisalho lustroso e os óculos prateados, as roupas lhe davam um ar de seriedade jesuíta. A mão que Martin ergueu em saudação era branca como mármore. Ele se dirigiu a Gabriel em inglês, com um sotaque vagamente francês. Martin não falava mais a língua de sua cidade natal, Zurique. A menos, obviamente, que ele estivesse ameaçando mandar matar alguém. Se fosse o caso, apenas suíço-alemão serviria.

— Espero que você e Jonas tenham tido a chance de colocar a conversa em dia — disse Martin amigavelmente.

— Vamos beber algo mais tarde.

— Você sabe qual é seu status de Covid?

— De alguma forma, ainda estou negativo. E vocês?

— Monique e eu somos testados todos os dias. — Monique era a esposa parisiense de Martin e uma celebridade internacional pelos próprios méritos. — Espero que você a perdoe por não vir dar um olá. Ela não está ansiosa para reviver o caso Zoe Reed.

— Somos dois.

— Eu esbarrei com Zoe em Davos no ano passado — contou Martin. — Ela era a âncora do noticiário da tarde da CNBC. Como você pode imaginar, foi tudo muito estranho. Ambos fingimos que os eventos desagradáveis daquela noite não aconteceram.

— Foi há muito tempo.

— E seu colega que invadiu meu computador?

— Ele mandou lembranças.

— Sem ressentimentos, espero.

— Alguns — disse Gabriel. — Mas não vamos ficar remoendo o passado. Estou aqui para falar do futuro.

Martin franziu a testa.

— Não sabia que tínhamos um.

— Um futuro brilhante, na verdade.

— O que nós vamos fazer?

— Restaurar a ordem global e a democracia liberal ocidental antes que seja tarde demais.

— E como vamos fazer isso?

— Fazendo negócios com Arkady Akimov. — Gabriel sorriu. — De que outra forma seria?

As paredes da Villa Alma exibiam uma coleção de primeira classe de pinturas impressionistas e do pós-guerra. Martin se vangloriou de algumas de suas aquisições mais recentes, incluindo um nu voluptuoso de Lucian Freud, enquanto se dirigiam ao terraço amplo. As águas azul-escuro do lago cintilavam à luz do sol deslumbrante. Martin apontou o maciço do Mont Blanc, onde a geleira Planpincieux estava em perigo de colapso iminente após vários dias de temperaturas acima do normal. Infelizmente, o planeta, segundo ele, estava indo a toda velocidade a um ponto sem volta. A retirada americana do Acordo de Paris foi um desastre; quatro anos irrecuperáveis foram perdidos. Martin estava confiante de que o candidato democrata à presidência, caso vencesse a eleição, criaria um cargo de gabinete dedicado exclusivamente ao combate às mudanças climáticas. Uma fonte de campanha disse a ele que o principal candidato à vaga era o ex-senador e secretário de Estado que negociou os acordos nucleares com o Irã. Martin conhecia bem o sujeito. Na verdade, ele tinha sido convidado com frequência nas casas do secretário em Georgetown, Nantucket e Sun Valley. Era verdade o que diziam a respeito dos ricos, pensou Gabriel enquanto ouvia. Eles realmente eram diferentes.

— E você disse ao seu bom amigo secretário que foi você quem ajudou os iranianos a construir suas cascatas de centrífugas? Que foi *você* quem levou o mundo à beira de mais uma guerra no Oriente Médio?

— Na verdade, o assunto nunca surgiu. Você e seus amigos do MI6 e da CIA conseguiram manter minha identidade em segredo, até do homem que estava sentado à mesa de negociações com os iranianos.

— Nós garantimos que faríamos isso.

— Perdão por duvidar de sua palavra. Afinal, você sabe o que dizem a respeito de promessas, Allon.

— Eu faço o melhor possível para manter as minhas.

— Sempre?

— Não, Martin. Mas não vamos entrar em um jogo de relativismo moral. O tamanho de sua falsidade é quase tão impressionante quanto a vista de seu terraço.

— Aquele que nunca pecou que atire a primeira pedra. Não é isso que diz o bom livro?

— Não o nosso livro. Na verdade, fomos os pioneiros nessa técnica.

— Não é tudo mentira — disse Martin. — Eu realmente quero tornar o mundo um lugar melhor.

— Você e eu temos isso em comum. Como habitante de um pequeno país com pouca água e limitadas terras aráveis, compartilho suas preocupações em relação à mudança do clima. Também valorizo o trabalho que você fez na África, visto que os fluxos migratórios descontrolados são inerentemente desestabilizadores. Como prova, não é preciso ir muito longe da Europa Ocidental, onde a extrema direita anti-imigrantes está em ascensão.

— Eles são cretinos racistas. Sem falar que são autoritários. Temo pelo futuro da democracia.

— É por isso que você vai anunciar uma nova iniciativa da One World para promover a liberdade e os direitos humanos, especialmente na Hungria, na Polônia, nas antigas repúblicas da União Soviética e na própria Rússia.

— George Soros conquistou esse mercado há muito tempo. A propósito, ele também é um amigo meu.

— Nesse caso, tenho certeza de que Soros não vai se importar se você se juntar à cruzada dele.

— Isso é um caso perdido, Allon. A Rússia nunca será uma democracia.

— Não tão cedo. Mas sua iniciativa enfurecerá Arkady Akimov e seu bom amigo, o presidente russo. — Gabriel fez uma pausa e acrescentou: — É por isso que Arkady vai querer ser seu sócio.

— Explique — falou Martin.

— Arkady não estabelece relações comerciais com ocidentais importantes por bondade. Ele usa o dinheiro russo como uma arma furtiva para apodrecer o Ocidente por dentro. Você é um alvo ideal, um ativista liberal cheio de virtudes que guarda um segredo sombrio. Arkady vai usá-lo e comprometê-lo ao mesmo tempo. E, depois de morder a isca, você se tornará uma subsidiária controlada pelo Kremlin S/A. Pelo menos aos olhos deles.

— É por isso que nunca faço negócios com russos. Eles são muito corruptos, até para mim. E violentos demais. Veja bem, tenho relações comerciais com muitos mafiosos, incluindo os italianos. Eles são muito justos, na verdade. Ficam com a parte deles, eu fico com a minha, e todo mundo sai vivo. Mas caras como Boris e Igor rapidamente recorrem à violência se pensam que foram enganados. Além disso — acrescentou Martin —, tive a impressão de que Arkady levava a roupa suja dele para o RhineBank.

— Leva, mas ele logo vai precisar de um novo serviço de limpeza.

— E se Arkady se aproximar de mim?

— Você vai bancar o difícil. Mas, assim que concordar em receber o dinheiro dele, vai violar o máximo de leis possível, inclusive na Grã-Bretanha e nos Estados Unidos.

— O que acontece depois?

— Arkady cai. Você, no entanto, sairá com sua reputação brilhante intacta, assim como aconteceu depois da operação no Irã.

— E quando Boris e Igor me visitarem?

— Vocês terão um abrigo.

— Vocês?

— Você e os suíços — respondeu Gabriel.

Martin fingiu pensar.

— Suponho que eu não tenho escolha a não ser dizer sim.

Gabriel ficou em silêncio.

— E quem vai pagar por esse seu projeto de democracia? — perguntou Martin.

— Você. Você também vai comprar uma pintura.

— Quanto isso vai me custar?

— Uma fração do que você pagou por aquele seu Lucian Freud. Quanto foi? Cinquenta milhões?

— Cinquenta e seis. — Martin hesitou e depois perguntou: — Só isso?

— Não — disse Gabriel. — Tem mais uma coisa.

28

TALACKERSTRASSE, ZURIQUE

Às 15h15 do mesmo dia, Isabel ouviu uma batida na porta de seu escritório sem janelas. O tenor e o tom sugeriram que era Lothar Brandt, o chefe da Lavanderia Russa. Portanto, ela deixou passar vinte segundos até convidá-lo a entrar. Lothar fechou a porta assim que entrou, o que nunca era um bom sinal, e colocou uma pilha de documentos sobre a mesa dela.

— O que você tem para mim hoje? — perguntou ela.

Ele abriu o primeiro documento na última página e apontou para a linha da assinatura da diretora de compliance, que estava marcada com uma guia vermelha. Como de costume, Lothar não deu informação alguma em relação à natureza do negócio ou da transação ou das partes envolvidas. Isabel, apesar disso, assinou seu nome.

Os dois entraram em uma dinâmica fácil: abrir, apontar, assinar. *Isabel Brenner*... Para aliviar o tédio, e talvez distrair Isabel do fato de que ela estava cometendo infrações sérias a vários regulamentos bancários, Lothar contou os detalhes de seu fim de semana. Ele e uma pessoa amiga — Lothar não especificou o gênero — passaram o fim de semana fazendo uma trilha na região montanhosa de

Oberland Bernês. Isabel murmurou algo encorajador. Por dentro, ela não conseguia pensar em um destino pior do que ficar presa nos Alpes sozinha com Lothar. Como Isabel, Lothar era alemão. Não lhe faltava inteligência, apenas imaginação. Isabel uma vez foi forçada a se sentar ao lado dele em um jantar bancado pela empresa. Ela fez de tudo para não cortar os pulsos com a faca de manteiga.

— E você? — perguntou Lothar de repente.

— Perdão?

— Seu fim de semana. Alguma coisa especial?

Isabel descreveu dois monótonos dias passados se abrigando do coronavírus. Lothar ficou apoplético. Ele acreditava que o vírus era uma farsa fabricada por social-democratas e ambientalistas a fim de desacelerar o crescimento econômico global. Exatamente onde Lothar topou com essa teoria não ficou claro.

Quando Isabel terminou de assinar o primeiro lote de documentos, Lothar voltou com um segundo, depois um terceiro. Os mercados europeus estavam fechando quando ela rabiscou o próprio nome pela última vez. O RhineBank havia levado mais uma surra e caído mais de dois por cento. Não importava, pensou Isabel. Os bad boys da mesa de derivativos em Londres provavelmente lucraram horrores apostando contra as ações da empresa.

No andar de cima, o clima no pregão era fúnebre. Herr Zimmer estava trancado na sua sala parecida com um aquário, quase invisível em uma névoa de fumaça de charuto — detectores de fumaça desativados eram um dos privilégios mais cobiçados pelos altos executivos do RhineBank. Sentado à mesa, ele estava envolvido em uma conversa animada via viva-voz. Baseado em sua postura defensiva, a pessoa do outro lado da linha estava sentada no último andar da sede do RhineBank em Hamburgo.

Isabel cuidou de algumas questões rotineiras de compliance e, às 18h30, depois de se despedir das meninas da recepção e dos seguranças do saguão, entrou na Talackerstrasse. O inglês de beleza rústica que se autodenominava Peter Marlowe se juntou a ela a bordo de um número 8. Na Römerhofplatz, eles entraram na traseira de uma BMW X5. O pequeno israelense amarrotado se afastou lentamente do meio-fio e rumou para o sul, em direção a Erlenbach.

— Eu estava começando a achar que nunca mais veria você — disse Isabel.

— Esse é o objetivo, amor. — Ele sorriu. — Como foi seu dia?

— Uma emoção por minuto.

— Está prestes a ficar muito mais interessante.

— Obrigado, Senhor. — Isabel olhou para o pequeno israelense ao volante. — Tem como ele dirigir um pouco mais rápido?

— Eu tentei — disse o inglês em desespero. — Ele nunca escuta.

Isabel colocou os dedos da mão esquerda sobre o braço direito e tocou a parte do violoncelo do Concerto Triplo de Beethoven enquanto eles avançavam pela margem do lago. Ela estava se aproximando do fim do segundo movimento quando eles chegaram à *villa*. Gabriel esperava lá dentro, junto com várias pessoas que não estiveram presentes na última visita de Isabel. Ela contou pelo menos oito novos rostos. Um pertencia a uma bela mulher que poderia ou não ser árabe. O homem sentado ao lado dela tinha pele de porcelana e olhos muito claros. Uma mulher carnuda com cabelo loiro--acastanhado estava olhando Isabel com o que parecia ser um leve desprezo. Ou talvez, pensou ela, fosse apenas sua expressão natural.

Isabel se virou para Gabriel.

— Amigos seus?

— Pode-se dizer que sim.

— São todos israelenses?

— Isso seria um problema?

— Por que pergunta?

— Porque muitos europeus não acreditam que o Estado de Israel tenha o direito de existir.

— Eu não sou um deles.

— Isso significa que você estaria disposta a trabalhar conosco?

— Creio que vai depender do que você quer que eu faça.

— Gostaria que você terminasse o trabalho que começou quando entregou aqueles documentos para Nina Antonova.

— Como?

— Me ajudando a destruir Arkady Akimov e o Grupo Haydn. É um serviço privado de inteligência — explicou Gabriel. — E está travando uma guerra contra a democracia ocidental direto do sexto andar do escritório de Arkady em Genebra.

— Isso explicaria todos os ex-agentes do SVR e GRU na folha de pagamento.

— Explicaria, sim. — Sorrindo, Gabriel começou a dar uma volta lenta pela sala de estar. — Você não é a única aqui, na noite de hoje, com um talento escondido, Isabel.

Ele parou ao lado de um homem alto e careca que parecia um de seus professores da Escola de Economia de Londres.

— Yossi era um ator shakespeariano talentoso quando estava em Oxford. Ele também toca um pouco de violoncelo. Não como você, é claro. — Gabriel apontou para a mulher de aparência árabe. — E Natalie era uma das principais médicas de Israel antes de eu mandá-la para Raqqa a fim de se tornar uma terrorista do Estado Islâmico.

— Você quer que eu me torne uma terrorista também?

— Não — respondeu Gabriel. — Uma lavadora de dinheiro.

— Eu já sou.

— É por isso que a Global Vision Investments de Genebra gostaria de contratá-la.

— Essa não é a empresa do Martin Landesmann?

— Você já ouviu falar dele?

— São Martin? Quem nunca?

— Você logo vai descobrir que Martin não é o santo que diz ser.

— Você está esquecendo que eu já tenho um emprego?

— Não por muito tempo. Na verdade, estou confiante de que em poucos dias seu cargo no RhineBank se tornará insustentável. Nesse ínterim, gostaria que você copiasse o máximo de documentos incriminadores da Lavanderia Russa que conseguisse obter com segurança. Eu também gostaria que continuasse a ensaiar violoncelo.

— Algo em especial?

— A Vocalise de Rachmaninoff faz parte do seu repertório?

— É uma das minhas favoritas.

— Você tem isso em comum com um dos maiores clientes do RhineBank.

— É mesmo? Quem?

Ele sorriu.

— Arkady Akimov.

29

KENSINGTON, LONDRES

Tamanho era o ritmo implacável do ciclo de notícias que a morte de Viktor Orlov praticamente havia desaparecido da memória coletiva da imprensa britânica. Portanto, foi uma surpresa quando a Procuradoria Geral da Coroa acusou a conhecida jornalista russa Nina Antonova de cumplicidade no assassinato de Orlov e emitiu mandados nacionais e europeus para a prisão dela. A arma do crime, alegaram as autoridades, foi um pacote de documentos contaminados com Novichok entregue na mansão de Orlov em Cheyne Walk na noite de sua morte. Imagens de câmeras de segurança documentaram a chegada e a saída da repórter da residência, sua breve estada no Hotel Cadogan e a passagem pelo Aeroporto de Heathrow, onde ela embarcou em um voo noturno para Amsterdã. De acordo com as autoridades holandesas, Nina Antonova passou a noite em um albergue popular entre os jovens no notório Distrito da Luz Vermelha da cidade e, provavelmente, foi embora da Holanda no dia seguinte com um passaporte falso fornecido por seus encarregados na inteligência russa.

Ausente da declaração de acusação estava qualquer menção a Sarah Bancroft, a bela ex-agente da CIA que se tornou marchand de Londres e tropeçou no corpo de Viktor Orlov. Ela também foi pega de surpresa com o anúncio, pois ninguém, nem o agente do MI6 com quem ela compartilhava um duplex em Kensington, havia se dado ao trabalho de avisá-la que a acusação seria feita. Sarah não via Christopher desde a noite do interrogatório de Nina no Chalé Wormwood. Também não trocou qualquer comunicação significativa com ele, apenas mensagens de texto ocasionais enviadas como Peter Marlowe, a identidade falsa de Christopher. Ao que parecia, a estada dele na Suíça seria mais longa do que o previsto. Uma visita por parte de Sarah não era possível — não a curto prazo, pelo menos. Christopher tentaria voltar para Londres em breve, talvez no próximo fim de semana.

Para piorar a situação, o amigo de Sarah, o primeiro-ministro, impôs novas restrições motivadas pelo coronavírus. Não havia sentido em tentar se esgueirar pelo West End até a galeria, pois os negócios mais uma vez entraram em coma. Em vez disso, Sarah se abrigou em Kensington e engordou dois indesejados quilos.

Felizmente, as novas regras abriam uma exceção para exercícios. Com calça legging preta e um novo par de tênis, Sarah correu pelas calçadas desertas de Queen's Gate até a entrada do Hyde Park. Depois de uma breve pausa para alongar as panturrilhas, ela partiu por uma trilha que atravessava Kensington Gardens, depois subiu a Broad Walk até o limite norte do parque. Sua passada era suave e relaxada conforme Sarah se dirigia para Marble Arch, mas, quando chegou ao Speakers' Corner, a respiração estava irregular e a boca tinha gosto de ferrugem.

A vontade de Sarah era ter dado duas voltas completas no parque, mas não conseguiu. A pandemia havia cobrado um preço bem alto de sua forma física. Ela conseguiu uma última explosão de boa forma ao longo de Rotten Row e, em seguida, intercalou caminhada e corrida leve de volta para Queen's Gate Terrace. Lá, encontrou a porta do primeiro andar do duplex ligeiramente entreaberta. Na cozinha, Gabriel despejava água mineral na chaleira elétrica Russell Hobbs.

— Como foi a corrida? — perguntou ele.

— Deprimente.

— Talvez você devesse parar de fumar os cigarros de Christopher.

— Existe alguma chance de eu recuperá-lo?

— Não tão cedo.

— Você parece satisfeito com isso.

— Eu disse para não se envolver com ele.

— Infelizmente não tive muita escolha a esse respeito. — Ela se acomodou em cima de um banquinho na ilha de granito. — Presumo que Nina não será levada sob custódia tão cedo.

— Improvável.

— Não havia outra maneira?

— É para o bem dela — respondeu Gabriel. — E para o bem da minha operação.

— Você precisa de uma agente de campo em fim de carreira e com um rosto bonito?

— Você tem uma galeria para administrar.

— Talvez você não tenha ouvido falar, mas os negócios não estão bombando nesse momento.

— Você não teria uma Artemisia de bobeira por aí, não é?

— Uma bela Artemisia, na verdade.

— Quanto você quer por ela?

— Quem está pagando?

— Martin Landesmann.

— Viktor ia me dar cinco — disse Sarah. — Mas se São Martin está pagando a conta, acho que quinze parece justo.

— Quinze, então. Mas eu me sentiria melhor se colocássemos alguma distância entre meu cliente e sua galeria.

— Como?

— Fazendo a venda por meio de um intermediário. Teria de ser alguém discreto. Alguém totalmente sem moral ou escrúpulos. Você conhece alguém que corresponda a essa descrição?

Sorrindo, Sarah pegou seu telefone e ligou para Oliver Dimbleby.

Ele atendeu no primeiro toque, como se estivesse esperando ao lado do telefone, na expectativa da ligação de Sarah. Ela perguntou se Oliver tinha alguns minutos sobrando para conversar sobre um assunto meio delicado. Ele respondeu que, no que dizia respeito a Sarah, ele tinha todo o tempo do mundo.

— Que tal às dezoito horas? — sugeriu ela.

Estava ótimo. Mas onde? O bar no Wilton's era uma zona proibida. Maldito vírus.

— Por que você não dá um pulo no Mason's Yard? Vou colocar uma garrafa de espumante no gelo.

— Haja coração.

— Calma, Ollie.

— Julian vai se juntar a nós?

— Ele se trancou em uma câmara livre de germes. Eu não espero vê-lo novamente até o meio do ano que vem.

— E aquele seu namorado? O sujeito com o Bentley chamativo e o nome inventado?

— Fora do país, infelizmente.

O que foi música para os ouvidos de Oliver. Ele chegou à Isherwood Fine Arts poucos minutos depois das seis e enfiou o indicador parecido com uma salsicha no botão de chamada do interfone.

— Você está atrasado — disse a resposta metálica. — Depressa, Ollie. O champanhe está esquentando.

A campainha apitou, as trancas estalaram. Oliver subiu a escada recém-acarpetada até o escritório que Sarah dividia com Julian e, ao vê-lo sem ninguém, subiu no elevador até a gloriosa sala de exposições com telhado de vidro da galeria. Sarah, em um terninho preto e escarpins, com o cabelo loiro caindo sobre metade do rosto, estava tirando a rolha de uma garrafa de Bollinger Special Cuvée. Oliver ficou tão fascinado com aquela visão que levou um momento para notar a tela sem moldura apoiada no antigo pedestal coberto de baeta de Julian — *A tocadora de alaúde*, óleo sobre tela, de aproximadamente 152 por 134 centímetros, talvez do início do Barroco, bastante danificada e suja.

— Este é o assunto meio delicado a que você estava se referindo? — perguntou Oliver, abatido.

Sarah entregou uma taça de champanhe para ele e ergueu a dela em saudação.

— Saúde, Ollie.

Ele devolveu o brinde e, em seguida, avaliou a pintura.

— Aonde a encontrou?

— Onde você acha?

— Enterrada no depósito de Julian?

Ela concordou com a cabeça.

— Atribuição atual?

— Ao círculo de Orazio Gentileschi.

— Não é possível.

— Concordo plenamente.

— Você tem uma segunda opinião?

— Niles Dunham.

— Já basta para mim. Mas como é a procedência?

— Incontestável. — Sarah levou a taça aos lábios vermelhos. — Interessado?

Oliver deixou que o olhar vagasse pelas formas dela.

— Com certeza.

— Na pintura, Oliver.

— Depende do preço.

— Catorze.

— O recorde de uma Artemisia é 4,8.

— Recordes são feitos para serem quebrados.

— Infelizmente não tenho catorze de bobeira por aí no momento — disse Oliver. — Mas posso ter cinco. Seis em último caso.

— Cinco ou seis não bastam. Veja bem, tenho muita confiança de que você passará a tela adiante em pouco tempo. — Sarah baixou a voz. — No dia seguinte, imagino.

— Quanto vou receber por isso?

— Quinze.

Ele franziu a testa.

— Você não está tramando alguma coisa ilegal, está?

— Impróprio — disse Sarah. — Mas não ilegal.

— Não há algo que eu ame mais do que impróprio. Mas infelizmente vamos precisar ajustar os termos da venda.

— Diga o seu preço, Oliver. Você me colocou contra a parede.

— Quem me dera. — Ele ergueu o olhar em direção à claraboia e bateu com a ponta do dedo indicador nos lábios úmidos. Por fim, falou: — Dez para você, cinco para mim.

— Por um dia de trabalho? Acho que um ganho de três milhões é mais do que suficiente.

— Dez e cinco. Depressa, Sarah. O martelo está prestes a bater.

— Tudo bem, Oliver. Você venceu. — Ela tocou a taça de champanhe na dele. — Vou enviar o contrato pela manhã.

— E a restauração?

— O comprador tem alguém em mente. Aparentemente, ele é muito bom.

— Espero mesmo que seja. Porque nossa tocadora de alaúde precisa de muito conserto.

— Nós todos precisamos — suspirou Sarah. — Quase tive um ataque cardíaco no Hyde Park hoje.

— O que você estava fazendo?

— Correndo.

— Que coisa americana da sua parte. — Oliver voltou a encher a taça. — Esse seu namorado está mesmo fora do país?

— Comporte-se, Oliver.

— Por que eu faria isso? É tão chato.

30

GENEBRA-ZURIQUE

Martin Landesmann, financista, filantropo, mulherengo, lavador de dinheiro, burlador de sanções nucleares internacionais, descendente de uma dinastia bancária de Zurique imponente, embora de passado duvidoso, se lançou em seu mais novo empreendimento com uma energia e uma determinação que surpreenderam até a esposa, Monique, que havia muito tempo tinha percebido a verdade por trás da persona pública cheia de virtudes do marido e era um de seus críticos mais severos, como geralmente são as esposas.

Um mestre em estratégia de gestão de marcas e criação de imagem, ele se concentrou primeiro no nome para a empresa. Achou que Freedom House soava bem e ficou triste ao saber que era o nome de um respeitado laboratório de ideias com sede em Washington. Ao invés disso, Gabriel sugeriu Aliança Global pela Democracia. Sem dúvida, era um nome enfadonho e a sigla era horrível. Mas não deixava brecha para a imaginação, especialmente a imaginação russa, que era o objetivo. Martin encomendou um logotipo devidamente grandioso e assim nasceu a Aliança Global pela Democracia da One World, dedicada ao fomento da liberdade e dos direitos humanos.

Isso levou tempo, obviamente. Mas se Gabriel sentiu a pressão do avanço do relógio, não demonstrou. Ele tinha uma história para contar e deixaria que ela se desenvolvesse lentamente, com cada elemento da trama sendo revelado no momento apropriado e detalhando cada personagem e cenário. Não era necessariamente uma história com apelo para as massas. Por outro lado, o público de Gabriel era pequeno — um ex-agente da KGB rico que tinha à disposição uma unidade de elite de ciberagentes. Nada seria deixado ao acaso.

Foi assim com o lançamento da Aliança Global pela Democracia da One World. O site interativo e multilíngue do grupo foi ao ar às nove de manhã, horário de Genebra, no aniversário de um mês do assassinato de Viktor Orlov em Londres. Com conteúdo escrito e editado em grande parte por Gabriel e sua equipe, o site retratava um planeta que caminhava inexoravelmente para o autoritarismo. Martin emitiu o mesmo alerta terrível em uma série de entrevistas para a televisão. A BBC lhe concedeu trinta minutos de tempo precioso no ar, assim como a NTV da Rússia, onde ele se envolveu em um debate animado com um apresentador popular, com posicionamento pró-Kremlin. Não foi surpresa que Martin tenha levado a melhor.

As críticas seguiram linhas ideológicas e partidárias, mas isso era de se esperar. A imprensa progressista encontrou muito o que admirar na iniciativa de Martin, enquanto a facção populista nem tanto. Um apresentador de noticiário americano de extrema direita considerou a Aliança Global pela Democracia como um "George Soros requentado". Se havia uma ameaça à democracia, acrescentou ele, ela vinha de esquerdistas sabichões como Martin Landesmann que defendiam o estado-babá. Gabriel ficou satisfeito ao ver que o site do Russia Today, o braço de propaganda em inglês do Kremlin, concordou plenamente.

Nenhum meio de comunicação ou formador de opinião, independentemente da tendência ideológica, questionou a sinceridade de Martin. Nem, ao que parecia, os russos, que fizeram a primeira sondagem da Aliança Global pela Democracia na tarde seguinte. A Unidade 8200 rastreou o ataque até um computador localizado em um prédio comercial na Place du Port em Genebra — o mesmo prédio que abrigava os escritórios da NevaNeft Holdings S/A. e sua subsidiária, o Grupo Haydn.

Claramente, a jogada inicial de Gabriel chamou a atenção de seu alvo. No entanto, ele não se deu ao luxo de comemorar, pois já estava elaborando o próximo capítulo de sua história. O cenário era a filial de Zurique do RhineBank AG, também conhecido como o posto avançado mais sujo do banco mais sujo do mundo.

O primeiro a receber um e-mail foi um correspondente do *New York Times* que havia escrito com fundamento a respeito do RhineBank no passado. O e-mail parecia ter sido enviado por um funcionário da sede da empresa. Não era. Tinha sido escrito pelo próprio Gabriel, com Yossi Gavish e Eli Lavon parados olhando por cima de seu ombro.

Em anexo estavam várias centenas de documentos. Uma pequena parte foi retirada dos arquivos de Isabel Brenner. O resto foi adquirido clandestinamente pela Unidade 8200, que hackeou o RhineBank com tanta habilidade que o banco nunca soube que seu sistema havia sido violado. Com tudo somado, os documentos forneceram provas incontestáveis de que a sede da empresa em Zurique operava uma unidade secreta conhecida como a Lavanderia Rússia, uma esteira rolante azeitada que tirava dinheiro sujo da Rússia e depositava dinheiro limpo no mundo inteiro. Nenhuma outra filial ou divisão do RhineBank foi implicada, e nenhum dos documentos dizia respeito às atividades de Arkady Akimov ou de sua empresa de fachada anônima, a Omega Holdings.

A reportagem do jornalista apareceu no site do jornal uma semana depois. Foi seguido rapidamente por reportagens semelhantes no *Wall Street Journal*, no *Bloomberg News*, no *Washington Post*, no *Guardian*, no *Die Welt* e no *Neue Züricher Zeitung* — todos também receberam e-mails carregados de documentos. Na sede do Rhine-Bank, sua porta-voz embonecada se esquivou e negou tudo enquanto lá em cima, no último andar, o Conselho dos Dez considerava o que fazer. Todos concordaram que apenas um massacre completo satisfaria a sede de sangue da imprensa e dos reguladores.

A ordem foi dada à meia-noite de uma quinta-feira, e as execuções começaram às nove horas da manhã seguinte. Vinte e oito funcionários da filial de Zurique foram demitidos, incluindo Isabel Brenner, a diretora de compliance que assinou grande parte da papelada da Lavanderia Russa. De alguma forma, Herr Zimmer conseguiu sobreviver. Em seu escritório parecido com um aquário, bem à vista do pregão, ele apresentou a Isabel um acordo de rescisão. Ela assinou o documento na linha pontilhada e aceitou um cheque de indenização no valor de 1 milhão de euros.

Ela saiu do RhineBank pela última vez às 16h15 daquela quinta-feira, segurando uma caixa de papelão com seus pertences, e na noite seguinte se mudou para um apartamento totalmente mobiliado na Cidade Velha de Genebra, de propriedade de seu novo empregador, a Global Vision Investments. A maior parte da equipe de Gabriel foi para Genebra com Isabel. O novo esconderijo deles estava localizado em Champel, um bairro diplomático de luxo, alugado pela barganha de sessenta mil por mês.

Gabriel, entretanto, permaneceu em Zurique, tendo apenas Eli Lavon e Christopher Keller como companhia. Considerando tudo, pensou ele, a operação teve um início promissor. Ele tinha o quadro. Tinha o financista. Tinha a garota. Faltava a atração principal. Por esse motivo, após avaliar cuidadosamente os riscos, tanto profissionais quanto pessoais, pegou o telefone e ligou para Anna Rolfe.

31

ROSENBÜHLWEG, ZURIQUE

As *villas* que ladeavam a rua Rosenbühlweg eram grandes, velhas e coladas umas às outras. Uma, entretanto, ficava no topo de seu próprio promontório e era cercada por uma cerca de ferro formidável. Gabriel chegou na hora marcada, 19h30, e encontrou o portão de segurança trancado. Atingido por gotas pesadas de chuva, com um boné puxado em cima da testa, ele meteu o polegar no botão de chamada do interfone e aguentou uma espera de quase um minuto até obter uma resposta. Ele considerou que merecia aquele tratamento. A dissolução do breve e tumultuado relacionamento entre os dois estava longe de figurar entre seus melhores momentos.

— Posso ajudar? — perguntou uma voz feminina.

— Eu espero que sim.

— Tadinho. Deixe-me ver se consigo descobrir como deixá-lo entrar. Do contrário, você morrerá.

Outro momento demorado se passou até que a tranca automática finalmente se abriu. Encharcado, Gabriel subiu um lance de escada até o pórtico lá no alto. A porta da frente cedeu ao toque. O saguão de entrada não havia mudado desde sua última visita — a mesma tigela de vidro grande ficava em cima da mesma mesa de madeira entalhada. Ele olhou para a sala de estar de decoração elegante e vislumbrou, na memória, um homem bem-vestido, de idade avançada e óbvia riqueza, caído na poça do próprio sangue. As meias do sujeito, Gabriel se lembrou de repente, não combinavam. Um dos mocassins de camurça, o direito, tinha sola e salto.

— Olá? — chamou ele, mas não houve uma resposta além de um arpejo melodioso em sol menor.

Gabriel subiu a escada até o segundo andar da *villa* e seguiu o som até a sala de música, onde Anna havia passado grande parte de sua infância infeliz. Ela não parecia estar ciente da chegada dele. Anna estava perdida no arpejo simples.

Tônica, terceira, quinta...

Gabriel tirou o boné encharcado e, enquanto vagava pelo perímetro da sala, examinou as fotos emolduradas tamanho família que decoravam as paredes. Anna com Claudio Abbado. Anna com Daniel Barenboim. Anna com Herbert von Karajan. Anna com Martha Argerich. Em apenas uma das fotos ela estava sozinha. O cenário era a Scuola Grande di San Rocco em Veneza, onde havia acabado de concluir uma execução eletrizante de sua especialidade — O Trilo do Diabo, sonata de Giuseppe Tartini. Gabriel esteve parado a menos de três metros de distância, embaixo da *Tentação de Cristo* de Tintoretto. No fim do recital, ele acompanhou a solista ao camarim, onde ela encontrou um talismã corso escondido no estojo de seu violino, junto com um bilhete curto, escrito pelo homem que havia sido contratado para matá-la naquela noite.

Diga ao Gabriel que ele me deve uma...

O violino ficou em silêncio. Anna falou, finalmente:

— Eu nunca toquei O Trilo do Diabo melhor do que naquela noite.

— Por que acha isso?

— Medo, imagino. Ou talvez tenha algo a ver com o fato de que eu estava me apaixonando. — Ela tocou o trecho lânguido de abertura da sonata e depois parou abruptamente. — Você conseguiu encontrá-lo algum dia?

— Quem?

— O inglês, é claro.

Gabriel hesitou e depois respondeu:

— Não.

Anna olhou para ele pelo pescoço do violino.

— Por que você está mentindo para mim?

— Porque, se eu dissesse a verdade, você não acreditaria em mim. — Gabriel olhou para o violino. — O que aconteceu? Você se cansou do Stradivarius e do Guarneri?

— Esse aqui não é meu. É um Klotz do início do século XVIII emprestado pelo espólio de seu proprietário original.

— Quem era o dono?

— Mozart. — Ela exibiu o violino na posição vertical. — Ele o abandonou em Salzburg quando veio para Viena. Vou usá-lo para gravar os cinco concertos para violino de Mozart no momento em que for seguro voltar para o estúdio. Ao contrário da maioria dos violinos mais antigos, esse nunca foi atualizado no século XIX. Seu som é muito suave e velado.

Anna ofereceu o instrumento para Gabriel.

— Quer pegá-lo?

Ele recusou.

— Qual é o problema? Tem medo de deixar o violino cair?

— Sim.

— Mas você toca em objetos de valor inestimável o tempo todo.

— Um Ticiano, eu consigo consertar. Mas não isso.

Ela colocou o violino embaixo do queixo e tocou uma parada dupla dissonante e cativante da sonata de Tartini.

— Você está pingando no meu chão.

— É porque você me fez ficar na chuva de propósito.

— Você deveria ter trazido um guarda-chuva.

— Eu nunca ando com guarda-chuva.

— Sim — disse Anna, distante. — É uma das coisas que mais me lembro sobre você, junto com o fato de que sempre dormia com uma arma na mesa de cabeceira.

Ela colocou o violino cuidadosamente em seu estojo e cruzou os braços embaixo dos seios.

— O que se faz em uma situação como essa? Apertamos as mãos ou trocamos um beijo sem paixão?

— Usamos a desculpa da pandemia para nos mantermos distantes.

— Que pena. Eu estava torcendo por um beijo sem paixão. — Anna colocou a mão sobre o piano de cauda Bechstein Sterling. — Eu estive envolvida com muitos homens em minha vida...

— Muitos — concordou Gabriel.

— Mas nunca um homem desapareceu tão completamente quanto você.

— Fui treinado pelos melhores.

— Você se lembra de quanto tempo ficou na minha *villa* em Portugal?

— Seis meses.

— Seis meses e catorze dias, na verdade. E, no entanto, não recebi um único telefonema ou e-mail em todos esses anos.

— Eu não sou uma pessoa normal, Anna.

— Nem eu.

Gabriel examinou as fotografias penduradas nas paredes.

— Não — falou ele, depois de um momento. — Não mesmo.

Anna era, segundo qualquer padrão objetivo de avaliação, a melhor violinista de sua geração — tecnicamente brilhante, arrebatadora e impetuosa, dona de um tom agradável incomparável que ela tirava do instrumento por pura força de vontade indomável. Anna também estava sujeita a imensas alterações de humor e episódios de imprudência pessoal, incluindo um acidente ao fazer uma trilha que a deixou com uma lesão na famosa mão esquerda capaz de ameaçar sua carreira. Em Gabriel, ela encontrou uma força estabilizadora. Por um breve período, os dois foram um daqueles casais infinitamente fascinantes descritos em romances, a violinista e o restaurador de arte que dividiam uma *villa* na Costa de Prata. Isso sem considerar que ele vivia sob uma falsa identidade ou que tinha o sangue de uma dezena de homens nas mãos, ou que Anna nunca pôde, em hipótese alguma, apontar uma câmera na direção dele. Se não fosse por algumas fotos de vigilância suíça, não haveria provas de que Gabriel Allon tinha conhecido a violinista mais famosa do mundo.

Até onde ele sabia, Anna também o manteve em segredo. Na verdade, uma parte de Gabriel ficou surpresa por ela se lembrar dele. A vida amorosa de Anna desde a separação dos dois tinha sido tão tempestuosa quanto seu estilo de tocar violino. Ela teve romances com uma variedade de magnatas, músicos, maestros, artistas, atores e cineastas. Casou-se duas vezes e duas vezes se divorciou de maneira dramática. Por bem ou por mal, nenhum dos casamentos gerou filhos. Ela havia declarado em uma entrevista recente que estava farta do amor, que planejava passar os últimos anos de sua carreira em busca da perfeição. A pandemia havia destruído seus planos. Ela não colocava os pés em um estúdio ou palco desde sua apresentação com Martha Argerich na sala de concertos Tonhalle, em Zurique. Não era surpresa que Anna estivesse desesperada para se apresentar em público novamente. A adulação de uma multidão era como oxigênio para ela. Sem isso, ela morreria lentamente.

Ela olhou para a aliança no dedo de Gabriel.

— Ainda casado?

— Casado novamente, na verdade.

— A sua primeira esposa…

— Não.

— Filhos?

— Dois.

— Ela é judia, sua esposa?

— Filha de um rabino.

— É por isso que você me deixou?

— Na verdade, achei seus ensaios constantes insuportáveis. — Gabriel sorriu. — Eu não conseguia me concentrar no meu trabalho.

— O cheiro de seus solventes era atroz.

— Obviamente — disse Gabriel em tom travesso —, estávamos condenados desde o início.

— Acho que demos sorte por ter terminado antes que alguém se machucasse. — Anna sorriu tristemente. — Bem, acho que esclarecemos tudo. Exceto, é claro, por que você apareceu na minha porta depois de todos esses anos.

— Eu gostaria de contratar você para um recital.

— Você não pode bancar o meu preço.

— Não sou eu quem vai pagar.

— Quem vai?

— Martin Landesmann.

— Sua Santidade? Eu vi São Martin na televisão outro dia alertando a respeito do fim da democracia.

— Ele tem razão.

— Mas ele é um mensageiro imperfeito, no mínimo. — Anna foi até a janela, que dava para o jardim dos fundos da *villa*. — Quando eu era criança, Walter Landesmann era uma visita frequente nessa casa. Eu sei exatamente onde Martin conseguiu dinheiro para começar aquela firma de investimentos dele.

— Você não sabe da missa a metade. Mas ele concordou em me ajudar com uma questão um pouco urgente.

— Vou correr algum perigo?

— Absolutamente nenhum.

— Que decepcionante. — Ela se virou para encará-lo. — E onde será essa apresentação?

— No Kunsthaus.

— Um museu de arte? Qual é a razão?

Gabriel explicou.

— A data?

— Meados de outubro.

— O que vai me dar tempo mais do que suficiente para tirar as teias de aranha do coronavírus. — Ela retirou o violino de Mozart do estojo novamente. — Algum pedido?

— Beethoven e Brahms, se não se importar.

— Nunca. Qual Beethoven?

— A sonata em Fá Maior.

— Uma delícia. E o Brahms?

— A Ré Menor.

Ela ergueu uma sobrancelha.

— A chave da paixão reprimida.

— Anna...

— Eu toquei a Ré Menor naquela noite em Veneza. Acho que é mais ou menos assim. — Ela fechou os olhos e tocou o tema de abertura assustador do segundo movimento da sonata. — Soa melhor no Guarneri, não acha?

— Se você diz.

Anna abaixou o violino.

— Isso é tudo que precisa de mim? Duas pequenas sonatas?

— Você parece desapontada.

— Sendo sincera, eu esperava algo um pouco mais...

— O quê?

— Corajoso.

— Ótimo — disse Gabriel. — Porque tem mais uma coisa.

32

LONDRES-ZURIQUE

Foi Amelia March, da *ARTnews*, quem ficou sabendo primeiro. Sua fonte foi a modelo que se tornou marchand Olivia Watson, que por razões nunca esclarecidas foi convidada para uma exibição particular. Mas onde ele encontrou a pintura? Até Olivia, com todos os seus dotes físicos óbvios, não foi capaz de arrancar a informação de Oliver Dimbleby. Nem tampouco apurar o nome do historiador da arte que forneceu a atribuição atualizada. Evidentemente, era incontestável. Como as placas de pedra no Monte Sinai. Como a palavra de Deus.

Amelia sabia que não devia ligar para ele diretamente. Como a maioria dos marchands de Londres, Oliver desfiava um rosário de meias verdades e mentiras descaradas com uma habilidade fora do comum. Em vez disso, ela fez indagações discretas entre o círculo igualmente desonroso de aliados, colaboradores e concorrentes ocasionais de Oliver Dimbleby. Roddy Hutchinson, o amigo mais íntimo dele, jurou completa ignorância, assim como Jeremy Crabbe, Simon Mendenhall e Nicky Lovegrove. Julian Isherwood sugeriu que Amelia falasse com a nova sócia de Oliver, Sarah Bancroft, que era uma fonte de rumores inesgotáveis em si. Amelia deixou uma mensagem na caixa postal e mandou um recado via e-mail também. Sem resposta.

Isso deixou Amelia sem escolha a não ser abordar o marchand diretamente, sempre um empreendimento arriscado quando se era mulher. Como a enigmática Sarah Bancroft, Oliver ignorou os telefonemas dela e se recusou a atender a campainha quando Amelia apareceu na galeria dele em Bury Street. Na janela havia uma pequena placa que dizia SEM COMENTÁRIOS.

Isso era, pensou Amelia, a abertura perfeita para a reportagem, que ela começou a escrever no fim da tarde. Ela ainda estava trabalhando no primeiro esboço quando seu editor lhe encaminhou um link para um artigo que acabara de ser publicado no *Neue Züricher Zeitung*. Parecia que o marchand londrino Oliver Dimbleby havia vendido uma pintura de Artemisia Gentileschi, anteriormente atribuída por engano — *A tocadora de alaúde*, óleo sobre tela, 152 por 134 centímetros —, ao financista e ativista político suíço Martin Landesmann. Em ato generoso, o santo Landesmann decidiu doar a pintura para o Kunsthaus em Zurique, onde seria exibida após uma extensa restauração. O museu planejava revelá-la em uma recepção de gala, na qual Anna Rolfe, a violinista suíça de fama internacional, se apresentaria pela primeira vez desde o início da pandemia. O patrocinador do evento era a recém-fundada Aliança Global pela Democracia da One World. Lamentavelmente, o público geral não foi convidado.

Como ficou para trás, Amelia escreveu um reportagem flácida, mas contemplativa, que transformou Artemisia — uma talentosa pintora barroca cujo trabalho havia sido ofuscado pelo estupro que sofreu nas mãos de Agostino Tassi — em um ícone feminista. Em outra reportagem da imprensa de arte britânica, havia decepção por um importante marchand de Londres ter facilitado a transferência de uma das pinturas de Artemisia para a Suíça, ainda por cima. O único ponto positivo, resmungou o *Guardian*, era que *A tocadora de alaúde* ficaria pendurada em um museu para que todos vissem, ao invés de na parede de mais um homem rico.

Por sua vez, o Kunsthaus se deleitou com a boa sorte. Devido à ameaça persistente da pandemia, apenas 250 convidados seriam chamados para o evento de gala. Como era de se esperar, a competição por ingressos foi acirrada. Qualquer um que fosse importante — os célebres e os desprezados, os obscenamente ricos e os meramente ricos, todo mundo e mais alguém — lutou com unhas e dentes para comparecer. Martin foi bombardeado por telefonemas de amigos, conhecidos e até de alguns inimigos jurados. Cada um foi instruído a ligar para um número que tocava no esconderijo de Erlenbach, onde Gabriel e Eli Lavon se deliciaram decidindo o destino deles. Era Christopher, posando como coordenador de eventos da Aliança Global pela Democracia, quem dava o veredicto. Entre aqueles que tiveram o convite negado estavam Karl Zimmer, chefe da filial do RhineBank em Zurique, e dois integrantes seniores do Conselho dos Dez que geriam o banco.

Depois de três dias, restavam apenas vinte ingressos. Gabriel manteve dois guardados para Arkady Akimov e sua esposa, Oksana. Infelizmente, eles não demonstraram interesse em participar.

— Talvez ele tenha um conflito na agenda — sugeriu Eli Lavon.

— Tipo o quê?

— Talvez ele esteja planejando subverter a democracia na mesma noite. Ou talvez Vladimir Vladimirovich tenha pedido a ele que vá a Moscou a fim de revisar sua carteira de investimentos.

— Ou talvez ele, de alguma forma, não esteja sabendo que o evento social da temporada vai acontecer no Kunsthaus em Zurique e não tenha recebido um convite.

— E não vai receber — disse Lavon em tom sério. — Não, a menos que ele se sente nas patas traseiras e implore por um.

— E se ele não fizer isso?

— Então não teremos nenhum fruto dos nossos esforços, a não ser uma pintura de Artemisia Gentileschi e uma nova ONG pró-democracia. Mas em hipótese alguma você deve convidar Arkady Akimov para essa recepção. Isso vai contra toda a nossa ortodoxia operacional. — Lavon olhou para Christopher. — Pegamos o bonde *antes* do alvo, não depois. E nós sempre, *sempre*, esperamos que o alvo dê o primeiro passo.

Gabriel cedeu diante do argumento. Mas, quando mais três dias se passaram sem contato, ele ficou fora de si de tanta preocupação. Foi Yuval Gershon, diretor da Unidade 8200, quem finalmente o tranquilizou. A Unidade acabara de interceptar um telefonema de Ludmilla Sorova, da NevaNeft, para a Aliança Global pela Democracia. Ela ligou para o número do esconderijo cinco minutos depois. Depois de ouvir o pedido de Ludmilla, Christopher colocou a chamada em espera e se dirigiu a Gabriel.

— Oksana Akimova e seu marido ficariam honrados em participar da recepção no Kunsthaus.

— Se você tivesse um pingo de respeito próprio — falou Lavon —, diria que é tarde demais.

Gabriel hesitou, depois acenou com a cabeça lentamente.

Christopher levou o fone ao ouvido e tirou a ligação da espera.

— Desculpe, sra. Sorova, mas infelizmente não há mais ingressos disponíveis. Quisera eu que a senhora tivesse entrado em contato conosco antes. — Depois de um silêncio, continuou: — Sim, uma doação para a Aliança Global pela Democracia certamente influenciaria nossa consideração. Que tipo de contribuição o sr. Akimov teria em mente?

* * *

A quantia, obtida após várias ofertas e contraofertas, era de espantosos vinte milhões de francos suíços, um pouco mais do que Martin pagara por *A tocadora de alaúde*. Ele havia se comprometido a entregar a pintura ao Kunsthaus, restaurada à glória original, a tempo para a recepção. O conservador-chefe do museu, o estimado Ludwig Schenker, estava descrente. Depois de revisar as fotos em alta resolução da tela, ele calculou que uma restauração adequada levaria seis meses, se não mais. Especialista em arte barroca italiana, o doutor Schenker se ofereceu para ser consultor. Martin declinou educadamente. O restaurador que ele tinha em mente para o projeto não trabalhava bem em grupo.

— Ele é bom, esse seu sujeito? — perguntou o doutor Schenker.

— Fui informado que ele é um dos melhores.

— Eu conheço o trabalho dele?

— Sem dúvida.

— Posso pelo menos compartilhar com ele algumas das minhas observações?

— Não — disse Martin. — Não pode.

As fotos em alta resolução revelaram apenas uma parte dos danos. Elas não representavam com precisão, por exemplo, o grau impressionante de decadência que a tela de quatrocentos anos sofrera com a idade. Gabriel concluiu que não tinha escolha a não ser adicionar um novo forro à pintura, um empreendimento delicado que envolvia colar um pedaço de forro novo na parte de trás da tela original e depois recolocá-la em um tensor. Quando o procedimento foi concluído, ele iniciou a parte mais tediosa da restauração, a remoção do verniz antigo e da sujeira da superfície usando cotonetes embebidos em uma mistura cuidadosamente calibrada de acetona, acetato de metil-proxitol e aguarrás. Cada cotonete conseguia limpar mais ou menos dois centímetros quadrados e meio da pintura até que ficasse muito sujo para ser usado. À noite, quando não sonhava com sangue e fogo, Gabriel removia verniz amarelado de uma tela do tamanho da Praça de São Marcos.

Ele trabalhava no jardim de inverno do esconderijo, com as janelas abertas para arejar os vapores perigosos do solvente. Na maior parte do tempo, ele foi poupado da observação indesejada de seu empenho. Christopher e Eli Lavon sabiam que era melhor não vê-lo trabalhando. Um mensageiro do Escritório trouxe seus pincéis e pigmentos da Narkiss Street, junto com o velho aparelho portátil de CD manchado de tinta e uma coleção das gravações favoritas de ópera e música clássica. O resto dos suprimentos, incluindo os produtos químicos e um par de lâmpadas halógenas poderosas, ele adquiriu na região.

Duas vezes por semana, Isabel viajava de Genebra para o esconderijo a fim de fazer um curso intensivo de noções básicas de espionagem. Visto que entrou com sucesso nas defesas da Lavanderia Russa, ela tinha um talento natural para enganar. Tudo que precisava era um pouco de refinamento. Christopher e Eli Lavon serviram como instrutores, e as técnicas que os dois incutiram nela foram retiradas tanto da tradição britânica quanto da israelense. Essa mistura não prejudicou a educação dela. Entre a irmandade internacional de agentes de inteligência, o MI6 e o Escritório eram universalmente considerados os melhores encarregados de informantes e aliados do ramo.

Gabriel permaneceu como um observador distante do treinamento de Isabel, pois tinha uma restauração para terminar e um serviço de espionagem para gerenciar. Ele viajava regularmente entre Zurique e Tel Aviv, e duas vezes deu um pulo em Londres para se reunir com Graham Seymour. Faltando apenas dez dias até o evento de gala, *A tocadora de alaúde* estava longe de estar pronta para ressurgir aos olhos do público. Vários trechos grandes exigiam retoques, incluindo a vestimenta cor de âmbar da jovem música e seu rosto, que Artemisia havia retratado primorosamente em meio perfil, com uma expressão ao mesmo tempo serena e concentrada. Também havia um toque de mau presságio, pensou Gabriel, talvez uma alusão ao perigo que esperava a jovem ali fora da segurança de sua sala de música.

Sem nunca ter restaurado uma pintura de Artemisia, Gabriel teria preferido trabalhar com lentidão meticulosa. O final iminente do prazo, no entanto, não permitia tal coisa. Não foi problema. Treinado no método italiano de restauração, ele era, quando necessário, o mais rápido dos pintores. As óperas de Puccini, especialmente *La Bohème*, eram sua música de fundo habitual. Mas a restauração de *A tocadora de alaúde* aconteceu principalmente ao som de duas sonatas para violino — uma de Beethoven, outra de Brahms — e de uma composição assustadora de Sergei Rachmaninoff, o compositor favorito do magnata do petróleo e oligarca Arkady Akimov.

Na noite da segunda quarta-feira de outubro, Isabel foi ao esconderijo para uma última sessão com Christopher e Eli Lavon. Desta vez, ela foi acompanhada por uma mulher que idolatrava, a renomada violinista suíça Anna Rolfe. O ensaio das duas não envolveu música, apenas coreografia — a condução aparentemente casual e tranquila de Arkady Akimov para as mãos de Martin Landesmann. Depois, Anna entrou furtivamente no jardim de inverno para ver Gabriel trabalhando, sabendo muito bem que isso o distraía.

Ele molhou o pincel e o colocou na bochecha da tocadora de alaúde.

— O que você acha que ela está pensando?

— A moça da pintura?

— A moça na sala ao lado.

— Ela deve estar se perguntando como é que nos conhecemos. — Anna franziu a testa. — Os meus ensaios incomodavam você?

— Jamais.

— Que bom. Porque nunca me cansei de ver você trabalhar.

— Acredite, restauração é coisa de velho.

— Como eu. — Ela passou o dedo pela pele ao longo da mandíbula. — Será que você não poderia dar uma restaurada em mim antes do recital no sábado à noite?

— Infelizmente não terei um minuto de sobra.

— Você vai terminar a tempo?

— Isso depende de quantas perguntas você ainda pretende me fazer.

— Na verdade, só tenho mais uma.

— Você quer saber o que aconteceu com o inglês que foi contratado para nos matar naquela noite em Veneza.

— Quero.

— Ele está falando com a moça na sala ao lado — disse Gabriel.

— Aquele gato com um belo bronzeado? — Anna suspirou. — Você precisa fazer piada de tudo?

33

KUNSTHAUS, ZURIQUE

Para chegar à entrada do museu Kunsthaus, repositório da maior e mais importante coleção de pinturas e outros objetos de arte da Suíça que datam do século XIII, não é preciso atravessar uma praça histórica ou escalar degraus monumentais de pedra. Basta cruzar uma pequena esplanada na Heimplatz, que às vinte horas da noite de sábado estava acesa com refletores de televisão e o logotipo da Aliança Global pela Democracia da One World. O diretor do museu implorou aos convidados da recepção de gala que utilizassem o transporte público, a fim de reduzir o impacto da emissão de carbono do evento. Com exceção de quatro moças que desceram do bonde número 5, ninguém obedeceu. A maioria circulou por uns instantes do lado de fora do pórtico do museu para deixar que a imprensa tirasse fotos. E alguns poucos, incluindo o CEO do Credit Suisse, concederam breves entrevistas. Martin resistiu por quase dez minutos enquanto Monique causava deslumbramento em um vestido da Dior. Não foi surpresa que a peça, com seu decotão, logo estivesse bombando nas redes sociais.

Christopher Keller, de terno escuro, gravata e prancheta na mão, observava o desfile de dinheiro e beleza temporária de seu posto no saguão. O crachá plastificado preso na lapela o identificava como Nicolas Carnot, e seu local de trabalho, como a Global Vision Investments. Foi o Monsieur Carnot, às 16h30 daquele mesmo dia, muito depois do que o diretor do museu teria preferido, quem entregou *A tocadora de alaúde* ao novo lar. No momento, o quadro estava sob guarda armada em uma sala próxima ao salão de eventos. Em uma sala adjacente, também sob guarda armada, estava Anna Rolfe. Monsieur Carnot havia deixado instruções explícitas com a equipe do museu para, sob hipótese alguma — exceto *talvez* a eclosão de uma guerra nuclear —, não incomodá-la antes da apresentação.

O telefone de Christopher tremeu com uma mensagem recebida. Ela dizia respeito ao paradeiro do convidado de honra secreto do evento, o magnata do petróleo e oligarca Arkady Akimov. Após viajar para Zurique saindo de sua casa no lago de Genebra em um helicóptero executivo, o sr. Akimov estava se aproximando do Kunsthaus em uma frota de limusines alugadas. Por meio de sua representante, uma tal de Ludmilla Sorova, ele havia solicitado dois ingressos adicionais para a recepção de gala para seus seguranças. O pedido foi negado, e deixaram claro para o sr. Akimov que guarda-costas não eram considerados adequados para a ocasião.

Outro casal de aparência próspera entrou no saguão — o magnata farmacêutico da Basiléia, Gerhard Müller, e sua esposa muito magra, Ursula. Christopher fez um sinal digno de um aluno exemplar ao lado dos nomes dos dois em sua lista e, quando ergueu o olhar novamente, avistou uma procissão de três sedãs Mercedes Classe S iguais parando do lado de fora na Heimplatz. Do primeiro e do terceiro carros emergiu um sexteto de guarda-costas. Todos veteranos de unidades *spetsnaz* de elite, todos com sangue nas mãos. E todos armados, pensou Christopher, que não estava. Ele possuía apenas a prancheta, a caneta e o crachá plastificado que o identificava como Nicolas Carnot, um nome que Christopher havia pescado de seu passado complicado.

Christopher possuía também seu meio sorriso irônico, que ele vestiu como uma armadura quando Arkady Akimov e sua esposa, Oksana, desceram do segundo Mercedes. A falange de guarda-costas acompanhou o casal pela esplanada até a entrada do museu. Para o alívio de Christopher, eles não fizeram nenhuma tentativa de seguir os dois ao interior do saguão.

Lá ele foi capaz de observá-los ao seu bel prazer. Arkady Akimov, o menino doente da travessa Baskov, era agora uma figura elegante e composta de porte ereto e comportamento imperioso, com cabelo grisalho ralo penteado com cuidado sobre a típica cabeçorra russa e uma pele lisa bem repuxada sobre as típicas maçãs do rosto quadradas. A boca era pequena e séria, os olhos eram velados e observadores. Eram típicos, pensou Christopher, de um capanga treinado pelo Centro de Moscou. Os olhos passaram por ele sem parar até se deterem em Oksana com uma expressão de aprovação. Na avaliação profissional de Christopher, Arkady considerava sua jovem e bela esposa como pouco mais do que uma propriedade. Deus a livre se alguma dia ela o traísse. Ele iria matá-la e encontrar outra.

O casal Arkady Akimov seguiu o casal Gerhard Müller em direção ao salão de eventos por um caminho demarcado que os fez passar por algumas das atrações mais populares do museu, incluindo obras de Bonnard, Gauguin, Monet e Van Gogh. Christopher, armado com sua prancheta e crachá, se dirigiu ao local por uma rota direta. No saguão, garçons de paletó branco serviam champanhe e canapés para os primeiros convidados que chegaram. Dentro do salão, havia fileiras organizadas de cadeiras de auditório dispostas diante de um palanque retangular, sobre o qual estavam um piano de cauda e um pedestal coberto por uma baeta. Técnicos do departamento de produção do museu estavam fazendo um último ajuste nos microfones e na iluminação.

Christopher passou de mansinho por uma porta no lado esquerdo do palco e imediatamente ouviu o som abafado do violino de Anna Rolfe, uma escala simples em Ré Menor tocada em duas oitavas. O segurança postado do lado de fora da porta estava batendo papo com a imperturbável Nadine Rosenberg, acompanhante de Anna de longa data. Isabel estava em uma sala do outro lado do corredor. De vestido, com o cabelo penteado profissionalmente, ela contemplava o próprio reflexo no espelho iluminado sobre a penteadeira. Seu violoncelo William Forster II de 1790 estava apoiado em um suporte no canto.

— Como estou? — perguntou ela.

— Com uma calma extraordinária para alguém que está prestes a compartilhar o palco com Anna Rolfe.

— Acredite, é tudo pose.

— Alguma pergunta?

— O que acontece se ele não me abordar após a apresentação?

— Creio que você vai ter que improvisar.

Ela tirou o violoncelo do suporte e tocou a melodia de Someday My Prince Will Come. Christopher cantarolou a melodia enquanto cruzava o salão de eventos em direção ao saguão. A multidão de dignitários convidados se dividiu em grupos opostos, um cercando Martin Landesmann, o outro, Arkady Akimov. Garçons carregando bandejas se movimentavam entre os dois blocos, mas fora isso uma paz fria prevalecia. De modo geral, pensou Christopher, era um começo de noite perfeito.

No esconderijo em Erlenbach, Gabriel e Eli Lavon observavam a mesma cena em um laptop aberto. O sinal de vídeo chegava a eles por cortesia da Unidade 8200, que havia assumido o controle do sistema de segurança do museu e da rede audiovisual interna — tudo com o conhecimento e a aprovação tácita do serviço de inteligência suíço.

Pouco antes das vinte horas, as portas do salão de eventos foram abertas por dentro e um sino cerimonial foi tocado. Como os convidados eram todos absurdamente ricos e não estavam acostumados a seguir instruções, eles o ignoraram. Na verdade, no momento em que todos estavam acomodados nos assentos indicados, o programa cuidadosamente planejado por Gabriel já estava vinte minutos atrasado. Martin e Monique, patrocinadores e anfitriões do evento, ocuparam duas cadeiras no centro da primeira fila. Arkady e Oksana Akimov, tendo doado vinte milhões de francos suíços para a Aliança Global pela Democracia da One World, também receberam assentos preferenciais. Martin, conforme instruído, agiu como se o russo e sua esposa fossem invisíveis.

Finalmente, o diretor do museu subiu ao palco e falou demoradamente a respeito da importância da arte e da cultura em uma época de conflito e incerteza. Seu discurso foi apenas um pouco menos monótono do que aquele proferido pelo conservador-chefe Ludwig Schenker a respeito de Artemisia Gentileschi e da redescoberta improvável de *A tocadora de alaúde*, do qual pouco tinha alguma relação com a verdade. Martin teve a piedade de ser taciturno, pelo menos uma vez na vida. A seu comando, dois curadores colocaram a pintura em cima do pedestal, e Monique e o diretor removeram o véu branco com um floreio. No salão de eventos do Kunsthaus, os aplausos foram arrebatadores. No esconderijo de Erlenbach, eles foram breves, mas, mesmo assim, sinceros.

Gabriel e Eli Lavon viram *A tocadora de alaúde* ser retirada do palco e Martin apresentar o entretenimento da noite. A simples menção do nome de Anna Rolfe fez com que o público ficasse de pé, incluindo o magnata do petróleo e oligarca Arkady Akimov.

Ela reconheceu a adulação com um gesto superficial e automático. Como Gabriel, Anna tinha a habilidade de bloquear toda distração, de se fechar em um casulo impenetrável de silêncio, de se transportar para outro tempo e lugar. Por enquanto, pelo menos, os 250 convidados não existiam.

Havia apenas seu acompanhador e seu querido Guarneri. Sua rabeca, como ela gostava de chamá-lo. Sua moça graciosa. Anna apoiou o instrumento no pescoço e colocou o arco na corda Ré. O silêncio pareceu durar uma eternidade. Muito ansioso para assistir, Gabriel fechou os olhos. Uma *villa* à beira-mar. A luz marrom-avermelhada do pôr do sol. A música suave de um violino.

Ambas as sonatas tinham quatro movimentos em estrutura e eram quase idênticas em duração — vinte minutos para a de Brahms, 22 para a de Beethoven. Isabel assistiu aos momentos finais da apresentação de Anna da porta aberta ao lado do palco. Anna estava radiante, o público, enfeitiçado. E pensar que Isabel logo tomaria o lugar dela. Com certeza, pensou Isabel de repente, não era possível. Ela estava tendo um de seus sonhos frequentes de ansiedade, só isso. Ou talvez tenha ocorrido alguma espécie de descuido, um erro na programação. Era Alisa Weilerstein quem se apresentaria a seguir. Não Isabel Brenner, uma ex-diretora de compliance do banco mais sujo do mundo que uma vez havia sido terceiro lugar na Competição Internacional de Música de ARD.

Perdida nos pensamentos, ela teve um sobressalto involuntário quando o salão de eventos explodiu com aplausos estrondosos. Martin Landesmann foi o primeiro a se levantar, seguido instantaneamente por um homem de cabelo grisalho alguns metros à direita dele. Isabel, por mais que tentasse, não conseguia se lembrar do nome do sujeito. Ele era um anônimo, um ninguém.

Com o microfone na mão, Anna pediu silêncio, e os 250 luminares dispostos diante dela obedeceram. Ela agradeceu ao público pelo apoio ao museu e à causa da democracia, e por lhe dar a oportunidade de tocar em público novamente após uma ausência tão longa. Rica e privilegiada, ela conseguiu se esconder do vírus letal. Mas quase dois milhões de pessoas em todo o mundo — os idosos, os doentes, os indigentes, aqueles que foram amontoados em moradias precárias ou que trabalhavam por um salário mínimo em setores essenciais — não tiveram tanta sorte. Anna pediu ao público que mantivesse os mortos nos corações e se lembrasse daqueles que careciam dos recursos básicos aos quais a maioria deles não dava valor.

— A pandemia — continuou ela — está prejudicando terrivelmente as artes cênicas, especialmente a música clássica. Minha carreira será retomada quando as salas de concerto finalmente forem reabertas. Pelo menos, assim espero — acrescentou ela com modéstia. — Mas, infelizmente, muitos jovens músicos talentosos não terão escolha a não ser recomeçar. Pensando nisso, gostaria de lhes apresentar uma querida amiga minha que apresentará uma última peça para nós na noite de hoje, uma linda composição de Sergei Rachmaninoff chamada Vocalise.

Isabel ouviu seu nome reverberar pelo salão e, de alguma forma, suas pernas conseguiram levá-la até o palco. O público desapareceu no instante em que ela começou a tocar. Mesmo assim, Isabel conseguia sentir o peso do olhar firme do homem em direção a ela. Por mais que tentasse, não conseguia lembrar o nome do sujeito. Ele era um anônimo, um ninguém.

34

KUNSTHAUS, ZURIQUE

Anna Rolfe tinha a intenção de fazer apenas uma última aparição breve no palco, mas o público não permitiu que ela saísse. Na verdade, grande parte da adulação foi dirigida a Isabel. Sua execução da composição assombrosa de seis minutos de Rachmaninoff foi incendiária.

Por fim, Anna pegou a mão de Isabel e, juntas, as duas saíram do salão de eventos. Pareceu que o início repentino de uma dor de cabeça — era de conhecimento geral que Anna sofria de enxaquecas incapacitantes — não permitiria que ela se misturasse com os convidados na recepção pós-recital como planejado. A jovem e deslumbrante Isabel concordou em tomar o lugar de Anna. Por razões relacionadas com a segurança operacional, Gabriel não contou a Anna todas as razões pelas quais ele inventou a farsa elaborada daquela noite. Ela apenas sabia que tinha alguma coisa a ver com o homem de aparência eslava que comeu Isabel com os olhos de seu lugar na primeira fila.

Anna se despediu da violoncelista com uma formalidade afetada no corredor, e as duas se retiraram para seus respectivos camarins. Um segurança do museu ficou de guarda do lado de fora do camarim de Anna. O estojo do violino estava na penteadeira, ao lado do maço de Gitanes. Ela acendeu um cigarro, desobedecendo aos rígidos regulamentos do museu em relação à proibição de fumar, e instantaneamente pensou em Gabriel, de pincel na mão, balançando a cabeça para ela com reprovação.

Acho que demos sorte por ter terminado antes que alguém se machucasse...

O som de passos femininos no corredor se intrometeu nos pensamentos de Anna. Era Isabel saindo do camarim para seu momento de brilhar na recepção. Ela ficou aliviada por sua presença não ser exigida, pois ela não achava algo tão aterrorizante quanto uma sala cheia de estranhos. Preferia muito mais a companhia de seu Guarneri.

Ela pressionou os lábios delicadamente na voluta do violino.

— Hora de dormir, moça graciosa.

Ela jogou o Gitane dentro de uma garrafa de Eptinger pela metade e abriu o estojo do violino. Aninhado entre suas coisas — um arco e cordas sobressalentes, breu, surdinas, lubrificante de cravelha, panos de limpeza, cortadores de unhas, lixas, uma mecha do cabelo de sua mãe — estava um envelope com o nome dela escrito à mão na frente. Ele não estava lá quando Anna subiu ao palco, e ela havia deixado instruções explícitas com o segurança para não permitir que alguém entrasse no camarim durante sua ausência. O inglês gato com o belo bronzeado fez a mesma coisa. Ele passou as instruções com o sotaque francês possivelmente menos convincente que Anna ouviu na vida.

Ela hesitou por um momento e depois pegou o envelope. Era de alta qualidade, assim como o papel de carta com margem no interior.

Anna reconheceu a letra.

Ela se levantou, abriu a porta com um puxão violento e disparou para o corredor. O segurança olhou para Anna como se ela fosse uma louca. Obviamente, a reputação de Anna a precedia.

— Pensei ter dito para você não deixar alguém entrar no meu camarim enquanto eu estava no palco.

— Eu não deixei, Frau Rolfe.

Ela sacudiu o envelope na cara do segurança.

— Então como isso foi parar no estojo do meu violino?

— Deve ter sido Monsieur Carnot.

— Quem?

— O francês que entregou a pintura ao museu hoje à tarde.

— Onde ele está agora?

— Ele está bem aqui — veio uma resposta distante.

Anna se virou. O homem estava parado ao lado do palco meio iluminado, com um meio sorriso irônico no rosto.

— Você?

Ele levou o dedo indicador aos lábios e desapareceu da vista de Anna.

— Desgraçado — sussurrou ela.

A tocadora de alaúde, óleo sobre tela, 152 por 134 centímetros, anteriormente atribuído ao círculo de Orazio Gentileschi, agora atribuído com convicção à filha de Orazio, Artemisia, e restaurado à sua glória original por Gabriel Allon, estava em um pedestal no centro do saguão, ladeada por dois guardas do museu de aparência dócil. Os dignitários convidados circundaram a pintura com reverência, como peregrinos ao redor da Caaba em Meca. O chão e as paredes nuas ecoavam com o som de suas expressões de encantamento.

Isabel, ainda despercebida, refletiu a respeito do conjunto de circunstâncias, a cadeia de desventuras e providências divinas, que a levou ao evento de gala. A história que ela contou a si mesma continha várias omissões gritantes, mas, por outro lado, se atinha a alguns fatos verificáveis. Criança prodígio, Isabel ganhou um prêmio importante aos 17 anos, mas decidiu frequentar uma universidade de verdade em vez de um conservatório. Depois de concluir a pós-graduação na prestigiosa Escola de Economia de Londres, ela trabalhou no RhineBank, primeiro em Londres, depois em Zurique. Após ter saído da empresa sob circunstâncias que ela não podia revelar — o que estava longe de ser incomum no que diz respeito aos funcionários do RhineBank —, ela passou a trabalhar para Martin Landesmann na Global Vision Investments de Genebra.

E por que aquele homem está me olhando assim?

O homem sério de cabelo grisalho com a coelhinha da Playboy eslava de cabelo preto em seu braço. Evite a todo custo, Isabel disse a si mesma.

Ela pegou uma taça de champanhe de uma bandeja que passava. A efervescência levou o álcool dos lábios para a corrente sanguínea com uma velocidade surpreendente. Isabel ouviu alguém chamar seu nome e, ao se virar, foi confrontada por uma mulher de meia-idade cuja última consulta com o cirurgião plástico a deixara com uma expressão de puro terror.

— A peça que você executou foi de Tchaikovski? — perguntou ela.

— Rachmaninoff.

— É muito bonita.

— Sempre achei.

— Anna vai se juntar a nós? Estou tão ansiosa para conhecê-la.

Isabel explicou que Anna havia se sentido mal.

— É sempre alguma coisa, não é?

— Como assim?

— Ela é amaldiçoada, coitadinha. Você sabe a respeito da mãe dela, obviamente. Horrível.

A mulher se afastou, como se tivesse sido levada por uma rajada de vento, e outra tomou o lugar dela. Era Ursula Müller, a esposa emaciada de Gerhard Müller, um cliente do RhineBank.

— Você toca divinamente! Parece um anjo.

Herr Müller claramente concordava. Assim como o homem de cabelo grisalho com a coelhinha da Playboy. Os dois estavam avançando na direção de Isabel pelo meio da multidão. Ela se permitiu ser puxada na direção oposta e foi passada como uma travessa entre casais reluzentes e cravejados de joias.

— De tirar o fôlego! — exclamou um.

— Estou tão contente por você ter gostado.

— Um triunfo! — declarou outro.

— O senhor é muito gentil.

— Diga seu nome novamente.

— Isabel.

— Isabel de quê?

— Brenner.

— Onde está Anna?

— Ela não se sentiu bem, infelizmente. A senhora vai ter de se contentar comigo.

— Quando é sua próxima apresentação?

Logo, pensou ela.

Isabel ficou sem lugar para se esconder. Ela entregou a taça a uma garçonete — o álcool não estava servindo para nada — e começou a andar em direção à pintura, mas o homem de cabelo grisalho e sua jovem noiva bloquearam o caminho. Ele exibia no largo rosto eslavo algo parecido com um sorriso. O sujeito se dirigiu a Isabel em um alemão perfeito, com o sotaque de um *ostländer*.*

— Com a possível exceção do Rostropovich, nunca ouvi uma execução melhor de Vocalise.

— Ora, vamos — respondeu Isabel.

— É verdade. Mas por que Rachmaninoff?

---

* Nativo do leste da Alemanha. (N. do T.)

— Por que *não* Rachmaninoff?

— A sonata dele para violoncelo faz parte do seu repertório?

— Sim, com certeza.

— Do meu também.

— O senhor é violoncelista?

— Pianista. — Ele sorriu. — A senhorita não é suíça.

— Alemã. Mas moro aqui na Suíça.

— Em Zurique? — sondou o homem.

— Eu morava em Zurique, mas me mudei para Genebra não faz muito tempo.

— Minha empresa fica na Place du Port.

— A minha é do outro lado da ponte, no Quai du Mont-Blanc.

Ele franziu a testa, confuso.

— A senhorita não é uma musicista profissional?

— Sou analista de projetos de uma empresa suíça de investimentos. Uma máquina de fazer contas.

Ele estava incrédulo.

— Como assim?

— Máquinas de fazer contas ganham muito mais dinheiro do que musicistas.

— Para qual empresa você trabalha?

Ela apontou para Martin Landesmann.

— A empresa cujo dono é aquele homem parado ali.

— São Martin?

— Ele odeia que as pessoas o chamem assim.

— Foi o que eu ouvi dizer.

— O senhor o conhece?

— Apenas pela reputação. Por algum motivo, ele parece estar me ignorando hoje. O que é estranho, considerando o fato de que doei vinte milhões de francos suíços à organização pró-democracia dele para assistir à apresentação.

Isabel fingiu pensar.

— O senhor é...?

— Arkady Akimov. — Ele olhou para a garota. — E esta é minha esposa, Oksana.

— Tenho certeza de que Martin ficaria honrado em conhecê-lo.

— A senhorita se importaria?

Isabel sorriu.

— Nem um pouco.

Duas câmeras de segurança do museu espiavam o canto do saguão onde Martin havia estabelecido sua corte — uma à direita, outra diretamente acima. Com a primeira câmera, Gabriel e Eli Lavon assistiram a Isabel Brenner, ex-RhineBank de Zurich, hoje na Global Vision Investments em Genebra, abrindo caminho no meio da multidão densa. Várias vezes ela foi obrigada a parar para aceitar algum elogio. Nenhum dos fãs prestou qualquer atenção ao russo de cabelo grisalho que a seguia — o magnata do petróleo e oligarca Arkady Akimov, amigo de infância do líder autoritário e cleptocrático da Rússia, com uma fortuna avaliada em 33,8 bilhões de dólares, de acordo com a estimativa mais recente da revista *Forbes*. Por enquanto, pelo menos, ele era um anônimo. Um ninguém.

Quando Isabel finalmente chegou ao seu destino, Gabriel trocou para a segunda câmera, que oferecia uma visão de satélite do palco em que aconteceria a última apresentação da noite. Mais uma vez houve um atraso, pois os acólitos e admiradores reunidos ao redor de Martin receberam Isabel com alegria. Ela acabou colocando a mão no braço de Martin, um gesto propositalmente íntimo que o magnata do petróleo e oligarca certamente notaria. O telefone no bolso do smoking de Martin, feito à mão pela Senszio de Genebra, fornecia o áudio.

— *Desculpe interromper, Martin, mas eu gostaria de apresentar alguém que acabei de conhecer...*

Não houve apertos de mão, apenas acenos cautelosos de saudação de um bilionário para outro. A conversa teve tom cordial, mas conteúdo conflituoso. No meio do bate-papo, o magnata do petróleo ofereceu a Martin um cartão de visita, o que provocou uma última troca de palavras tensa. Em seguida, o oligarca murmurou alguma coisa diretamente no ouvido de Martin, pegou a esposa pela mão e se retirou.

A festa recomeçou como se nada desagradável tivesse acontecido. Mas dez quilômetros ao sul, em um esconderijo às margens do lago de Zurique, os aplausos de Eli Lavon foram espontâneos e duradouros. Gabriel zerou a marcação de tempo na gravação da conversa e clicou no ícone de reprodução.

— *Obrigado pela contribuição generosa para a Aliança Global, Arkady. Estou planejando usá-la para financiar nossos esforços na Rússia.*

— *Poupe seu dinheiro, Martin. Quanto aos vinte milhões, foi um preço irrisório a pagar pelo privilégio de comparecer ao seu pequeno sarau hoje.*

— *Desde quando vinte milhões são um preço pequeno?*

— *Há muito mais de onde esse dinheiro veio, se você estiver interessado.*

— *O que tem em mente?*

— *Você está livre na semana que vem?*

— *Na semana que vem é ruim, mas posso ter um ou dois minutos de sobra na semana seguinte.*

— *Sou um homem ocupado, Martin.*

— *Somos dois.*

— *Tornando o mundo seguro para a democracia?*

— *Alguém tem de fazer isso.*

— *Você deveria se ater às mudanças climáticas. Como posso entrar em contato com você?*

— *Você liga para o número principal da GVI como todo mundo.*

— *Tenho uma ideia melhor. Por que você não me liga em vez disso?*

— *O que é isso na sua mão, Arkady?*

— *Um cartão de visita. Eles estão super na moda.*

— *Se você tivesse se informado, saberia que nunca aceito cartões de visita. Ligue para Isabel. Ela vai planejar alguma coisa.*

— *Ela foi extraordinária hoje.*

— *Você deveria vê-la com uma planilha.*

— *Onde você a encontrou?*

— *Nem pense nisso, Arkady. Ela é minha.*

Foi nesse instante que o magnata do petróleo e oligarca se inclinou para a frente e falou diretamente no ouvido de Martin. O barulho da recepção abafou o comentário, mas a expressão de Martin indicou que foi um insulto. Gabriel reiniciou a gravação, ativou um filtro que reduzia muito do ruído de fundo e clicou em reproduzir. Desta vez, as palavras finais do magnata do petróleo e oligarca foram audíveis.

— *Sortudo.*

35

QUAI DU MONT-BLANC, GENEBRA

Ludmilla Sorova ligou para Isabel às dez horas da manhã de segunda-feira. Isabel esperou até quinta-feira para retornar a ligação. Seu tom foi profissional e despachado, como uma mulher cujo volume de trabalho estava transbordando. Ludmilla foi petulante — claramente, esperava ter recebido um retorno antes. Mesmo assim, tentou envolver Isabel em uma conversa fiada preliminar a respeito do desempenho da violoncelista no Kunsthaus. Evidentemente, o sr. Akimov havia gostado demais.

Isabel desviou o rumo da conversa de volta ao motivo original da ligação, que era o pedido do sr. Akimov para ter uma reunião com Martin Landesmann. Ele tinha duas janelas pequenas na agenda na semana seguinte — terça-feira às quinze horas e quarta-feira às 17h15 —, mas, fora isso, ele estava lotado com reuniões e videoconferências em nome da mais nova iniciativa, a Aliança Global pela Democracia. Ludmilla disse que consultaria o sr. Akimov e ligaria de volta para Isabel no fim do dia. Isabel a aconselhou a não demorar, pois o tempo do sr. Landesmann era limitado.

Ela encerrou a ligação e registrou a data, a hora e o assunto em seu livro de registros GVI com capa de couro. Ao erguer os olhos novamente, Isabel notou uma mensagem de texto esperando no telefone celular.

Jogou bem.

Ela excluiu a mensagem, se levantou e seguiu os novos colegas até a sala de conferências bem iluminada da GVI. Era uma força de trabalho surpreendentemente pequena — doze analistas superqualificados que atendiam aos requisitos de diversidade étnica e de gênero, todos jovens, atraentes e engajados, e todos convencidos de que Martin era de fato o santo padroeiro da responsabilidade corporativa e da justiça ambiental que afirmava ser.

Eles se reuniam duas vezes por dia. A reunião da manhã era dedicada a investimentos e aquisições propostos ou pendentes; a da tarde, para projetos do futuro. Ou, como Martin explicou de forma grandiosa, "do futuro como gostaríamos que ele fosse". As discussões eram de natureza propositalmente indisciplinada e de tom sempre cortês. Não havia nenhuma das rixas acirradas e disputas de ego que eram típicas das reuniões no RhineBank, especialmente na filial de Londres. Martin, de camisa social de gola aberta e blazer sob medida, brilhava com inteligência e visão. Raramente proferia uma frase que não contivesse a palavra *sustentável* ou *alternativa.* A intenção dele era desencadear a economia pós-pandemia do amanhã — uma economia ecológica e neutra em emissões de carbono que atendesse às necessidades tanto dos trabalhadores quanto dos consumidores e evitasse mais danos ao planeta. Até Isabel não conseguiu evitar se comover com aquela atuação.

Ele pediu que ela ficasse na sala enquanto os outros saíam.

— Como foi a ligação? — perguntou Martin.

— Parece que você se encontrará com Arkady na terça-feira à tarde, às quinze horas.

Sorrindo, Isabel voltou ao escritório dela e viu a luz vermelha de mensagem piscando no telefone como uma boia de balizamento. Era uma Ludmilla Sorova ligando aflita para dizer que o sr. Akimov estava livre para se encontrar com o sr. Landesmann na terça e na quarta-feira, de preferência na terça-feira. Ela esperava ter notícias de Isabel antes do fim do dia, visto que o tempo do sr. Akimov também era limitado.

— Imagino o motivo. — Isabel excluiu a mensagem e, a seguir, perguntou para ninguém em especial: — O que você acha?

Alguns segundos depois, seu celular vibrou com uma mensagem recebida.

Nada que não possa esperar até amanhã de manhã.

— Exatamente o que eu pensei.

Isabel colocou alguns papéis na bolsa, vestiu um casaco acolchoado leve e desceu a escada. Lá fora, os picos mais altos do maciço do Mont Blanc estavam ficando vermelhos sob a última luz fulva do pôr do sol, mas os letreiros de neon Rolex e Hermes ardiam no topo dos edifícios elegantes que ladeavam a margem sul do Ródano. Na Place du Port, ela passou pelo prédio comercial moderno e feio onde, no último andar, Ludmilla Sorova esperava ansiosamente sua ligação. A próxima praça era a Place de Longemalle, em forma de trapézio. O inglês, vestido vergonhosamente de jeans e couro, bebia uma Kronenbourg em uma mesa do lado de fora do Hôtel de la Cigogne. O rótulo da garrafa estava apontado diretamente para Isabel, o que significava que ela não estava sendo seguida.

Para chegar à Cidade Velha, ela primeiro tinha de atravessar a Rue du Purgatoire. O prédio de Isabel dava para as lojas e os cafés da Place du Bourg-de-Four. O pequeno israelense que a lembrava um comerciante de livros raros estava sentado de pernas cruzadas nos paralelepípedos ao lado da antiga fonte. Vestido com a roupa imunda de um mendigo, ele segurava uma placa rasgada pedindo comida e dinheiro aos transeuntes. No momento, a placa estava com o lado certo para cima, indicando que o pequeno israelense era da mesma opinião do inglês: Isabel não estava sendo seguida.

No andar de cima do apartamento, ela abriu as janelas e venezianas para receber o ar frio do outono e se serviu de uma taça de vinho de uma garrafa aberta de Chasselas. O violoncelo chamou Isabel. Ela tirou o instrumento do estojo, colocou uma surdina no cavalete e encostou o arco nas cordas. Suíte para violoncelo de Bach em Sol Maior. Todos os seis movimentos. Sem partituras. Nem um único erro. Depois, os *habitués* da praça abaixo da janela de Isabel pediram um bis, nenhum com mais entusiasmo do que o pequeno mendigo sentado nos paralelepípedos na base da fonte.

Isabel ligou para Ludmilla Sorova na manhã seguinte e confirmou a reunião na terça-feira, às quinze horas. Em seguida, estabeleceu uma série de condições para o encontro, nenhuma das quais era negociável, pois ela estava com pressa. A duração da reunião, explicou Isabel, seria de 45 minutos, nem um minuto a mais. O sr. Akimov deveria vir sozinho, sem colegas, advogados ou aspones variados.

— E sem seguranças, por favor. A Global Vision Investments não é esse tipo de lugar.

Nos quatro dias seguintes, Isabel esteve inacessível, pelo menos no que dizia respeito a Ludmilla Sorova. E-mails não foram respondidos, ligações não foram atendidas — incluindo o telefonema urgente de Ludmilla às 14h50 da terça-feira em relação à chegada iminente do sr. Akimov à sede da GVI. Foi uma ligação desnecessária, pois Isabel, da janela de seu escritório, conseguia ver o comboio espantoso vindo em sua direção sobre a Pont du Mont-Blanc.

Quando ela chegou ao saguão, ele estava saindo da parte de trás da limusine. Perseguido por um bando de guarda-costas, Arkady Akimov cruzou a calçada com passos largos e passou pela porta giratória. A pose que ele fez foi a de um general vitorioso que veio para ditar os termos de uma rendição. A expressão dele se abrandou quando viu Isabel parada ao lado da mesa de segurança.

— Isabel — chamou ele. — Que maravilhoso ver você de novo.

Com as mãos cruzadas atrás das costas, ela assentiu formalmente.

— Boa tarde, sr. Akimov.

— Eu insisto que me chame de Arkady.

— Farei o melhor possível. — Isabel verificou a hora no telefone e gesticulou em direção aos elevadores. — Por aqui, sr. Akimov. E se não se importar, por favor, mande sua equipe de segurança permanecer aqui no saguão ou em seus veículos.

— Certamente vocês têm uma sala de espera lá em cima.

— Como expliquei à assistente, Martin acha que seguranças atrapalham.

Arkady murmurou algumas palavras em russo para os guarda-costas e seguiu Isabel até o elevador que os esperava. Ela apertou o botão do nono andar e ficou olhando para frente enquanto as portas se fechavam, com uma pasta de couro agarrada ao peito em um gesto de defesa. Arkady ajeitou as mangas e abotoaduras. Sua colônia cara pairava entre os dois como gás lacrimogêneo.

— Você mencionou naquela noite que morava em Zurique.

— Sim — respondeu Isabel vagamente.

— Que trabalho você fazia lá?

— Bancário. Como todo mundo.

— Por que saiu de seu banco e veio para Genebra?

Eu saí por sua causa, pensou ela, mas disse:

— Eu fui demitida, se quer saber.

Arkady observou o reflexo de Isabel nas portas do elevador.

— Qual foi o seu crime?

— Eles me pegaram com a boca na botija.

— Quanto você roubou?

Ela encarou o reflexo do olhar de Arkady e sorriu.

— Milhões.

— Conseguiu ficar com alguma coisa?

— Nem um centavo. Na verdade, eu morava nas ruas até Martin aparecer. Ele limpou meu nome e me deu um emprego.

— Talvez ele seja um santo, afinal de contas.

Quando as portas se abriram, Arkady insistiu que Isabel saísse do elevador primeiro. O corredor pelo qual ela o conduziu estava repleto de fotos de Martin participando de atividades filantrópicas em países mais desfavorecidos. Arkady não fez comentários a respeito do santuário dedicado às boas ações de Martin. Na verdade, Isabel suspeitava que ele estivesse avaliando sua bunda naquele momento.

Ela parou na porta da sala de reuniões e estendeu a mão.

— Por aqui, sr. Akimov.

Ele passou por Isabel sem dizer uma palavra. Martin parecia distraído por alguma coisa que estava lendo no celular. Havia uma única cadeira de cada lado da mesa comprida de madeira, sobre a qual estava disposta uma variedade de garrafas de água mineral. O cenário cuidadosamente montado parecia mais adequado para um encontro de cúpula de alto risco entre Oriente e Ocidente do que para uma conspiração criminosa. Só faltou, pensou Isabel, o obrigatório aperto de mão para os fotógrafos da imprensa.

Ao invés disso, os dois homens trocaram uma saudação desanimada e silenciosa de cada lado da mesa. Martin marcou o primeiro gol do confronto devido ao fato de que ele estava sem gravata, enquanto o oponente estava exageradamente vestido. Na tentativa de empatar o placar, Arkady desabou na cadeira sem receber um convite para se sentar. Martin, em um golpe inteligente de jiu-jitsu corporativo, permaneceu de pé, mantendo assim o controle do terreno elevado.

Ele olhou para Isabel e sorriu.

— Por enquanto isso é tudo, Isabel. Obrigado.

— Claro, Martin.

Isabel saiu, fechou a porta e voltou para sua sala. O relógio digital sobre a mesa marcava 15h04. Quarenta e um minutos, pensou ela. E nem um minuto a mais.

36

QUAI DU MONT-BLANC, GENEBRA

Não foi surpresa que Martin tenha resistido à instalação de câmeras e microfones ocultos na sala de reuniões da Global Vision Investments. Ele concordou apenas depois de receber uma promessa solene de Gabriel de que os dispositivos — *todos* eles — seriam removidos após a conclusão da operação. Ao todo, havia quatro câmeras e seis microfones de alta resolução. A transmissão criptografada ia de um receptor na sala de telecomunicações para o novo esconderijo da equipe no bairro diplomático de Champel. Eles não se preocuparam muito com uma mentira para explicar sua presença. O serviço de segurança local era um sócio silencioso na empreitada.

Eles receberam a primeira atualização às 14h30, quando os observadores de Eli Lavon na Place du Port relataram a chegada de um comboio — um sedã Mercedes-Maybach e dois Range Rovers — à sede da NevaNeft. Arkady Akimov saiu da porta opaca do prédio quinze minutos depois e, às 14h55, estava ouvindo Isabel explicar que sua equipe de segurança não era bem-vinda no interior com emissão neutra de carbono da Global Vision Investments. A transmissão do telefone dela morreu quando entrou no elevador e, quando a transmissão de áudio voltou, ela estava parada na porta da sala de reuniões. Martin e Arkady se encaravam de cada lado da mesa como lutadores de boxe no centro de um ringue.

— *Por enquanto isso é tudo, Isabel. Obrigado.*

— *Claro, Martin.*

Isabel se retirou e deixou os dois bilionários sozinhos na sala de reuniões. Por fim, Martin abriu uma das garrafas de água mineral e serviu lentamente dois copos.

— Você acha que ele vai beber? — perguntou Eli Lavon.

— Arkady Akimov? — Gabriel balançou a cabeça. — Nem que fosse a última gota de água na terra.

— Se preferir — disse Martin —, tenho algumas águas sem gás.

— Não estou com sede, obrigado.

— Você não bebe água?

— Não, a menos que seja a minha.

— Do que você tem tanto medo?

— O capitalismo na Rússia é um esporte de contato.

— Aqui é Genebra, Arkady. Não é Moscou. — Martin finalmente se sentou. — Que fique registrado...

— Não vejo ninguém aqui registrando. Você está vendo?

— Que fique registrado — repetiu Martin — que concordei em ter esta reunião como uma cortesia, e porque vivemos e trabalhamos muito próximos um do outro. Mas não tenho intenção de fazer negócios com você.

— Você não ouviu minha oferta.

— Eu já sei qual é.

— Sabe?

— É a mesma oferta que você fez a vários outros empresários ocidentais.

— Posso garantir que todos se deram muitíssimo bem.

— Eu não sou como eles.

— Eu que o diga. — Arkady passou os olhos pelas fotos penduradas na parede da sala de reuniões de Martin. — Quem você acha que está enganando com essa baboseira?

— Minha fundação de caridade mudou milhões de vidas no mundo todo.

— Sua fundação de caridade é uma fraude. E você também. — Arkady sorriu. — Aceito um pouco dessa água, por favor. Sem gás, se não se importa.

Martin serviu um copo de água com gás e o empurrou sobre a mesa.

— Onde você aprendeu suas táticas de negociação? Na KGB?

— Eu nunca fui um agente da KGB. Isso, como se costuma dizer, é um conto da carochinha.

— Não foi isso que li no *The Atlantic*.

— Eu os processei.

— E perdeu.

Arkady moveu o copo de lado sem beber.

— Você tem um departamento de publicidade melhor do que eu. Como explica o fato da imprensa nunca ter escrito a respeito de seu relacionamento com um tal Sandro Pugliese da 'Ndrangheta italiana? Ou suas ligações com o Meissner PrivatBank de Liechtenstein? E aí houve aqueles componentes de centrífuga que você estava vendendo para os iranianos por meio de sua empresa alemã. A Keppler Werk GmbH, acredito que era isso.

— Infelizmente você está me confundindo com outra pessoa.

— Creio que seja possível. Afinal, homens bem-sucedidos como nós estão sempre sendo acusados de transgressões. Eles me acusam de ser um agente da KGB, de que devo toda a minha riqueza a meu relacionamento com o presidente da Rússia. Nada mais do que preconceito antirrusso. Russofobia! — Ele bateu no tampo da mesa para dar ênfase. — Consequentemente, às vezes acho necessário fazer meus negócios de uma forma que proteja minha identidade. Assim como você, eu imagino.

— A Global Vision Investments é uma das empresas de investimento mais respeitadas do mundo.

— E é exatamente por isso que eu gostaria de fazer negócios com você. Tenho uma quantidade enorme de capital excedente parado. Gostaria que você investisse esse capital em meu nome, usando o *imprimatur** impecável da GVI.

— Eu não preciso do seu dinheiro, Arkady. Tenho muito por conta própria.

— Seu patrimônio líquido é de insignificantes três bilhões de dólares, se for possível acreditar na lista mais recente da *Forbes*. Estou lhe oferecendo a chance de ser rico o suficiente para realmente mudar o mundo. — Ele fez uma pausa. — Isso seria do seu interesse, São Martin?

— Não gosto de ser chamado assim.

— Ah, sim. Acho que li isso no mesmo artigo que mencionou seu desdém por cartões de visita.

— E onde está esse seu capital excedente agora?

— Uma parte dele já está aqui no Ocidente.

— Quanto?

— Vamos falar de seis bilhões de dólares.

— E o resto?

— No MosBank.

— O que significa que está em rublos.

---

* Termo em latim que indica um selo de aprovação, muito usado no mercado de investimentos. Originalmente, uma ordem dada por autoridades eclesiásticas ("imprima-se/que seja impresso") de permissão para impressão de textos. (N. do T.)

Arkady concordou com a cabeça.

— De quantos rublos estamos falando?

— Quatrocentos bilhões.

— Cinco bilhões e meio de dólares?

— Cinco bilhões, 470 milhões, pela taxa de câmbio de hoje. Mas quem está contando?

— De onde veio esse dinheiro?

— Recentemente, minha construtora fechou um contrato para um grande projeto de obras públicas na Sibéria.

— Você pretende *construir* alguma coisa de fato?

— O menos possível.

— Portanto, o dinheiro foi desviado do Tesouro Federal.

— De certa forma.

— Eu não negocio com ativos estatais saqueados. Nem em rublos, falando nisso.

— Então, creio que você terá de converter meus rublos saqueados em uma moeda de reserva antes de investir o dinheiro em meu nome.

— Converter em quê?

— No de sempre. Em empresas privadas e industriais, grandes ativos imobiliários, talvez um ou dois portos. Esses ativos serão mantidos pela Global Vision Investments, mas os verdadeiros donos serão várias corporações de fachada que você criará para mim. Você manterá esses ativos em seus livros-caixa até o momento que eu achar adequado transferir o controle sobre eles.

— Acabei de fundar uma organização não governamental dedicada a promover a difusão da democracia em todo o mundo, inclusive na Federação Russa.

— Você teria uma chance maior de desacelerar a subida do nível dos mares do que levar a democracia para a Rússia.

— Mas você entende o meu argumento.

— O fato de você ser hoje um oponente confesso do governo russo é uma vantagem para nós. Ninguém jamais sonharia que você está fazendo negócios com alguém como eu. — Arkady admirou o relógio de pulso de Martin, um Patek Philippe de Genebra de um milhão de francos suíços, e então se levantou. — Fui informado que seu tempo era limitado, assim como o meu. Se você estiver interessado em minha oferta, envie um recado para meu escritório até as dezessete horas de quinta-feira. Se eu não tiver notícias suas, vou levar meu dinheiro para outro lugar. Sem ressentimentos.

— E se eu estiver interessado?

— Você vai redigir um projeto detalhado e entregá-lo na minha *villa* em Féchy no sábado. Oksana e eu vamos almoçar com alguns amigos. Tenho certeza de que você e sua adorável esposa acharão os outros convidados interessantes.

— Tenho planos para este fim de semana.

— Cancele.

— Farei uma palestra em uma reunião de líderes da sociedade civil em Varsóvia no sábado.

— Outra causa perdida.

— Vou pedir ao meu advogado para entregar o projeto.

Arkady sorriu.

— Eu não lido com advogados.

Isabel voltou para a sala de reuniões precisamente às 15h45. Parecia que nada havia mudado desde que ela saíra. Agora, como anteriormente, havia um homem sentado e outro de pé, embora fosse Arkady, e não Martin, que estivesse levantado. O ar entre os dois estava carregado com a eletricidade da última troca de palavras.

Isabel acompanhou Arkady até os elevadores e lhe desejou uma boa noite. Ao retornar para a sala de reuniões, encontrou Martin parado na janela olhando de forma contemplativa, como se posasse para um vídeo promocional da Fundação One World.

— Como foi a reunião?

— Arkady Akimov gostaria que lavássemos e ocultássemos 11,5 bilhões de dólares.

— Só isso?

— Não — respondeu Martin. — Infelizmente há mais uma coisa.

Às 19h15, enquanto arrumava a mesa já impecável, Isabel recebeu uma mensagem de texto de um número que ela não reconheceu, mandando comprar vinho no caminho para casa. O remetente foi prestativo o suficiente a ponto de sugerir uma loja na avenida Georges-Favon. O proprietário recomendou um Bordeaux de preço razoável, porém de uma safra excepcional, e colocou a garrafa em um saco plástico, que Isabel carregou pelas ruas tranquilas da Cidade Velha até a Place du Bourg-de-Four. O mendigo estava em seu local habitual perto da fonte. Ele parecia alheio ao fato de que estava segurando o cartaz de cabeça para baixo.

Isabel colocou algumas moedas na xícara do mendigo e cruzou a praça até a entrada de seu prédio. No andar de cima, abriu o vinho e serviu uma taça. Mais uma vez, foi chamada pelo violoncelo, mas desta vez o ignorou, pois os pensamentos estavam em outro lugar. O magnata do petróleo e oligarca Arkady Akimov a convidou para um almoço no sábado na *villa* dele em Féchy. E agora ela estava sendo vigiada pelo serviço russo de inteligência privada conhecido como Grupo Haydn.

37

GENEBRA-PARIS

Martin ligou para Isabel às 7h30 da manhã seguinte, enquanto ela tentava se reanimar com uma ducha bem forte após uma noite passada em grande parte sem dormir.

— Desculpe ligar tão cedo, mas queria falar com você antes que saísse para o escritório. Espero que não seja um mau momento.

— De jeito nenhum. — Foi a primeira mentira do dia. Isabel tinha certeza de que haveria mais mentiras por vir. — Algum problema?

— Uma oportunidade, na verdade. Mas infelizmente ela exige que você viaje para Paris hoje à tarde.

— Que pena.

— Não se preocupe. Prometo tornar a sua estada o mais agradável possível.

— Quanto tempo vou ficar fora?

— Provavelmente apenas uma noite, mas você deve fazer as malas para duas, só por precaução. Eu direi o resto quando você chegar.

Dito isso, a ligação foi encerrada. Isabel terminou de tomar banho e verificou a previsão do tempo para Paris. Estava quase idêntica à de Genebra, frio e nublado, mas sem chance de chuva. Ela fez as malas de acordo com isso e enfiou o passaporte na bolsa. A roupa do dia de trabalho, um terninho feito sob medida, estava pendurada na parte de trás da porta do quarto. Depois que se vestiu, ela pediu um Uber e desceu para a Place du Bourg-de-Four.

Não havia sinal do mendigo, mas dois funcionários do Grupo Haydn estavam tomando café em uma das cafeterias. Um dos homens, o de cabelo mais escuro da dupla, seguiu Isabel até a Rue de l'Hôtel-de-Ville, onde o carro dela estava esperando. Quando Isabel chegou à sede da GVI, Martin preparava a reunião matinal. Com quase uma hora de duração, ela não incluiu a discussão a respeito de uma oferta lucrativa do magnata do petróleo e oligarca Arkady Akimov para lavar e ocultar no Ocidente 11,5 bilhões de dólares em ativos estatais russos saqueados.

No final da reunião, Martin chamou Isabel ao escritório para explicar por que ela partiria em breve para Paris. Uma reunião durante o café da manhã no Hôtel Crillon com um empreendedor francês inovador — ou foi o que Martin alegou. Ele lhe deu alguns materiais para revisar no trem e a chave de um apartamento. O endereço estava escrito à mão em um cartão com suas iniciais, assim como a senha de oito dígitos para a porta da rua. Isabel memorizou a informação e enfiou o cartão na fragmentadora de papel de Martin.

O trem partiu da Gare de Cornavin às 14h30. O agente de cabelo escuro do Grupo Haydn, depois de segui-la a pé até a estação, acompanhou Isabel na viagem de três horas até a Gare de Lyon. Um carro à espera a levou ao número 21 da Quai de Bourbon, uma elegante rua residencial na margem norte da Île Saint-Louis.

O apartamento ficava no último andar, o quinto. Com a chave de Martin na mão, Isabel saiu do elevador e encontrou a porta entreaberta. Gabriel estava esperando no saguão de entrada com um dedo indicador nos lábios.

Ele tirou a bolsa de Isabel e a puxou para dentro.

— Desculpe por enganar você — disse ele, enquanto fechava a porta sem fazer barulho. — Mas infelizmente não havia outra maneira.

A sala de estar estava às escuras. Ele acionou um interruptor, e uma constelação de lâmpadas embutidas no teto extinguiu a escuridão. A decoração surpreendeu Isabel. Ela esperava opulência, um Versalhes em miniatura. Ao invés disso, viu-se em um showroom de elegância casual artificial. Aquela não era a residência principal de ninguém — nem mesmo secundária, pensou ela. Era um local confortável para dormir nas ocasiões em que seu rico proprietário ficava alguns dias em Paris.

— É seu? — perguntou Isabel.

— Do Martin, na verdade.

— Ele deixa que todos os funcionários usem?

— Apenas aqueles com quem ele tem um romance.

A expressão escandalizada de Isabel foi artificial.

— Martin e eu?

— Essas coisas acontecem.

— Pobre Monique.

— Felizmente, ela nunca saberá. — Gabriel diminuiu as luzes. — Eu gostaria que você fizesse uma breve aparição na janela.

— Por quê?

— Porque é isso que uma jovem faz quando chega ao grande apartamento de seu amante no Sena.

Isabel foi em direção às janelas.

— Tire o casaco, por favor.

Ela fez o que Gabriel pediu e jogou o casaco de qualquer maneira nas costas de uma poltrona. Em seguida, entrou no meio de um par de cortinas cor de marfim e abriu a janela central da sala. O vento da noite balançou seu cabelo. E cinco andares abaixo dela, um funcionário da empresa privada de inteligência conhecida como Grupo Haydn tirou uma foto.

Ela fechou a janela, saiu de trás das cortinas e viu Gabriel arrumando seu casaco.

— Você não gosta de coisas fora do lugar, não é?

— Você notou?

— É muito difícil não perceber. Tudo é sempre assim. Pinturas, violinistas, financistas suíços, funcionários descontentes do banco mais sujo do mundo. E, para cada ocasião, você parece ter uma história para encobrir a verdade.

— Essa é uma parte essencial de nossa doutrina operacional. Chamamos de mentirinha para encobrir a grande mentira.

— Qual é a mentirinha?

— Que você está tendo um caso com Martin Landesmann.

— E a grande mentira?

— Que você está aqui comigo.

— Por quê?

— Porque não era seguro para nós nos encontrarmos em Genebra. — Ele fez uma pausa. — E porque eu tenho uma decisão difícil a tomar.

— O almoço no sábado?

Gabriel concordou com a cabeça.

— Há alguma chance dele não saber que Martin estaria em Varsóvia neste fim de semana?

— Absolutamente nenhuma. Foi uma manobra inteligente da parte de Arkady. Ele queria convidar você o tempo todo para testar nossa boa-fé. Se você não comparecer, ele vai suspeitar que há um problema.

— E se eu concordar?

— Você será observada de perto por vários ex-agentes e atuais da inteligência russa em busca de qualquer sinal de estranheza ou mentira. Também enfrentará perguntas aparentemente benignas a respeito de seu passado, ainda mais sobre o tempo em que trabalhou no RhineBank. Se, de alguma forma, você conseguir passar neste exame, Arkady provavelmente prosseguirá com o negócio.

— E se eu falhar?

— Se tivermos sorte, Arkady vai mandar você embora e nunca mais teremos notícias dele. Se não tivermos sorte, ele vai sujeitar você a um tipo muito diferente de questionamento. E você vai contar tudo a ele, porque isso é o que se faz quando uma arma russa carregada está apontada para sua cabeça. — Ele baixou a voz. — É por isso que estou tentado a sacar minhas fichas e dar a noite por encerrada.

— Eu tenho direito a dizer alguma coisa a esse respeito?

— Não, Isabel. Não tem. Eu lhe pedi que desse sua experiência profissional a Martin Landesmann e apresentasse Arkady a ele em uma recepção lotada, onde você não correria absolutamente perigo algum. Mas nunca a preparei para entrar no mundo de Arkady sozinha.

— É apenas um almoço.

— *Nunca* é apenas um almoço. Arkady vai começar a testar você no momento que passar pela porta dele. Ele vai presumir que você não é quem afirma ser. Depois de fazê-la passar pelo seu repertório de sempre, ele vai tirar a sua partitura e obrigar você a improvisar. O recital não vai terminar até que ele esteja convencido de que você não é uma ameaça.

— Sou capaz de improvisar.

Ele encarou Isabel com uma expressão de descrença.

— Devo dizer que nunca ouvi Someday My Prince Will Come tocada no violoncelo antes. Seu tom foi adorável, mas, fora isso, a execução foi menos do que convincente.

— Então, suponho que teremos de fazer uma segunda vez.

— Não há uma segunda vez, Isabel. Não no que diz respeito aos russos.

— Mas dentro de algumas horas, Arkady ficará com a impressão de que sou amante do Martin... certo?

— É o que eu espero.

— Então, por que Martin Landesmann permitiria que sua jovem e bela namorada participasse de um almoço na *villa* de Arkady se não achasse seguro?

Gabriel sorriu.

— Isso foi um improviso da sua parte?

Ela concordou com a cabeça.

— O que você acha?

Antes que Gabriel pudesse responder, seu telefone tremeu com uma mensagem recebida.

— O avião de seu amante acabou de pousar em Le Bourget.

— Quais são nossos planos?

— Um jantar discreto em um bistrô na esquina.

— E depois?

— A mentirinha para encobrir a grande mentira.

— Qual é a mentirinha?

— Que você vai passar a noite transando com Martin.

— E a grande?

— Você vai passá-la comigo.

38

ÍLE SAINT-LOUIS, PARIS

Martin e Isabel caminharam de mãos dadas pelo Quai de Bourbon sob a luz dos postes até uma *brasserie* ao pé da Pont Saint-Louis. No lado oposto do canal estreito se erguia a Notre-Dame, com os arcobotantes no alto ocultos por andaimes e sem o pináculo. O russo que seguiu Isabel lá de Genebra jantou em um restaurante adjacente; Yossi Gavish e Eli Lavon, em um estabelecimento do outro lado da rua. No meio da refeição, Yossi, de repente, declarou que seu *coq au vin* estava intragável e provocou um confronto acalorado com o chef indignado, que logo foi parar na calçada. Lavon conseguiu acalmar a situação, e os dois combatentes pediram desculpas e prometeram amizade eterna, para deleite dos espectadores nos restaurantes ao redor. Gabriel, que monitorou o incidente pelo telefone de Isabel, só lamentou não ter testemunhado a atuação, pois foi uma das melhores peças de teatro de rua operacional que ele ouviu havia algum tempo.

Ele havia instruído Martin a servir Isabel com uma ou duas taças de vinho durante o jantar. Os dois beberam Sancerre com os aperitivos e, com o prato principal, um maravilhoso da Borgonha. Enquanto voltavam para o apartamento, os passos de Isabel foram lânguidos, a risada, mais esfuziante na noite. O russo acompanhou o casal até a porta, depois atravessou a Pont Marie até um café bar flutuante na margem oposta. A mesa dele tinha uma visão desimpedida da janela do quarto de Martin, onde Isabel apareceu um pouco antes da meia-noite, vestindo apenas uma camisa social masculina. O russo tirou várias fotos com seu smartphone — longe de ser o ideal, mas, quando combinadas com as observações a olho nu em primeira mão, foram mais do que suficientes.

Martin apareceu na janela brevemente, sem camisa, e puxou Isabel para dentro. O russo no café flutuante teria sido perdoado por presumir que o casal voltou para a cama. Na verdade, eles foram até a esplêndida sala de jantar de Martin, onde Gabriel esperava à meia-luz, com as mãos apoiadas sobre a mesa. Ele instruiu Isabel a se sentar na cadeira em frente e recusou o pedido dela para vestir mais roupas. A seminudez de Isabel a incomodava. E teve o mesmo efeito em Gabriel. Ele desviou o olhar ligeiramente ao fazer a primeira pergunta.

— Qual é o seu nome?

— Isabel Brenner.

— Seu nome verdadeiro.

— Esse é o meu nome verdadeiro.

— Onde você nasceu?

— Em Trier.

— Quando você ganhou seu primeiro violoncelo?

— Quando eu tinha oito anos.

— Foi seu pai que deu o violoncelo para você?

— Minha mãe.

— Você disputou a Competição Internacional de Música de ARD quando tinha dezenove anos?

— Dezessete.

— Você tirou o segundo lugar pela execução da Sonata para Violoncelo de Brahms em Mi Menor?

— Terceiro. E era em Fá Maior.

— Há quanto tempo você trabalha para a inteligência israelense?

— Eu não trabalho para a inteligência israelense. Eu trabalho para Martin Landesmann.

— Martin está trabalhando para a inteligência israelense?

— Não.

— Você está envolvida em uma relação sexual com Landesmann?

— Sim.

— Você está apaixonada pelo Landesmann?

— Sim.

— Ele está apaixonado por você?

— Você teria que perguntar a ele.

As perguntas de Gabriel cessaram.

— Como eu me saí?

— Se seu desejo é morrer no sábado à tarde, você se saiu bem. Se, no entanto, deseja sobreviver ao almoço, temos muito trabalho a fazer. Agora me diga seu nome.

— Isabel.

— Por que você deu aqueles documentos para Nina Antonova?

— Eu não fiz isso.

— Há quanto tempo você trabalha para Gabriel Allon?

— Não conheço ninguém com esse nome.

— Você está mentindo, Isabel. E agora você está morta.

O próximo interrogatório simulado foi pior do que o primeiro, e o seguinte foi o equivalente a uma confissão assinada. Mas às quatro da manhã — com algumas dicas valiosas de um criminoso que conseguira convencer o mundo de que era um santo —, Isabel mentiu com a tranquilidade e a confiança de um agente de inteligência altamente treinado. Mesmo Gabriel, que estava procurando por qualquer desculpa para abortar a missão, teve de admitir que ela era mais do que capaz de responder a algumas perguntas em um almoço. Ele não tinha ilusões, no entanto, a respeito da capacidade de Isabel de resistir a uma pressão constante ao estilo da KGB. Se Arkady e seus capangas a amarrassem a uma cadeira, ela recuaria imediatamente ao primeiro discurso ensaiado: que Isabel tinha sido coagida a trabalhar para a inteligência britânica quando era funcionária do RhineBank em Londres. E se isso não funcionasse, ela ofereceria o nome de Gabriel a eles.

A essa altura, eram quase cinco da manhã. Isabel conseguiu dormir algumas horas e, às 9h15, se arrastou até o banco de trás de um táxi para ir à estação de trem de Gare de Lyon. Martin partiu para Le Bourget pouco tempo depois, mas Gabriel permaneceu no apartamento até o fim da tarde, quando Eli Lavon determinou que o local não estava mais sob vigilância do Grupo Haydn. Juntos, os dois seguiram para a Embaixada de Israel no primeiro distrito e desceram a escada para a sala de comunicações seguras. No léxico do Escritório, ela era conhecida como o Santo dos Santos.

No monitor havia uma transmissão da sede da GVI. Martin, parecendo inteiro depois de uma noite sem dormir, estava presidindo a reunião de equipe da tarde. Ao término, Isabel recolheu seus papéis e voltou à sala dela, onde telefonou para Ludmilla Sorova, da NevaNeft. Ludmilla colocou Isabel na espera e, um momento depois, Arkady surgiu na ligação.

— *Eu estava começando a achar que nunca teria notícias suas.*

— *Olá, sr. Akimov.*

— *Por favor, Isabel. Pode me chamar de Arkady.*

— *Ainda estou me esforçando.*

— *Você parece cansada.*

— *Eu? Está sendo um dia cheio.*

— *Espero que tenha sido por minha causa.*

— *Foi, na verdade.*

— *Presumo que Martin esteja interessado na minha oferta?*

— *Estamos trabalhando no prospecto neste momento. Ele me pediu para entregá-lo em Féchy na tarde de sábado.*

— *Você vai ficar para o almoço, espero.*

— *Eu não perderia isso. A que horas devo chegar?*

— *Por volta de treze horas. Mas não se preocupe em arranjar um carro. Vou mandar um.*

— *Não é necessário, sr. Akimov.*

— *Eu insisto. Onde o motorista deve encontrar você?*

Isabel falou o nome de um marco famoso de Genebra, em vez do endereço de seu prédio. A seguir, após uma última troca de gentilezas, a conexão caiu. No Santo dos Santos, o silêncio era absoluto.

Por fim, Eli Lavon disse:

— Talvez músicos clássicos não saibam improvisar, afinal de contas.

— E o que ela deveria ter dito de diferente?

— Ela deveria ter dito a Arkady que sabia muito bem ir a Féchy por conta própria.

— Tenho certeza de que Isabel falou isso. Na verdade, podemos ouvir a gravação, se quiser.

— Ela não insistiu o suficiente.

— E quando Arkady ameaçou levar o dinheiro para outro lugar? — Sem receber resposta, Gabriel zerou a marcação de tempo e clicou no ícone de reprodução. — Ela parece cansada para você?

— Nem um pouco.

— Então, por que Arkady disse isso?

— Porque ele sabe onde Isabel passou a noite passada. E ele quer que Isabel e Martin saibam que ele sabe.

— Por quê?

— *Kompromat.**

— E o que Arkady fará com este naco suculento de *kompromat* que fomos tão generosos em colocar diante dele?

— Ele vai usá-lo para manter Martin na linha. Quem sabe? Ele pode até usá-lo para tornar o negócio mais favorável, se achar que Martin está ficando com uma parte muito grande do dinheiro.

— Então, nós pegamos Arkady? É isso que você está dizendo, Eli?

Lavon hesitou, depois concordou com a cabeça.

Gabriel aumentou o volume da transmissão do celular hackeado de Isabel.

— O que ela está cantarolando?

— Elgar, seu caipira.

— Por que Elgar?

— Talvez ela esteja tentando dizer que prefere não almoçar com um capanga treinado pelo Centro de Moscou.

— Não tem como Arkady matá-la na Suíça… certo, Eli?

— Certamente que não. Ele vai cruzar a fronteira com a França de carro com Isabel — disse Lavon. — E aí vai matá-la.

---

* Prática da espionagem russa de acumular informações a respeito de uma pessoa que podem ser utilizadas posteriormente para pressioná-la, chantageá-la ou, simplesmente, destruir sua reputação. (N. do T.)

39

FÉCHY, CANTÃO DE VAUD

O sábado amanheceu nublado e cinzento, mas no fim da manhã o sol brilhou com força nas calçadas da Rue du Purgatoire. Isabel estava esperando nos degraus do Templo de la Madeleine, uma das igrejas mais antigas de Genebra. Suas roupas, todas recém-compradas, eram adequadas para um almoço à beira do lago com uma multidão de russos obscenamente ricos — calça Max Mara, escarpins Ferragamo, suéter e casaco de casimira Givenchy, uma bolsa Louis Vuitton. Dentro, havia uma proposta detalhada para lavar e esconder 11,5 bilhões de dólares em ativos estatais russos saqueados. Martin e ela deram os retoques finais no documento na noite anterior, durante uma maratona na sede da GVI.

Isabel verificou a hora no relógio de pulso — um Jaeger--LeCoultre Rendez-Vous cravejado com pequenos diamantes, um presente de Martin — e viu que era exatamente meio-dia. Ao erguer o olhar, ela avistou uma Mercedes Classe S elegante se aproximando pela rua estreita. O motorista parou ao pé da escada e baixou a janela do carona.

— Madame Brenner?

Ela se acomodou no banco de trás para a viagem de trinta minutos até Féchy, uma vila rica que produz vinhos no Cantão de Vaud, na margem norte do lago de Genebra. Não foi surpresa que a *villa* de Arkady fosse a maior do município. O extravagante saguão de entrada era uma réplica do Salão Andreyevsky do Grande Palácio do Kremlin, em escala menor, mas não menos ornamentado.

— O que você acha? — perguntou ele.

— Estou sem palavras — disse Isabel com sinceridade.

— Espere até ver o resto.

Os dois passaram por um par de portas douradas e entraram na reprodução do Salão Alexandrovsky. Em seguida, veio uma série de salas de estar de decoração elegante, cada uma com um tema distinto. Aqui uma casa de campo, ali um palácio à beira-mar, acolá o gabinete cheio de livros de um grande intelectual russo. Apenas um dos cômodos estava ocupado, uma sala bem iluminada em que três garotas de pernas compridas posavam como se fossem participar de uma sessão de fotos de moda. Elas olharam Isabel com inveja óbvia.

Finalmente, eles surgiram em um grande terraço onde uma centena de russos bebericava champanhe sob o sol frio de outono. Isabel teve de levantar a voz para ser ouvida por causa da música.

— Eu estava esperando um pequeno almoço.

— Eu não faço coisas pequenas.

— Quem são todas essas pessoas?

Arkady direcionou o olhar para um homem bem alimentado com o braço em volta da cintura de uma jovem incrivelmente bonita.

— Presumo que você o reconheça.

— Claro.

O homem era Oleg Zhirinovsky, presidente da Gazprom, a gigante estatal russa de energia. A jovem que ele estava apalpando era a esposa número quatro. Ter se livrado da número três lhe custou várias centenas de milhões de libras em um tribunal de Londres.

Arkady apontou para outro convidado.

— E aquele lá?

— Deus do céu.

Era Mad Maxim Simonov, o rei do níquel da Rússia.

— E aquele?

— É o...?

— Oleg Lebedev, também conhecido como "sr. Alumínio".

— É verdade que ele é o homem mais rico da Rússia?

— O segundo mais rico. — Arkady pegou duas taças de champanhe da bandeja de um garçom que passava e deu uma a Isabel. — Acredito que a viagem de carro de Genebra tenha sido confortável?

— Muito.

— E você trouxe a proposta?

Isabel deu um tapinha na bolsa Louis Vuitton.

— Talvez devêssemos examiná-la agora. Assim podemos relaxar e aproveitar o resto da tarde.

Já dentro, eles subiram por uma grande escadaria e entraram no escritório particular de Arkady. A sala não tinha a vulgaridade czarista banhada a ouro do resto da *villa*. Segurando a taça de champanhe no alto, Isabel colocou a mão direita nas teclas de um piano Bösendorfer e tocou a passagem de abertura da Sonata ao Luar de Beethoven.

— Existe alguma coisa que você não saiba fazer? — perguntou Arkady.

— Não sei tocar o resto desta sonata. Não mais, pelo menos.

— Duvido muito. — Ele a conduziu a uma área perto das janelas e abriu uma caixa decorativa na mesa de centro laqueada. — Coloque seu celular dentro, por favor.

Isabel obedeceu. Em seguida, ela tirou o prospecto da sacola e entregou o documento a Arkady.

— Esta é a única cópia?

— Tirando o arquivo original, que está em um computador fora da rede no meu escritório.

Ele colocou um par de óculos de leitura e folheou lentamente as páginas.

— Há muitos imóveis comerciais britânicos e americanos.

— Isso porque a pandemia criou um excesso de propriedades disponíveis. Acreditamos que esses ativos podem ser adquiridos a preços favoráveis e que seu valor crescerá assim que a economia americana recuperar sua posição pré-pandemia.

— Quanto tempo terei de ficar com a posse desses imóveis para ter lucro?

— Três a cinco anos, para garantir.

Arkady baixou o olhar novamente.

— Cinquenta milhões de dólares para uma empresa de alimentos orgânicos em Portland?

— Acreditamos que ela está subvalorizada e pronta para um crescimento futuro.

— Cem milhões para um fabricante de painéis solares? — Ele virou outra página. — Duzentos milhões para uma empresa que fabrica turbinas eólicas?

Arkady olhou para Isabel por cima dos óculos de leitura.

— Você se esqueceu de que estou no ramo do petróleo?

— Adquirir essas empresas vai permitir que você pague pelos seus pecados pela emissão de carbono.

Sorrindo, ele baixou os olhos novamente.

— Trezentos milhões para um distribuidor de peças de reposição para aeronaves em Salina, no Kansas?

— Se você comprar a principal concorrente dessa empresa, vai dominar o mercado americano.

— Ela está à venda?

— Estamos ouvindo rumores.

Ele voltou a ler a seção de imóveis do documento.

— O edifício comercial mais alto em Canary Wharf, em Londres?

— Uma oportunidade imperdível.

— Uma torre comercial e residencial na avenida Brickell, no centro de Miami?

— É uma pechincha por seiscentos milhões. Além do mais, você poderá converter dezenas de milhões de dólares com a revenda de condomínios de luxo nos andares superiores.

— Converter?

Isabel sorriu.

— Lavar dinheiro é uma expressão tão feia.

— O que nos traz à sua taxa. — Arkady folheou até o fim do documento. — Um bilhão e meio de dólares em consultoria e outras taxas, pagáveis a uma empresa de fachada de responsabilidade limitada registrada nas Ilhas do Canal.

Ele ergueu o olhar.

— Meio caro, não acha?

— Você está pagando pelo bom nome de Martin. Não sai barato.

— Nem, ao que parece, a conversão de moeda.

Isabel não respondeu.

— Presumo que você tenha alguém em mente para o serviço?

— A filial de Londres do RhineBank. Eles são os melhores no ramo.

— E isso você sabe muito bem. Afinal, foi lá que começou sua carreira. Você foi recrutada pelo RhineBank depois de terminar sua graduação na Escola de Economia de Londres.

— O senhor obviamente pesquisou meu passado.

— Você esperava que não?

Isabel ignorou a pergunta.

— Encontrou alguma coisa interessante?

— Você não foi demitida do RhineBank de Zurique porque foi flagrada com a boca na botija. Foi demitida porque trabalhava para a chamada Lavanderia Russa. A maioria de seus colegas ainda está procurando emprego, mas você conseguiu se firmar na Global Vision Investments de Genebra. — Arkady baixou a voz. — E agora está sentada em meu gabinete particular, se oferecendo para *converter* mais de 11,5 bilhões de dólares do meu dinheiro.

— Estou aqui, sr. Akimov, porque por algum motivo o senhor insistiu que eu viesse.

— Garanto a você, minhas intenções eram nobres.

— Eram mesmo?

— Eu só esperava conhecê-la melhor.

— Nesse caso, por onde gostaria que eu começasse?

— Tocando o resto da Sonata ao Luar.

— Eu disse que não consigo me lembrar.

— Eu ouvi da primeira vez, Isabel, mas não acredito em você.

40

FÉCHY, CANTÃO DE VAUD

— Mecânico e sem tesão — declarou Arkady na conclusão do primeiro movimento. — Mas é óbvio que você pode tocar muito bem, caso queira.

— Que tal essa? — Isabel tocou a passagem de abertura de When I Fall in Love.*

— Você já? — perguntou Arkady.

— Se já me apaixonei? Uma ou duas vezes.

— E está apaixonada agora?

Isabel se levantou do piano sem responder e voltou ao assento.

— Onde estávamos?

— No RhineBank — respondeu Arkady.

— Fundado em 1892 na Cidade Livre e Hanseática de Hamburgo, que, como o senhor sabe, fica às margens do rio Elba, e não do Reno.** Atualmente o quarto maior banco do mundo, com aproximadamente 27 bilhões em receitas e 1,6 trilhão em ativos.

Ele encarou Isabel com uma expressão sem emoção.

---

* "Quando me apaixono". (N. do T.)

** RhineBank seria "Banco do Reno", daí o comentário jocoso. (N. do T.)

— Fale a respeito do seu trabalho lá.

— Eu assinei um contrato de sigilo como parte do meu pacote de indenização. Não estou em liberdade de discutir qualquer coisa que tenha feito pelo Rhinebank.

— Você já lidou com transações relacionadas a uma empresa chamada Omega Holdings?

— Arkady, por favor.

— Finalmente! — O sorriso dele pareceu quase genuíno.

— Nunca soube a identidade de *nenhum* dos clientes — explicou Isabel. — Eu apenas assinava as transações.

— Então por que foi demitida?

— Eu fazia parte da Lavanderia Russa. Todos nós tivemos de ser demitidos.

— Foi você quem vazou os documentos para os jornais?

— Sim, Arkady. Fui eu.

— Estou contente por termos esclarecido isso. — Outro sorriso. — Agora me diga como você acabou trabalhando para Martin Landesmann.

— Da maneira de sempre. Ele me ofereceu um emprego.

— Por que você?

— Creio que ele queria o meu conhecimento.

— Conhecimento?

— Eu sei converter fundos sem ser flagrada.

— E quando você começou a transar com ele?

Isabel propositalmente deixou que um tom de falsidade entrasse em sua negação.

— Martin é um homem bem-casado.

— Assim como eu — respondeu Arkady. — E é muito óbvio que vocês dois estão envolvidos em um caso de amor tórrido. Só espero que, pelo bem de Martin, isso nunca se torne público. A excelente reputação dele seria prejudicada.

— Isso soa como uma ameaça.

— Ah, é?

— Com o que você está tão preocupado? — perguntou Isabel. — Martin e eu somos obrigados a cumprir as regras da Lei de Prevenção à Lavagem de Dinheiro. E somos nós que seremos multados ou até processados pelas nossas ações, se formos pegos. Você, como cliente, não corre esse risco.

— Minhas preocupações são geopolíticas, não legais. Mas, por favor, continue.

— Foi você quem veio até nós, Arkady. Lembra?

— Lembro que você interpretou uma das minhas composições favoritas do meu compositor favorito em uma recepção que me custou vinte milhões de francos suíços para participar. E eu me lembro de que, quando expressei interesse em fazer negócios com Martin, vocês dois bancaram os difíceis.

— Bancamos os difíceis porque não achamos uma boa ideia fazer negócios com russos. — Ela guardou o prospecto na sacola e se levantou. — Por razões que agora são muito óbvias.

— Onde você pensa que está indo?

— De volta a Genebra.

— Por quê?

— Desculpe, Arkady. O negócio foi cancelado.

— Você não acha que deveria consultar Martin antes de dar as costas para uma recompensa de bilhões de dólares?

— Martin fará tudo o que eu mandar.

— Eu não duvido disso.

Isabel abriu a tampa da caixa decorativa que bloqueava sinais de celular, mas Arkady a fechou com um estalo forte antes que ela pudesse retirar o aparelho.

— Por favor, sente-se.

— Estou indo embora.

— Como você pretende voltar para Genebra?

— Vou pedir um Uber. — Ela conseguiu dar um sorriso. — Eles estão super na moda.

— Isso não será fácil sem o seu telefone, não é? — A mão dele ainda estava apoiada na tampa da caixa. — Além disso, você não almoçou.

— Eu perdi meu apetite. — Isabel retirou o prospecto da sacola e deixou cair sobre a mesa. — Como faremos, Arkady?

— Eu preciso de alguns dias para pensar a respeito.

Isabel olhou para o relógio de pulso.

— Você tem um minuto.

A voz de Arkady foi a primeira que Gabriel e sua equipe ouviram quando o telefone de Isabel, após uma ausência de 27 minutos, reconectou-se à rede de celular da Swisscom. Curiosamente, o oligarca russo a estava criticando com educação por ter corrido por uma passagem importante da Sonata ao Luar de Beethoven. Os dados de geolocalização e altitude do celular indicavam que os dois ainda estavam no escritório de Arkady, assim como as imagens de vídeo capturadas pela câmera do aparelho, que focou brevemente no rosto de Isabel enquanto ela verificava as mensagens de texto. Não havia nada em sua expressão que indicasse que ela estivesse sendo coagida, embora fosse evidente pela qualidade instável da imagem que a mão tremia ligeiramente.

Isabel largou o telefone no vazio escuro de sua bolsa Louis Vuitton e seguiu Arkady escada abaixo até o terraço da *villa*, onde os dois circularam no meio da multidão russa. Ele a apresentou como "uma conhecida", uma descrição que contemplava todos os tipos de pecados. O presidente da Gazprom, Oleg Zhirinovsky, ficou encantado, e Mad Maxim Simonov, o rei do níquel, apaixonado.

Ele convidou Isabel para acompanhá-lo a bordo de seu iate, com o nome apropriado de *Travessura*, para seu cruzeiro anual de verão pelo Mediterrâneo. Isabel recusou sabiamente.

Às 15h15, ela informou a Arkady que tinha contas a fazer — uma oportunidade de investimento dentro da lei em uma empresa norueguesa de comércio eletrônico — e precisava voltar para Genebra. Relutantemente, ele a acompanhou até o carro. O motorista a deixou no Templo de la Madeleine e, sendo seguida por dois agentes do Grupo Haydn, ela foi a pé até a Place du Bourg-de-Four. No andar de cima, em seu apartamento, ela interpretou Suíte para Violoncelo em Ré Menor de Bach. Todos os seis movimentos. Sem partituras. Ou sequer um erro.

Parte Três

◇◇◇◇◇◇◇◇◇◇◇◇◇◇◇◇◇◇◇◇◇◇

ADAGIO CANTABILE

41

GENEBRA-LONDRES

Três dias após o almoço no palácio de Arkady Akimov em Féchy, os habitantes da antiga cidade à beira do lago de Genebra ficaram ansiosos no momento em que os Estados Unidos iam às urnas. O presidente republicano aproveitou o que pareceu ser uma vantagem inicial considerável nos principais campos de batalha — os estados de Wisconsin, Michigan e Pensilvânia —, mas viu sua liderança evaporar quando as cédulas enviadas por correio e os votos iniciais foram contados. Visivelmente abalado, ele apareceu diante de apoiadores no Salão Leste da Casa Branca na manhã de quarta-feira e, surpreendentemente, exigiu que os funcionários eleitorais parassem a contagem. Mesmo assim, ela continuou e, no sábado, as redes de televisão declararam o democrata como vencedor. Milhões de americanos saíram às ruas em uma erupção espontânea de alegria e alívio absolutos. Para Isabel, parecia que eles estavam celebrando a queda de um tirano.

Na segunda-feira, a vida em Genebra voltou praticamente ao normal, embora com uma nova ordem de uso de máscara imposto pelo governo devido a um aumento repentino nos casos de coronavírus. Isabel trabalhou em seu apartamento na Cidade Velha até o fim da manhã e depois voou para Londres a bordo do Gulfstream de Martin, o menor de seus dois jatos particulares. Ao chegar ao Aeroporto da Cidade de Londres, ela passou por uma verificação superficial de seu passaporte alemão antes de se acomodar no banco de trás de uma limusine que a esperava. O carro a levou para a zona oeste da cidade, até a filial da Fleet Street do RhineBank de Londres, seu antigo local de trabalho.

Bem em frente ao prédio ficava um café onde Isabel costumava almoçar. De máscara, ela pegou uma mesa na calçada e pediu um expresso. Às 16h30, verificou o índice FTSE 100 e viu que os preços das ações de Londres haviam caído quase dois por cento. Assim sendo, Isabel esperou até 16h45 antes de ligar para Anil Kandar.

— O que você quer, porra?

— Eu vou bem, Anil, e você?

— Você viu o preço das nossas ações ultimamente?

— Acredito que esteja um pouco abaixo de dez. Espere, vou verificar.

— No que você está pensando, Isabel?

— Em dinheiro, Anil. Muito dinheiro.

— Sou todo ouvidos.

— Não é algo que eu possa discutir ao telefone.

— Meu tipo de negócio favorito. Onde você está?

— Do outro lado da rua.

— Vinte minutos — disse Anil, e desligou.

Eram quase 17h30 quando ele finalmente saiu pela entrada do RhineBank. Como de costume, Anil estava vestido inteiramente de preto, um estilo que adotou quando ainda estava em Nova York, onde ganhou a reputação de um dos operadores mais imprudentes do RhineBank. Como recompensa, ele recebeu o controle da divisão de mercados globais, um posto que lhe permitiu acumular uma fortuna pessoal de nove dígitos. Anil morava em uma enorme mansão vitoriana em um subúrbio chique de Londres e ia para o trabalho todas as manhãs em um Bentley com motorista. Nascido no norte da Virgínia, educado em Yale e na Wharton School, ele passou a falar inglês com um forte sotaque britânico. Tal e qual o traje preto como carvão, o sotaque era uma coisa que ele colocava logo cedo de manhã.

Anil se sentou à mesa de Isabel e pediu um chá Earl Grey. O cheiro de colônia, tônico capilar e tabaco era insuportável. Era o odor, Isabel se lembrou, do RhineBank de Londres.

Ele tirou a tampa da bebida e meteu na boca uma pastilha de Nicorette.

— Você está bonita, Isabel.

— Obrigada, Anil. — Ela sorriu. — Você está uma merda.

— Creio que mereci isso.

— Mereceu. Você foi horrível comigo quando trabalhei aqui.

— Não foi pessoal. Você era um pé no saco.

— Eu só estava tentando fazer meu trabalho.

— Eu também. — Anil soprou o chá. — Mas ouvi dizer que você passou a jogar junto depois de se mudar para a filial de Zurique. Lothar Brandt me disse que você assinava todo papel que ele colocava na sua frente.

— E veja o que isso me arrumou — murmurou ela.

— Um emprego com São Martin Landesmann.

— As notícias andam rápido.

— Especialmente quando todos os outros que foram demitidos ainda estão procurando um emprego com salário justo. Felizmente, conseguimos conter os danos à filial de Zurique.

Anil gostava de usar a palavra *nós* quando se referia à alta administração. Ele tinha a ambição de um dia se tornar um integrante do Conselho dos Dez, talvez até o diretor executivo da empresa. Nascido americano e com sangue indiano, Anil teria de pagar pelo privilégio. Daí seu hábito de realizar transações imprudentes. Ele não tinha integridade pessoal ou profissional alguma. Em resumo, era o funcionário modelo do RhineBank.

— Como está sua carteira de transações atualmente? — perguntou Isabel.

— Não está tão interessante quanto antes. O Conselho dos Dez mandou uma ordem de suspensão para nós após o massacre de Zurique. Chega de negócios arriscados com a Rússia até que a poeira baixe.

— E baixou?

— Eu fiz alguns testes. Dinheiro miúdo, principalmente. Vinte milhões aqui, quarenta milhões ali. Merreca.

— E?

— Tudo numa boa. Nem um pio dos reguladores britânicos ou dos americanos.

— O Conselho dos Dez sabe o que você está aprontando?

— Você conhece o velho ditado, Isabel. O que Hamburgo não sabe... — Anil tirou outra pastilha de Nicorette da embalagem. — Estou prestes a entrar em abstinência e infelizmente não será nada agradável. Então, por que você não me diz do que se trata?

— A Global Vision Investments gostaria de contratar os serviços da divisão de mercados globais do RhineBank. Em troca desses serviços, estamos dispostos a ser muito generosos.

— Que tipo de serviços?

Isabel sorriu.

— Espelho, espelho meu.

— De quanto estamos falando?

— Não é merreca, Anil. Nem de perto.

Anil tragou o primeiro Dunhill antes de chegarem ao Victoria Embankment. Àquela altura, Isabel já havia delineado os parâmetros básicos do negócio. E, enquanto caminhavam ao longo do Tâmisa em direção ao Palácio de Westminster, ela entrou em mais detalhes — principalmente por conta do público, que estava monitorando a conversa pelo telefone dentro de sua bolsa. Representantes de seu cliente, explicou Isabel, comprariam blocos de ações de primeira linha do RhineBank de Moscou em rublos. Simultaneamente, Anil compraria quantidades idênticas das mesmas ações de primeira linha de representantes do cliente de Isabel no Chipre, nas Ilhas do Canal, nas Bahamas e nas Ilhas Cayman. Ao todo, quatrocentos bilhões de rublos seriam convertidos e transferidos da Rússia para o Ocidente. Dado o tamanho extraordinário do projeto, ele precisaria necessariamente ser realizado aos poucos — cinco bilhões aqui, dez bilhões ali, uma operação ou duas por dia, mais se não houvesse reação regulatória. O dinheiro acabaria chegando às contas do Meissner PrivatBank de Liechtenstein, fato que ela não divulgou a Anil. Nem informou o nome de seu misterioso cliente russo, apenas a quantidade de dinheiro que eles estavam dispostos a pagar ao RhineBank de Londres em taxas e outras cobranças pelo serviço.

— Quinhentos milhões? — Anil estava previsivelmente chocado. — Não vou mexer nisso por menos de um bilhão.

— Claro que vai, Anil. Você está salivando. A única questão é se você vai ligar para Hamburgo hoje à noite para obter a aprovação do Conselho dos Dez.

Ele jogou a ponta do cigarro no rio.

— O que Hamburgo não sabe...

— Como você vai explicar quinhentos milhões adicionais no seu livro-caixa?

— Vou espalhá-los por aí. Eles nunca vão descobrir de onde veio.

— É bom saber que nada mudou desde que saí. — Isabel entregou a Anil um pen drive. — Aí estão todas as contas e números de roteamento relevantes.

— Quando você quer começar?

— Que tal amanhã?

— Sem problemas. — Anil colocou o pen drive no bolso do sobretudo preto. — Acho que esses rumores a respeito de Martin Landesmann são verdadeiros, afinal de contas.

— A que rumores você está se referindo?

— De que ele não é santo coisa nenhuma. E nem você, ao que parece. — Ele lhe lançou um olhar malicioso. — Se eu soubesse...

— Você está salivando de novo, Anil.

— Tem tempo para uma bebida comemorativa?

— Eu tenho de voltar para Genebra hoje à noite.

— Da próxima vez que você estiver na cidade?

— Provavelmente, não. Não me leve a mal, mas você realmente está uma merda.

Quando Isabel chegou ao Aeroporto da Cidade de Londres, o avião de Martin estava abastecido e liberado para decolar. O inglês ergueu o olhar do laptop quando ela entrou na cabine.

— Que tal aquela bebida agora? — perguntou ele.

— Eu mataria por uma.

— Eu acho que champanhe cai bem, não?

— Se você insiste.

O inglês entrou na cozinha e surgiu um instante depois com uma garrafa aberta de Louis Roederer Cristal. Ele serviu duas taças e entregou uma a Isabel.

— A que devemos beber? — perguntou ela.

— A outro desempenho notável de sua parte.

— Tenho uma ideia melhor. — Isabel ergueu a taça. — Ao banco mais sujo do mundo.

O inglês sorriu.

— Que descanse em paz.

42

QUAI DU MONT-BLANC, GENEBRA

Às onze horas da manhã seguinte, um corretor russo da bolsa de valores chamado Anatoly Bershov ligou para seu contato no RhineBank de Moscou em nome de um cliente não identificado e comprou vários milhares de ações de uma empresa americana de biotecnologia que desenvolveu e produziu um kit de teste de Covid usado em larga escala. Cinco minutos depois, o mesmo corretor instruiu seu representante no Chipre, um certo sr. Constantinides, a *vender* um número idêntico de ações da empresa para um certo Anil Kandar, chefe da divisão de mercados globais do RhineBank em Londres. A primeira transação foi realizada em rublos, a segunda, em dólares. O sr. Constantinides imediatamente transferiu os rendimentos para um banco cipriota correspondente — localizado no mesmo prédio comercial de Nicósia, que pertencia a empresas russas anônimas — e esse banco transferiu o dinheiro para o Caribe, onde pulou de uma instituição financeira suspeita para a próxima até chegar ao Meissner PrivatBank de Liechtenstein.

Àquela altura, o dinheiro já tinha passado por tantas empresas de fachada pouco convincentes que era quase impossível determinar seu ponto de origem. Para garantir, Meissner escondeu a quantia atrás de uma última camada de névoa corporativa antes de escoá-la para o Credit Suisse em Genebra, onde foi depositada em uma conta controlada pela Global Vision Investments. Um *fonctionnaire* do Credit Suisse enviou um e-mail de confirmação para uma executiva da GVI chamada Isabel Brenner, que, sem o conhecimento do *fonctionnaire*, era a mão escondida por trás de todo o engodo pavoroso.

Anatoly Bershov ligou pela segunda vez para o contato dele no RhineBank de Moscou pouco depois das quinze horas. Desta vez, seu cliente desejava adquirir vários milhares de ações de um gigantesco conglomerado americano de alimentos e bebidas. O banqueiro de quem Anil Kandar comprou um número idêntico de ações em dólares estava nas Bahamas. Os fundos ricochetearam entre várias instituições duvidosas das Bahamas, todas localizadas na mesma rua de Nassau, antes de cruzar o Atlântico na direção oposta e encontrar abrigo temporário no Meissner PrivatBank de Liechtenstein. O Credit Suisse tomou posse do dinheiro às 16h15, hora de Genebra. Confirmação por e-mail para Isabel Brenner, da Global Vision Investments.

As transações produziram mais de cem páginas de registros, incluindo dois documentos internos da GVI que exigiam tanto a assinatura de Isabel quanto a do cliente misterioso de Anatoly Bershov. Felizmente, o escritório dele ficava do outro lado do rio Ródano, na Place du Port. Isabel chegou às dezessete horas e, depois de colocar o celular em uma caixa decorativa que bloqueava o sinal, foi recebida no santuário interno de Arkady no sétimo andar — um andar acima da sede da misteriosa subsidiária da NevaNeft conhecida como Grupo Haydn. Para surpresa dela, Arkady assinou pessoalmente os documentos onde indicado.

Isabel tirou cópia da papelada ao retornar à sede da GVI, junto com os outros registros relevantes, e colocou os originais em um cofre em seu escritório. Ela deu as cópias a um mensageiro, que as entregou em uma *villa* alugada no bairro diplomático de Champel. A chegada dos documentos foi motivo para uma breve comemoração. Três meses após seu início improvável, a operação rendeu os primeiros frutos. Gabriel e o Escritório eram agora acionistas minoritários na cleptocracia conhecida como Kremlin S/A.

Anil Kandar sugeriu que pisassem no freio por tempo suficiente para descobrir se os moderadores do RhineBank na Autoridade de Conduta Financeira, órgão regulador financeiro do Reino Unido, haviam tomado conhecimento das transações incomuns. Isabel poderia ter garantido ao ex-colega que a Autoridade de Conduta Financeira estava bem ciente das atividades dos dois, assim como o Serviço Secreto de Inteligência de Sua Majestade. Em vez disso, ela concordou em fazer uma pausa, desde que fosse breve. Seu cliente, escreveu Isabel em um e-mail cheio de indiretas, não era um homem de natureza paciente.

Quarenta e oito horas foram suficientes para aquietar as preocupações de Anil, e na manhã de sexta-feira, Anatoly Bershov estava otimista em relação à Microsoft. Anil Kandar, também. Na verdade, nem cinco minutos se passaram assim que Bershov fez uma aposta multibilionária no conglomerado no RhineBank de Moscou, e Anil comprou um número idêntico de ações do sr. Constantinides, do Chipre, embora ele tenha pagado as fichas com dólares americanos. O dinheiro apareceu em uma conta da GVI no Credit Suisse no fim da manhã, e o produto de uma segunda transação espelhada apareceu no meio da tarde. Arkady assinou os documentos naquela noite na sede da NevaNeft.

Depois, ele convidou Isabel para tomar uma taça de champanhe. Citando um assunto urgente na empresa, ela tentou se livrar com uma desculpa, mas Arkady foi insistente. Ludmilla Sorova trouxe uma garrafa de Dom Pérignon e duas taças e, durante quase uma hora, conforme a última luz sumia do céu de Genebra, eles debateram os méritos dos quatro concertos para piano de Rachmaninoff. Isabel declarou que o segundo era o melhor do compositor. Arkady concordou, embora sempre tivesse tido uma queda pelo terceiro concerto vigoroso e gostasse especialmente de uma gravação recente do pianista russo Daniil Trifonov.

A conversa o deixou em um estado de espírito reflexivo.

— Se ao menos eu pudesse conversar com Oksana desse jeito — lamentou ele.

— Ela não gosta de Rachmaninoff?

— Oksana prefere música eletrônica para dançar. — Arkady deu um sorriso tímido para Isabel. — Você pode achar difícil de acreditar, mas não me casei com ela por causa do intelecto.

— Ela é muito bonita, Arkady.

— Mas infantil. Fiquei aliviado por ela ter se comportado durante o recital de Anna Rolfe. Não muito antes da pandemia, eu a levei para uma apresentação do concerto para violino de Tchaikovski. Jurei que nunca mais faria isso.

— Quem era o solista?

— Uma jovem holandesa. O nome dela me foge.

— Janine Jansen?

— É, essa mesmo. Você também a conhece?

— Nunca nos encontramos — respondeu Isabel.

— Ela não é uma Anna Rolfe, mas é muito talentosa. — Arkady colocou champanhe na taça de Isabel. — Desculpe, mas não me lembro como você conheceu Anna.

— Fomos apresentados por Martin.

— Sim, claro. Isso faz sentido — falou Arkady. — Martin conhece todo mundo.

Enquanto caminhava para casa, percorrendo as ruas escuras da Cidade Velha, Isabel chegou à conclusão perturbadora de que Arkady estava interessado em expandir os parâmetros do relacionamento deles a ponto de incluir um componente romântico ou, Deus a livre, sexual. Ela compartilhou essas preocupações com Gabriel na noite da segunda-feira durante outro encontro cuidadosamente coreografado no apartamento de Martin na Île Saint-Louis, em Paris. Na manhã seguinte, durante um desjejum no café da Fleet Street, ela informou a Anil Kandar que eles precisavam acelerar o ritmo das transações espelhadas ilícitas. Ele respondeu com quatro grandes transações que produziram quase cem milhões de dólares.

Anil planejou mais quatro transações espelhadas na quarta-feira e outras quatro no dia seguinte. Mas foi o lote de sexta-feira — seis grandes transações com mais de duzentos milhões em receita — que os colocou no topo. Isabel obteve as assinaturas necessárias durante um pulo na sede da NevaNeft no fim da tarde e, pela segunda vez, foi convidada para tomar uma taça de champanhe. A natureza íntima da conversa deixou poucas dúvidas de que Arkady estava perdidamente apaixonado pela bela violoncelista alemã que lavava seu dinheiro sujo da Rússia. Ela ficou, portanto, aliviada quando, pouco depois das dezoito horas, Martin apareceu na tela da televisão gigante instalada na parede do escritório de Arkady.

— Você nunca respondeu à minha pergunta — disse ele, finalmente.

— A respeito do meu relacionamento com Martin?

— Isso.

— Martin e eu somos colegas. — Isabel fez uma pausa e acrescentou: — Assim como nós, Arkady.

Ele apontou um controle remoto para a tela e aumentou o volume.

— Ele fica muito bem na televisão, não é? E pensar que nem uma única palavra do que Martin está dizendo é verdade.

— Não é tudo mentira. Ele apenas se esqueceu de mencionar um ou dois detalhes pertinentes.

— Tais como?

— O nome do homem que está financiando a farra de gastos planejada por ele.

— Não existe tal homem. — Arkady sorriu. — Ele é o sr. Ninguém.

Isabel apertou a haste da taça de champanhe com tanta força que ficou surpresa por ela não ter quebrado. Arkady pareceu não notar, seu olhar estava fixo na televisão.

— E você também está enganada a respeito de outra questão — disse ele, após um momento. — Ludmilla Sorova é minha colega. Você, Isabel, é algo totalmente diferente.

A apresentadora do programa da CNBC no qual Martin apareceu era ninguém menos que Zoe Reed. O tópico dizia respeito a rumores que circulavam em Wall Street de que a Global Vision Investments estava considerando fazer vários negócios nos Estados Unidos, inclusive no setor de imóveis comerciais em dificuldades, o que a empresa havia evitado no passado. Martin foi esquivo como sempre. Sim, ele reconheceu que tinha vários projetos no forno americano. A maioria se concentrava nos setores de energia e tecnologia voltados para o futuro, onde ele tradicionalmente atuava, mas o mercado imobiliário comercial não estava descartado. A GVI esperava uma recuperação forte pós-pandemia nos Estados Unidos, assim que uma porcentagem suficiente da população tivesse sido vacinada. A percepção de que a pandemia mudaria para sempre a natureza do trabalho estava errada. Os americanos, declarou Martin, logo estariam de volta às empresas.

— Mas isso não significa que podemos voltar a hábitos antigos. Precisamos tornar nossos locais de trabalho mais ecológicos, mais inteligentes e com uma eficiência energética muito maior. Lembre-se, Zoe, não há vacina para o aumento do nível do mar.

— É verdade que o senhor está procurando um arranha-céu no centro de Chicago?

— Estamos analisando vários projetos diferentes.

— E quanto à atual turbulência política dos Estados Unidos? O senhor não está preocupado com a estabilidade do mercado?

— As instituições democráticas dos Estados Unidos — respondeu Martin diplomaticamente — são fortes o suficiente para resistir ao desafio atual.

A entrevista deixou poucas dúvidas quanto às intenções de Martin. Era apenas uma questão de quando, onde e quanto. A espera por uma resposta não foi longa — cinco dias, na verdade —, embora o imóvel em questão tenha sido uma surpresa. Isabel obteve as assinaturas necessárias na sede da NevaNeft e encaminhou cópias dos documentos para a *villa* alugada em Champel. O Kremlin S/A. era agora o proprietário orgulhoso de uma torre de escritórios e condomínios de sessenta andares na avenida Brickell, em Miami, o que significava que Gabriel era agora o proprietário orgulhoso de Arkady Akimov. Finalmente havia chegado a hora de acolher um sócio a mais — um sócio com poder de fogo financeiro para transformar o império de Arkady em cinzas. Ele tinha uma pequena questão não relacionada ao caso para tratar primeiro no Boulevard Rei Saul.

43

TEL AVIV-LANGLEY, VIRGÍNIA

Mohsen Fakhrizadeh afirmava ser nada mais do que um humilde professor de física na Universidade Imam Hussein, no centro de Teerã. Na verdade, ele era um alto funcionário do Ministério da Defesa iraniano, um oficial de carreira do Corpo da Guarda Revolucionária e o líder do programa de armas nucleares daquele país. Quatro de seus principais cientistas morreram violentamente pelas mãos de assassinos do escritório. Mas Fakhrizadeh, que vivia em um complexo murado e estava sempre cercado por um grande destacamento de guarda-costas, havia sobrevivido a vários atentados contra sua vida. A fase de boa sorte terminou, no entanto, na última sexta-feira de novembro de 2020, em uma estrada perto da cidade de Absard. A operação, planejada havia meses, foi executada com a precisão de um quarteto de cordas de Haydn. Ao cair da noite, toda a equipe de doze assassinos do escritório havia escapado do país, e o líder do programa nuclear do Irã estava em um caixão, envolto em uma mortalha.

Gabriel dirigiu o assassinato de Fakhrizadeh do centro de operações no Boulevard Rei Saul. Um dos primeiros telefonemas que ele recebeu na sequência foi do diretor da CIA, Morris Payne — o que não foi uma surpresa, visto que Gabriel havia se esquecido de informar a

Langley que o assassinato era iminente. Depois de dar parabéns com má vontade, Payne indagou se Gabriel estava livre para vir a Washington para uma autópsia operacional. Ele tinha uma janela em sua agenda na segunda-feira. A janela, disse ele, tinha o nome de Gabriel.

— Terça-feira seria melhor, Morris.

— Nesse caso — respondeu Payne —, vejo você na segunda de manhã às dez horas.

Na verdade, Gabriel estava ansioso para fazer essa viagem, pois ela já deveria ter ocorrido havia muito tempo. Ele passou o fim de semana com Chiara e os filhos em Jerusalém e, no fim da noite de domingo, embarcou em seu avião para o voo de doze horas com destino a Washington. Um comitê de recepção da CIA o recebeu na pista do aeroporto Dulles e o levou a Langley. Morris Payne, que nunca fazia cerimônias, recebeu Gabriel em seu escritório no sétimo andar, ao invés do saguão branco reluzente. Grande e largo, com um rosto que parecia uma estátua da Ilha de Páscoa, Payne era da academia militar de West Point, estudou nas melhores universidades de advocacia do país, defendia a iniciativa privada e era ex-integrante muito conservador do Congresso de uma das Dakotas. Cristão devoto, possuía um temperamento vulcânico e um domínio notável de palavrões, que demonstrou para Gabriel ao repreendê-lo a respeito do assassinato de Fakhrizadeh. Na versão de Payne dos eventos, Allon cometeu uma traição de proporções bíblicas ao não avisá-lo com antecedência em relação à operação. Ansioso por resolver o assunto, o israelense admitiu o erro e pediu por absolvição.

Com o tempo, a raiva de Payne acabou diminuindo. Afinal de contas, eles eram aliados próximos que realizaram várias ações juntos durante os quatro anos de mandato do presidente. Payne era um dos chamados adultos presentes que tentava reprimir os piores impulsos do chefe de Estado. Ao contrário dos outros adultos — os generais condecorados e os auxiliares experientes de política externa —, ele conseguiu permanecer nas boas graças do presidente, em grande parte por bajular constantemente seu ego frágil. Houve rumores de que Payne pretendia assumir o manto populista do presidente e concorrer à Casa Branca no próximo ciclo eleitoral. Por enquanto, ele era o líder de uma agência que seu chefe odiava. Todo dia, Payne obedientemente aprovava as informações secretas que seriam incluídas no Resumo Diário do Presidente. Ele admitiu a Gabriel que fazia a curadoria do material para manter os segredos mais delicados dos Estados Unidos fora das mãos do comandante-chefe.

— Ele percebeu?

— Há meses que ele nem se preocupa em ler o Resumo Diário. Para todos os efeitos, o aparato de segurança nacional da nação mais poderosa do mundo está no piloto automático.

— Por quanto tempo ele pretende contestar os resultados das eleições?

— Infelizmente, creio que seja uma luta até a morte. É a única maneira que ele conhece de jogar. Basta perguntar às ex-esposas. — Payne olhou para o relógio. — O chefe da Casa da Pérsia* gostaria de se juntar a nós, se você não se importa.

— Em um minuto, Morris. Há uma coisa que preciso discutir com você em particular primeiro. Trata-se de uma operação que lançamos após o assassinato de Viktor Orlov, em Londres.

— Como você se envolveu na questão de Orlov?

— É uma longa história, Morris.

— Onde esta sua operação está acontecendo?

— Em Genebra.

Pela expressão, Payne deixou claro que Genebra, uma cidade da cultura e da diplomacia internacional, não era do seu agrado.

---

* Apelido da divisão interna da CIA responsável por espionar e atuar no Irã. (N. do T.)

— O alvo? — perguntou ele.

— Arkady Akimov. Ele dirige uma empresa chamada...

— Eu sei quem é Arkady Akimov.

— Você sabia que ele está contrabandeando o dinheiro do czar para fora da Rússia e escondendo no Ocidente? Ou que ele está dirigindo um serviço privado de inteligência conhecido como Grupo Haydn em seu escritório na Place du Port?

— Ouvimos rumores nesse sentido.

— Por que não fez algo a respeito?

— Porque o presidente é alérgico a operações contra os interesses financeiros russos. Ele fica roxo se eu sequer mencionar a palavra *Rússia.*

— Foi por isso que não convidei você para a festa, Morris.

— Então, por que está me contando a respeito disso agora?

— Avenida Brickell, número 1.395. É uma torre de sessenta andares no distrito financeiro de Miami.

— E daí?

— Arkady e eu compramos o prédio na semana passada com dinheiro saqueado do Tesouro Federal da Rússia. — Gabriel sorriu. — Foi um pechincha, quatrocentos milhões de dólares.

— Quais empresas estão lidando com as transações espelhadas? — perguntou Payne, quando Gabriel terminou de resumir a operação.

— Na verdade, apenas uma única instituição financeira está envolvida.

— Americana?

— Alemã.

— O RhineBank?

— Como você adivinhou?

— Você está ciente do fato — disse Payne cuidadosamente — de que o RhineBank é o principal credor do presidente.

— Não estou interessado nas finanças dele, Morris. Só quero que você peça discretamente ao Departamento do Tesouro e ao Fed* que façam vista grossa para minhas atividades no momento.

— Você se esqueceu de mencionar o nome da firma de investimentos sediada em Genebra que está usando.

— A Global Vision Investiments.

— De São Martin Landesmann? Aquele esquerdista que abraça árvores?

— Essa é uma maneira de descrevê-lo.

— Ouvi dizer que ele está no ramo da democracia agora.

— Ele entrou nessa por sugestão minha. Eu criei a Aliança Global pela Democracia para fazer Martin ser notado por Haydn.

Morris Payne sorriu mesmo sem querer.

— Nada mal, Gabriel. Mas qual é o objetivo desta operação?

— Assim que Arkady e eu terminarmos nossa maratona de compras, pedirei aos Estados Unidos que confisquem os bens que compramos com fundos russos saqueados e congelem as contas bancárias de Arkady no mundo todo. Dadas as afinidades pró-russas de seu chefe, esse acerto de contas necessariamente terá de esperar até depois da posse.

— O que o leva a pensar que a nova turma vai atrás disso?

— Ora, vamos, Morris. Sério.

— E os britânicos? — perguntou Payne.

— Downing Street vai atacar os bens de Arkady no Reino Unido e, simultaneamente, as autoridades suíças vão fechar suas operações em Genebra e expulsar sua força de trabalho, incluindo os funcionários do Grupo Haydn. Arkady não terá escolha a não ser retornar a Moscou.

---

* Federal Reserve, o Banco Central americano. (N. do T.)

— Se você está certo a respeito do Grupo Haydn, os computadores deles são o equivalente em inteligência do Santo Graal.

— Eu já os reivindiquei.

— Quem fica com o dinheiro?

— Qualquer um, menos o czar.

— Se ficarmos com o dinheiro, a reação de Moscou será intensa.

— Esse dinheiro é uma arma de destruição em massa, Morris. Arkady está usando para enfraquecer o Ocidente por dentro. As divisões políticas internas do Ocidente são reais, mas os russos têm alimentado as chamas. Eles são bons nesse jogo. Jogam há mais de um século. Mas agora têm uma nova arma à disposição. A supremacia do dólar dá aos Estados Unidos o poder de desarmá-los. Você precisa agir.

— Eu, não. Estarei fora daqui no dia 20 de janeiro ao meio-dia. — Payne fez uma pausa e acrescentou: — Se eu sobreviver até lá.

— Você está em risco?

— Aparentemente, não demonstrei lealdade suficiente após a eleição.

— O que ele queria que você fizesse?

— Próximo assunto — disse Payne.

— As transações espelhadas.

— Vou falar com o Tesouro e o Fed.

— Discretamente, Morris.

— A CIA sabe como guardar um segredo.

— Não é com você que estou preocupado — disse Gabriel. — Você se lembra daquela operação cifrada que eu estava executando na Síria contra o Estado Islâmico? Aquela que seu chefe descreveu em detalhes para o ministro das Relações Exteriores da Rússia no Salão Oval?

— Fiquei roxo de raiva — falou Payne.

— Eu e você, Morris.

44

GENEBRA

Na manhã seguinte, a operação acelerou. Sem estar contido pela ameaça de vigilância financeira americana, Gabriel mandou que Isabel pressionasse Anil Kandar a fazer transações espelhadas cada vez maiores. Os lotes diários de dólares lavados aumentaram drasticamente e, quando a semana chegou ao fim, havia dinheiro suficiente no caixa para financiar outra compra. Desta vez, foi a torre de escritórios na West Monroe Street, em Chicago, que Martin comprou por quinhentos milhões de dólares de um fundo imobiliário com sede em Charlotte. Ele transferiu a administração do prédio para a mesma empresa que estava cuidando da torre na avenida Brickell, 1.395. Ninguém envolvido no negócio jamais considerou a possibilidade de que o verdadeiro dono da propriedade fosse Arkady Akimov e seu amigo de infância da travessa Baskov. Ninguém, claro, a não ser o diretor da Agência Central de Inteligência, que enviou a Gabriel um cabograma seguro dando parabéns pela última jogada no mercado americano de imóveis comerciais.

O sócio russo de Gabriel, no entanto, parecia completamente alheio ao fato de que seu império financeiro — sem falar em seu serviço de inteligência privado — corria grave perigo. Todas as tardes, ele recebia o instrumento da própria morte no escritório e assinava os documentos que selariam seu destino. A confiança de Arkady em Isabel era tão plena que, na segunda semana de dezembro, ela não precisava mais colocar o telefone na caixa que bloqueava sinais de celular em cima da mesa de Ludmilla Sorova. As gravações deram apoio às preocupações de Isabel a respeito do estado de emoções de Arkady. Em uma tentativa de esfriar o ardor do russo, Gabriel despachou Isabel para Paris para um encontro amoroso com Martin na quarta-feira à noite, mas o estratagema pareceu surtir o efeito oposto ao pretendido. Multibilionário, Arkady Akimov estava acostumado a conseguir o que queria. E o que ele queria era Isabel Brenner em sua cama.

Gabriel não tinha intenção de permitir que sua agente fosse arrastada para um triângulo amoroso — mesmo que fictício. Usada com cautela, no entanto, a paixão de Arkady poderia ser bem empregada para ajudar a fazer o tempo da operação passar e ganhar o jogo no relógio. O israelense já havia arquitetado uma irregularidade financeira mais do que suficiente para fazer a NevaNeft e o Grupo Haydn em pedacinhos. Tudo o que ele precisava era uma mudança de governo em Washington.

No dia 14 de dezembro, o Colégio Eleitoral afirmou oficialmente a derrota do presidente. A etapa final do processo, uma certificação congressual em grande parte cerimonial, ocorreria dentro de três semanas, na quarta-feira, 6 de janeiro. O presidente derrotado pediu aos republicanos na Câmara e no Senado que aproveitassem a ocasião para anular os resultados da eleição. “Muito cedo para desistir”, escreveu ele no Twitter. “As pessoas estão furiosas.” Elas também estavam morrendo de Covid em números recordes. Mas o presidente, desesperado para permanecer no poder, pareceu não notar ou se importar.

Nem pareceu notar que Martin Landesmann, o financista suíço e ativista político com tendências esquerdistas, havia começado a investir no mercado imobiliário comercial do país. Sua próxima aquisição, no entanto, estava mais de acordo com seu histórico: um fabricante de turbinas eólicas com sede no Arizona. No dia seguinte, ele comprou a SunTech, fabricante de painéis solares localizada em Fort Lauderdale. A AeroParts de Salina, no Kansas, foi a próxima aquisição, seguida logo depois pela Columbia River Organic Foods, em Portland.

A última compra do ano, uma torre de escritórios em Canary Wharf, em Londres, ocorreu na sexta-feira daquela semana, o início não oficial do que prometiam ser as festas de fim de ano mais deprimentes desde os dias mais sombrios da Segunda Guerra Mundial. Isabel entregou os documentos referentes à aquisição na sede da NevaNeft às 17h30 e, pela primeira vez em muitos dias, Ludmilla Sorova exigiu que ela entregasse o celular antes de entrar no escritório de Arkady. Uma hora depois, quando Isabel surgiu na Place du Port, a bolsa estava pendurada no ombro esquerdo e não no direito, um sinal de que havia um problema. Ao atravessar a Rue du Purgatoire, ela ligou para Martin e explicou calmamente o que tinha acontecido.

— Você jamais vai adivinhar quem me convidou para jantar amanhã à noite.

— O que você disse para ele?

— Eu disse que daria uma resposta pela manhã.

— Quem mais estará lá?

— Ninguém.

— Como assim?

— Oksana está partindo para Moscou por alguns dias. Seremos apenas nós dois. O que você quer que eu faça, Martin?

* * *

Ele ligou para Isabel às nove da manhã seguinte com a resposta. Seu tom indiferente entregou o fato de que Martin estava falando em nome de Gabriel.

— Por mim, tudo bem. Na verdade, pode ser bom para negócios futuros.

— E se ele tentar me seduzir?

— Improvise. — Após uma pausa, Martin acrescentou: — Se você acha que pode lidar com ele.

— Se eu posso lidar com você, posso lidar com Arkady Akimov.

— Eu não sabia que estava sendo *lidado*.

— Creio que terei de me esforçar mais na próxima vez.

— Por favor, faça isso.

Isabel planejava telefonar para Arkady com a novidade ao meio-dia, mas ele ligou cinco minutos depois de Martin desligar. Arkady não pareceu surpreso quando ela aceitou o convite, embora estivesse obviamente satisfeito.

— Meu motorista vai buscá-la em seu apartamento às dezenove horas — disse ele, e desligou abruptamente.

Arkady Akimov não se deu ao trabalho de pedir o endereço a Isabel.

45

FÉCHY, CANTÃO VAUD

A *villa* extravagante de Arkady brilhava como uma árvore de Natal, mas dentro dos salões cerimoniais cavernosos a atmosfera era de abandono repentino. Isabel imaginou que o motorista a havia deixado por engano na mansão de Gatsby em West Egg na manhã seguinte à morte trágica de Myrtle no vale das cinzas. Na verdade, ela meio que esperava encontrar Arkady como Nick Carraway havia encontrado seu vizinho enigmático — apoiado em uma mesa no saguão, caído de desânimo ou sono. Em vez disso, Arkady recebeu Isabel alegremente na sala de estar. Como o escritório no andar de cima, o cômodo tinha uma decoração impecável, embora aqui o piano fosse um Bechstein Concert B 212 em vez de um Bösendorfer.

Ele tirou uma garrafa aberta de Montrachet de um balde de gelo de cristal e serviu duas taças. Ao entregar uma para ela, Arkady a beijou de leve nas duas bochechas. O choque foi como uma faísca de eletricidade estática.

— Você está linda, Isabel. Mas você sempre está linda. — Ele ergueu a taça. — Muito obrigado por aceitar meu convite. Tive medo de que você não viesse.

— Por quê?

— Porque sua última visita aqui foi...

— Às vezes, desagradável — disse Isabel.

— Mas lucrativa, não?

— Incrivelmente.

— Espero que Martin tenha cuidado de seus interesses.

— Ele tem sido muito generoso.

— Ele sabe que você está aqui?

— O que você acha?

— Acho que ligou para ele no momento em que saiu do meu escritório na noite passada e perguntou o que deveria fazer.

— Você está ouvindo minhas ligações? — perguntou Isabel, brincando.

— Claro. — Seu sorriso foi encantador. — E também estamos lendo suas mensagens de texto e e-mails.

— Foi assim que você descobriu meu endereço?

— De maneira alguma. Simplesmente a seguimos até sua casa uma noite depois que você saiu do trabalho. — Arkady abriu uma caixa chinesa laqueada. — Seu telefone, por favor.

Isabel colocou o aparelho dentro e fechou a tampa.

— É assim que você trata todas as mulheres que tenta seduzir?

— É tão óbvio assim?

— Tem sido já faz algum tempo.

— E ainda assim Martin permitiu que você viesse.

— Porque eu garanti a ele que era um jantar de negócios e que nada aconteceria.

— Isso *é* um jantar de negócios. Se vai acontecer alguma coisa... — Arkady deu de ombros. — Depende de você.

Lá fora, os jardins dispostos em terraços estavam iluminados como o Fórum Romano à noite.

— É lindo — comentou Isabel.

— É — falou Arkady em um tom distante. — Mas não tão lindo quanto você.

Ela aceitou o elogio em silêncio.

— Posso fazer uma pergunta, Isabel?

— Não.

— Por que uma mulher como você está envolvida com um homem casado? E, por favor, não perca tempo negando.

— Você tem me seguido até Paris também?

— O apartamento fica no Quai de Bourbon.

— Vou considerar essa resposta como um sim.

Arkady suspirou.

— Certamente você entendeu que, ao trabalhar para um homem como eu, não poderia esperar nenhuma zona de privacidade.

— Eu não trabalho para você. Eu trabalho para Martin.

— E quando ele se entediar de você?

— Vou me consolar com o fato de que agora sou uma mulher muito rica.

— Quão rica?

— Arkady, por favor.

— Sete dígitos? Oito talvez? — Ele fez um movimento de desprezo com a mão. — Isso não é nada. Estou disposto a tornar você rica para valer. Rica o suficiente para possuir uma *villa* como esta. Rica além de seus sonhos.

— E o que eu teria de fazer em troca?

— Deixe Martin Landesmann e venha trabalhar para mim.

Isabel riu mesmo não querendo.

— Qual é a graça?

— Eu pensei que você queria que eu me tornasse sua amante.

— Quero — respondeu Arkady. — Mas eu sou um homem muito paciente.

* * *

A sala de jantar possuía lustres de cristal e era iluminada por velas. Dois lugares foram colocados em uma ponta da mesa ridiculamente comprida. Garçons de paletó branco serviram um primeiro prato de lentilhas verdes e caviar.

— Você deve ter trabalhado o dia todo nisso — brincou Isabel.

— Meu chef trabalhava para o Alain Ducasse em Paris.

— Que coincidência. O meu também.

— Você tem algum serviçal naquela sua gaiolinha na Cidade Velha?

— Tenho uma mulher muito simpática do Senegal que ajeita as coisas para mim todas as sextas-feiras à tarde.

— Você precisa de algo maior.

— Estou pensando em um lugar em Cologny.

— Boa ideia. Talvez isso ajude.

Ele apresentou a Isabel um documento de uma única página descrevendo os termos de sua oferta. Ela incluía um bônus de adesão de cinquenta milhões de francos suíços — o equivalente a 56 milhões de dólares — e um salário anual de dez milhões de francos. Isabel ganharia a maior parte do dinheiro, no entanto, por meio de bônus anuais. A carta prometia que eles nunca teriam menos de oito dígitos.

— Não sei qualquer coisa a respeito do ramo do petróleo.

— Você não vai trabalhar nessa parte da empresa. Na verdade, você sequer terá um escritório na sede da NevaNeft. O seu ficará na esquina, na Rue de Rhône.

— O que vou fazer lá?

— No papel, você será a proprietária de uma pequena empresa de investimentos.

— O que eu *realmente* vou fazer?

Arkady sorriu.

— Converter.

Isabel colocou a carta de oferta sobre a mesa.

— É um erro, Arkady. Eu sou mais valiosa para você na GVI.

— Meu relacionamento com Martin tem sido extremamente bem-sucedido. Aquelas lindas torres de escritórios nos Estados Unidos e em Londres são a prova disso. Mas a GVI sozinha não consegue lidar com o volume de conversão que eu exijo. Preciso de uma dúzia de Martins trabalhando 24 horas por dia. Você estará no topo do pódio com uma batuta na mão. Você vai atuar como meu *kapellmeister.**

Isabel bateu no documento com a ponta do dedo indicador.

— Isso não menciona algo a respeito de eu ter que transar com você.

— Meu advogado me aconselhou a não deixar isso por escrito.

— É um requisito da vaga?

— Não fale um absurdo desses.

— E se eu não estiver interessada?

— Ficarei com o coração partido, mas isso não terá impacto em nossa relação de trabalho. — Ele empurrou a carta pela mesa. — Fique com o documento. Leve o tempo que precisar.

Dito isso, Arkady deixou o assunto morrer. Isabel se preparou para receber propostas sexuais, mas teve uma surpresa agradável quando ele perguntou a respeito de sua infância em Trier. Arkady havia visitado a cidade em 1985, alegou ele, enquanto trabalhava como diplomata soviético. Isabel ouviu as mentiras de Arkady prestando falsa atenção, com uma mão pressionada no queixo. Ela só esperava ser metade tão convincente quanto ele. Obviamente, desempenhou bem o papel. De que outra forma explicar o fato de Arkady ter lhe oferecido um cargo sênior no Kremlin S/A.? Infelizmente, Isabel não seria capaz de aceitar, pois o Kremlin S/A.

---

* Maestro em alemão. (N. do T.)

logo enfrentaria um período de turbulência de mercado sem precedentes.

Os dois voltaram para a sala de estar a fim de tomar café. Arkady se sentou no Bechstein e tocou a Sonata ao Luar. Foi uma execução digna de Murray Perahia ou Alfred Brendel.

— Você não atendeu à sua vocação — disse Isabel.

— Temos isso em comum, você e eu. — Ele abaixou a tampa do piano. — As mulheres geralmente se derretem quando toco essa composição. Mas você não, Isabel.

Ela olhou para o relógio de pulso.

— Está tarde.

— Eu toquei tão mal assim?

— Foi o final perfeito para uma noite adorável.

— E você vai considerar minha oferta?

— Claro.

Arkady se levantou do piano e ergueu a tampa da caixa bloqueadora de sinal.

— O que você vai fazer nas festas de fim de ano?

— Vou me esconder do vírus. E vocês?

— Oksana e eu vamos passar o Natal aqui em Féchy, mas vamos celebrar a véspera de Ano-Novo com alguns poucos amigos em Courchevel.

— Alguns *poucos* amigos?

— Na verdade, será uma reunião bem grande.

— Achei que a estação de esqui estivesse fechada por causa da pandemia.

— Está, mas comprei todas as motos de neve em Les Trois Vallées para levar meus convidados ao topo da montanha. Várias figuras importantes de Moscou estão vindo para o evento. — Ele entregou o telefone a Isabel. — Eu insisto que você se junte a nós.

— Eu não gostaria de incomodar.

— Você não vai incomodar. Na verdade, um dos meus convidados me pediu para convidar você especificamente.

— É mesmo? Quem?

Arkady pegou Isabel pelo braço.

— Meu motorista vai levar você de volta para Genebra.

46

GENEBRA-COSTA DE PRATA, PORTUGAL

Isabel foi acordada pelo telefone pouco depois das oito da manhã seguinte. Ela tocou no ícone ATENDER e levou o aparelho ao ouvido.

— Eu não li em algum lugar que você nunca sai da cama antes do meio-dia?

— Repórteres — disse Anna Rolfe com desdém.

— Se eu bem me lembro, foi uma citação direta.

Anna riu.

— Espero não ter acordado você.

— Acordou sim, na verdade. Eu tive uma noite muito longa.

— Qual era o nome dele?

— Prefiro não dizer.

— Eu também tive algumas noites assim — admitiu Anna.

— Também li a respeito delas.

Anna perguntou a respeito dos planos de Isabel para as festas de fim de ano. Ela deu a mesma resposta que dera a Arkady na noite anterior, que pretendia se abrigar em seu apartamento na Cidade Velha.

— Eu tenho uma ideia melhor — disse Anna. — Vamos fazer uma viagem. Apenas nós duas.

— Para onde?

— É uma surpresa.

— Como devo fazer as malas?

— Uma única mala, creio eu.

— Clima quente ou frio?

— Frio — falou Anna. — E úmido.

— Eu temia que você dissesse isso.

— Encontre-se comigo no aeroporto de Genebra ao meio-dia. Martin concordou em nos emprestar o avião dele.

— Meio-dia *de hoje*?

— Sim, claro.

— Com ou sem violoncelo?

— Com violoncelo — respondeu Anna antes de desligar. — Definitivamente com violoncelo.

Isabel fechou os olhos e tentou dormir um pouco mais, mas não adiantou, porque o sol entrava pela janela e os pensamentos giravam. Ela duvidava que a ligação inesperada de Anna tivesse sido tão espontânea quanto parecia. Na verdade, Isabel tinha quase certeza de que o telefonema tinha algo a ver com o convite que Arkady havia feito após a execução da Sonata ao Luar de Beethoven. Ela continuou segurando o telefone naquele momento, e o medidor de sinal indicou que o aparelho havia se reconectado à rede de celular. Outros ouviram.

Na cozinha, Isabel preparou um bule de café e assistiu às últimas notícias eleitorais dos Estados Unidos. Os advogados do presidente que deixava o cargo estavam supostamente preparando um recurso de última hora para a Suprema Corte dos Estados Unidos, a fim de anular os resultados no principal campo de batalha da eleição, o estado da Pensilvânia. Foi, disse um analista jurídico, o último ato desesperado de um homem desesperado.

Isabel desligou a televisão. Depois de tomar banho e se vestir, ela arrumou roupas suficientes para uma estadia de vários dias em um clima frio e úmido. Às 11h45, observada por dois funcionários do Grupo Haydn, ela colocou a mala e o violoncelo na parte de trás de um Uber na Rue de l'Hôtel-de-Ville. Como era domingo, a viagem até o terminal particular do aeroporto de Genebra demorava apenas dez minutos. Anna estava a bordo do Gulfstream de Martin, com o celular no ouvido.

— Meu agente — sussurrou ela, que continuou a conversa até o avião decolar e a conexão se perder.

O telefone de Isabel também ficou sem sinal. Anna, mesmo assim, colocou os dois aparelhos em uma bolsa bloqueadora de sinal e selou a aba de velcro.

— Desde quando você viaja com uma bolsa de Faraday?

Anna sorriu, mas não respondeu.

— Aonde estamos indo? — perguntou Isabel.

— Para a minha *villa* em Portugal.

— Só nós duas?

— Não. Nosso amigo em comum também estará lá.

— Posso fazer uma pergunta?

— É uma longa história, Isabel.

— Tem um final feliz?

Anna sorriu tristemente.

— Não tive essa sorte.

Um sedã Audi esperava por elas no serviço aeroportuário do aeroporto de Lisboa. Para desespero de Isabel, Anna insistiu em dirigir. Enquanto o carro voava de maneira imprudente pela A8 em direção ao norte, ela falava sem parar a respeito da própria carreira, dos casamentos fracassados, dos desastrosos casos de amor e da luta ao longo da vida contra o transtorno bipolar — tudo para ser captado pelo celular de Isabel, que estava no console central, totalmente carregado e ligado à rede móvel MEO de Portugal.

— E você? — perguntou Anna finalmente. — Fale do seu trabalho para Martin.

— Estamos comprando tudo que vemos pela frente.

— Eu li alguma coisa a respeito de um edifício em Miami.

— E em Chicago e Londres também. — Isabel olhou para o velocímetro. — Você não acha que deveria desacelerar um pouco?

— Mais rápido, você disse?

Quando elas chegaram à Costa de Prata, o sol era um disco laranja incandescente suspenso sobre um mar de cobre. A *villa* de Anna ocupava o topo de uma colina arborizada com vista para a vila pesqueira de Torreira. Ela passou voando pelo portão de segurança aberto e um momento depois freou no pátio de cascalho, onde um idoso esperava à luz fraca da tarde. Com cabelo branco e pele de couro curtido, Isabel o achou parecido com Pablo Picasso. O velho parecia aliviado por elas terem chegado intactas de Lisboa.

— Este é Carlos — explicou Anna. — Quando não está cuidando do meu telhado e do meu vinhedo, ele cuida de mim. Se não fosse por ele, eu não teria uma mão esquerda, muito menos uma carreira. Não é mesmo, Carlos?

Ignorando a pergunta dela, ele apontou o olhar para uma perua Volkswagen Passat.

— A senhora tem uma visita — disse Carlos em tom sério.

— Sério? Quem?

— O sr. Delvecchio. Ele chegou no início da tarde.

— Depois de todos esses anos?

— O sr. Delvecchio disse que a senhora estava esperando por ele.

— Você foi rude com ele, espero.

— Claro, sra. Rolfe.

Isabel deixou o telefone no Audi e seguiu Anna ao interior da *villa*. Na sala de estar confortavelmente mobiliada, elas encontraram outra integrante da criadagem com a aparência preocupada. Era Maria Alvarez, cozinheira e governanta de longa data de Anna.

— O que você fez com ele? — perguntou Anna.

A governanta apontou para o terraço, onde uma figura em silhueta estava parada na balaustrada, observando o sol se pondo no Atlântico.

— É melhor você colocar um lugar a mais para o jantar.

— Se insiste, sra. Rolfe.

Anna ficou na sala enquanto Isabel foi para o terraço.

— Quem é o sr. Delvecchio? — gritou ela para a figura parada na balaustrada.

Gabriel deu a resposta por cima do ombro.

— Ele era alguém que eu costumava ser.

— A criadagem de Anna não parece gostar muito dele.

— Com um bom motivo, infelizmente.

— Você a magoou?

— Evidentemente.

— Canalha — sibilou Isabel.

Lá dentro, Anna estava enchendo três taças com vinho do Porto tawny gelado. Ela entregou uma a Gabriel e sorriu.

— Creio que a criadagem tenha tratado você cordialmente quando chegou?

— Só consigo imaginar as coisas que você disse a meu respeito depois que fui embora. — Ele tirou o telefone do bolso do paletó. — Preciso falar com Isabel sozinho.

Anna foi até o sofá e se sentou.

— Se você não sair desta sala, vai permanecer aqui sob guarda armada até o futuro próximo.

— Isso me parece maravilhoso. Na verdade, acho que vou ficar em quarentena aqui até a peste passar.

— Por favor, fique de quarentena na sala ao lado. Ou melhor ainda, por que você não sobe e ensaia? Você sabe o quanto eu adorava ouvi-la tocar o mesmo arpejo sem parar.

Anna pegou a taça e se retirou. Gabriel se sentou no lugar dela e digitou uma senha longa no celular. Um momento depois, o aparelho emitiu o som de um homem falando alemão afetado, com sotaque de um *ostländer*.

— *Várias figuras importantes de Moscou estão vindo para o evento. Eu insisto para que você se junte a nós.*

— *Eu não gostaria de incomodar.*

— *Você não vai incomodar. Na verdade, um dos meus convidados me pediu para convidar você especificamente.*

— *É mesmo? Quem?*

Ele pausou a gravação.

— Parece que a noite correu bem.

— Não tão bem quanto Arkady esperava.

— Ele tentou seduzir você?

— Esse é um jeito de dizer.

— E o outro jeito?

— Arkady gostaria que firmássemos um acordo de longo prazo.

— Sexual?

— E profissional. — Isabel entregou a carta com a oferta de Arkady.

— Os termos são bastante generosos — disse Gabriel, após analisar o documento. — Mas o que exatamente ele quer que você faça por todo esse dinheiro?

— Ele gostaria que eu fosse o *kapellmeister* dele.

— O que significa?

— Ele quer que eu sirva como elo de ligação entre o Kremlin S/A. e a indústria de serviços financeiros no Ocidente. — Ela fez uma pausa. — A lavadeira-chefe.

— Ele está obviamente impressionado com o seu trabalho.

— É o que parece.

Gabriel zerou a marcação de tempo na gravação e tocou no ícone de reprodução.

— *Na verdade, um dos meus convidados me pediu para convidar você especificamente.*

— *É mesmo? Quem?*

Ele pausou a gravação uma segunda vez.

— Depois que você chegou em casa em segurança ontem à noite, telefonei para um velho amigo que trabalha para o DGSI, o serviço de segurança doméstico francês. E perguntei se o governo dele conhecia algum russo importante que planejava comemorar o Ano-Novo em Courchevel. E meu velho amigo, depois de ligar para um contato do Service de la Protection, me disse um nome.

— O que é o Service de la Protection?

— O SDLP é uma unidade de elite da Police Nationale que cuida do presidente e de dignitários estrangeiros em visita ao país.

— Ele é um funcionário do governo, essa figura importante de Moscou?

— Do altíssimo escalão.

— Quem é ele?

— O CEO do Kremlin S/A. — Gabriel sorriu. — O sr. Alguém.

47

COSTA DE PRATA, PORTUGAL

O velho amigo de Gabriel do DGSI da França era um homem chamado Paul Rousseau. Juntos, os dois destruíram a divisão de terrorismo estrangeiro do Estado Islâmico, o que rendeu para Gabriel a admiração e a gratidão do sistema de segurança da França. Por esse motivo, Rousseau revelou detalhes bem guardados da vindoura visita particular do presidente russo à França — detalhes que Gabriel compartilhou com Isabel no ambiente conhecido da *villa* de Anna Rolfe na Costa de Prata.

O presidente russo, explicou ele, estava programado para chegar às catorze horas na véspera de Ano-Novo. A aeronave dele, um Ilyushin Il-96 modificado, pousaria no aeroporto de Chambéry. Lá, o presidente russo embarcaria em um helicóptero do governo francês para o voo curto até Courchevel, onde participaria de uma festa em um chalé de luxo de propriedade do magnata do petróleo e oligarca Arkady Akimov. Era esperado que muitos empresários e políticos franceses comparecessem ao encontro também, incluindo várias figuras importantes da extrema direita, que o presidente russo apoiava clandestinamente. Uma equipe de doze agentes do Serviço de Segurança Presidencial Russo — uma chamada presença discreta, no léxico do ramo de proteção — cuidaria dele dentro do chalé. O SDLP cuidaria do perímetro, com o apoio de policiais uniformizados da Police Nationale. A partida prevista do chalé seria um minuto depois da meia-noite. A saída do aeroporto de Chambéry estava marcada para 1h15.

— A menos, é claro, que ele atrase, o que geralmente é o caso.

Como a maioria das coisas a respeito da Nova Rússia, Gabriel continuou, o Serviço de Segurança Presidencial Russo era um remanescente da KGB. Anteriormente conhecido como o Nono Diretório Principal, a agência tinha servido como guarda pretoriana da elite do Partido Comunista. Hoje protegia apenas o presidente russo, sua família e o primeiro-ministro. Os agentes eram oriundos principalmente de unidades de elite *spetsnaz*. Eram assassinos em ternos elegantes e devotos fanáticos do homem a quem serviam.

— Mesmo assim, os franceses terão primazia enquanto o presidente russo estiver no solo deles. Courchevel é muito isolada, com uma estrada que entra e sai e uma pista de pouso no topo de uma montanha que é pouco mais que um heliporto. Se houver um problema, posso pedir que amigos do governo francês interditem o local.

— Não há risco então?

— Sempre há um risco quando russos estão envolvidos. Mas acredito que possa ser administrado. Caso contrário, eu não consideraria permitir que você comparecesse.

— Arkady não suspeitaria se eu recusasse?

— Não se você tivesse uma boa desculpa.

— Tipo o quê?

— Um caso grave de Covid que exigisse que você fosse hospitalizada em Genebra.

— A pequena mentira para encobrir a grande mentira?

Do andar de cima veio o som de um arpejo em Sol Menor. Gabriel ficou de pé, foi até a grande lareira de pedra e arrumou uma pira de madeira de oliveira seca na grelha, em cima de uma cama de gravetos.

— Por quanto tempo você morou aqui? — perguntou Isabel.

— Seis meses e catorze dias. Alguns meses depois, enquanto trabalhava em um quadro em Veneza, conheci a mulher com quem um dia me casaria.

— Um dia?

— Minha vida era bastante complicada.

— Não é tão complicada quanto a minha.

— Agradeça a mim por isso.

— Fui eu quem deu aqueles documentos para Nina.

— E agora você foi convidada para passar a véspera de Ano-Novo com o presidente da Rússia.

— Exatamente como você planejou desde o início?

— Longe disso. — Ele tocou um fósforo aceso no graveto e voltou para o sofá. — O presidente russo e eu estamos envolvidos em uma rixa sangrenta há muitos anos. Eu levei a melhor ultimamente, mas ele empatou o placar quando matou meu amigo Viktor Orlov. Nada o agradaria mais do que me matar também. Na verdade, ele tentou em várias ocasiões. O presidente russo tentou me matar duas vezes com uma bomba. A última estava presa em uma criança.

— Meu Deus — sussurrou Isabel.

— Infelizmente, Deus não teve nada a ver com o que aconteceu naquela noite. O presidente russo não é um estadista, Isabel. Ele é o poderoso chefão de um regime gângster com armas nucleares. E eles não são gângsteres comuns. São gângsteres russos, o que significa que estão entre as pessoas mais cruéis e violentas do planeta. É por isso que nos esforçamos tanto para proteger você. E por que estou relutando em deixar que você vá para Courchevel.

— Por que você acha que ele quer me conhecer?

— Se eu tivesse de arriscar um palpite, o presidente russo gostaria de fazer uma ou duas perguntas a você antes de permitir que Arkady lhe contrate. Afinal, o dinheiro é dele. Arkady é apenas quem segura a carteira.

— E se eu passar no teste?

— Teríamos uma agente no coração do Kremlin S/A. — Gabriel fez pausa. — Ele seria nosso.

— O sr. Alguém?

Ele concordou com a cabeça.

— E quando a operação acabar?

— Infelizmente você terá muito tempo para ensaiar violoncelo.

— Quanto tempo terei que permanecer escondida?

— Se você for embora agora, não muito. Mas se aceitar um emprego no Kremlin S/A.... — Ele deixou o raciocínio no ar.

— Agradeço sua sinceridade.

— Eu nunca menti para você. Apenas para Arkady.

— Ele acredita nas suas mentiras. Nas minhas também.

— Você está improvisando de novo?

No andar de cima, Anna tocava Caprice número 10 de Paganini. Sorrindo, Isabel ergueu o olhar em direção ao teto.

— Você não adora ouvir os ensaios dela?

— Muitíssimo.

— Você está mentindo para mim agora?

Gabriel fechou os olhos.

— Nunca, Isabel.

Mais tarde naquela noite, depois de comer uma refeição tradicional portuguesa servida por uma Maria Alvarez com ar de desdém, Gabriel tentou preparar Isabel para o choque de estar no mesmo ambiente que o homem mais poderoso do mundo. Um exame superficial de fotos e vídeos de imprensa revelou a mudança marcante na aparência dele nas duas décadas desde sua ascensão ao poder. As bochechas encovadas e as olheiras sob os olhos sumiram. Agora o presidente russo tinha o rosto de cera de um cadáver em exibição em um mausoléu. Seu braço direito, quebrado durante uma briga de rua em Leningrado, pendia rígido ao lado do corpo enquanto ele caminhava. Rude e vulgar de propósito, sentia prazer no incômodo dos outros. Vários líderes americanos e europeus ocidentais saíram de reuniões horrorizados com sua conduta. A má postura, a virilha exibida, o olhar sem emoção.

— Assim como o amigo dele, Arkady Akimov, o presidente russo fala alemão fluentemente, então ele vai se dirigir a você em sua língua nativa, em vez de em inglês, que ele fala muito mal. Fique à vontade para desejar um bom Ano-Novo, mas não tente puxar conversa. Deixe que ele faça as perguntas e dê respostas curtas e diretas. E se você se sentir nervosa, não hesite em dizer isso. Ele é um assassino em série. Está acostumado com as pessoas ficando nervosas na presença dele.

A preparação de Isabel continuou na manhã seguinte, depois que Eli Lavon e Christopher Keller chegaram de Genebra. Lavon, que falava tanto russo quanto alemão, se ofereceu para representar Vladimir Vladimirovich em um ensaio do encontro. O exercício terminou logo depois de ter começado, porém, quando a tentativa de Lavon de parecer ameaçador não provocou qualquer coisa em Isabel, exceto uma expressão de pena. Mais tarde, após uma pausa para o almoço, ela passou com louvor por vários interrogatórios simulados. Gabriel conduziu o último. Quando acabou, ele colocou sua Beretta 9mm na mesa.

— E o que acontece se eles começarem a brandir uma dessas de um lado para o outro? Ou se baterem em você com a pistola? O que você vai fazer, Isabel?

— Eu conto tudo o que eles querem saber.

— Tudo — repetiu Gabriel. — Incluindo meu nome e número de telefone. Está claro?

Ela concordou com a cabeça.

— Diga o número, por favor.

Isabel obedeceu.

— De novo, por favor.

Ela suspirou.

— Eu refiz todo o balanço do RhineBank em menos de uma hora. Consigo me lembrar de um número de telefone.

— Faça esse favor para mim.

Isabel repetiu o número com exatidão e depois afundou na cadeira, exausta. O que ela precisava, pensou Gabriel, não era de mais treinamento, mas sim, de vários dias merecidos para descansar.

Ele a deixou nas mãos de Anna Rolfe e voltou a atenção para a tarefa de transferir a operação da Suíça para a encantadora vila de esqui de Courchevel. Localizada a 135 quilômetros ao sul de Genebra, a vila era um playground exclusivo para gente rica e bonita, especialmente para russos milionários. O chalé de Arkady ficava na Rue de Nogentil. A Governança conseguiu um imóvel vago na mesma via por apenas trinta mil por noite, com estadia mínima de sete noites, sem exceções durante a alta temporada, sem reembolso em caso de cancelamento. Assim como o presidente russo, Gabriel planejava chegar com uma presença discreta. Com exceção de Christopher Keller, todo o seu pessoal seria israelense, embora os passaportes, as carteiras de motorista e os cartões de crédito os identificassem como tudo, menos isso.

Na manhã de Natal, os preparativos estavam completos. Tudo o que restava era o convite de Arkady, que Isabel ainda não havia aceitado. Mais uma vez, Gabriel esperou que o bilionário russo tomasse a iniciativa. Ele passou o Natal tranquilamente com a jovem esposa em Féchy; Isabel, com a amiga Anna Rolfe na Costa de Prata. As duas caminharam pela praia varrida pelo vento no meio da manhã e naquela noite fizeram uma refeição festiva com três velhos amigos, incluindo um belo inglês que uma vez fora contratado para matar Anna durante um recital em Veneza. Foi, declarou a anfitriã, o jantar mais agradável que ela havia oferecido em muitos anos.

Não houve contato por parte de Arkady no dia 26, ou no dia seguinte. Mas na segunda-feira, dia 28, ele ligou para o celular de Isabel e, sem ser atendido, deixou uma mensagem longa na secretária eletrônica. Ela esperou até o fim da manhã de terça-feira para retornar a ligação.

— Mas por que não? — perguntou ele, desanimado.

— Porque não conheço ninguém lá e não falo uma palavra de russo.

— A lista de convidados inclui muitas pessoas que não são russas. E se você não comparecer, meu amigo de Moscou ficará chateado.

— Quem é ele, Arkady?

— Uma figura muito importante no Kremlin. Isso é tudo que posso dizer.

Isabel soltou o ar lentamente.

— Isso soou como um sim para mim — disse Arkady.

— Com duas condições.

— Diga.

— Eu cuido do meu próprio transporte.

— A subida da montanha não é tão fácil assim.

— Eu sou alemã. Eu me viro.

— E a outra condição?

— Você vai se comportar, especialmente quando eu estiver perto de sua esposa.

— Farei o melhor possível.

Isabel olhou para Gabriel, que acenou com a cabeça uma vez.

— Tudo bem, Arkady. Você venceu.

— Maravilha. Já tomei a liberdade de reservar para você a maior suíte do Grand Hôtel Courchevel. O chefe das reservas se chama Ricardo. Ele prometeu cuidar muito bem de você.

— Não precisava.

— É o mínimo que posso fazer.

— Que horas é a festa?

— Os primeiros convidados devem começar a chegar por volta das 21 horas. Meu chalé fica na Rue de Nogentil, no Jardin Alpin. É o maior de Courchevel — ele se gabou antes de desligar. — Não há como você não vê-lo.

48

COURCHEVEL, FRANÇA

Jean-Claude Dumas, gerente-geral do chique K2 Palace, ficou famoso por menosprezar a clientela do Grand Hôtel Courchevel chamando-a de "os idosos e seus pais". Havia trinta quartos, modestos em tamanho e discretos no mobiliário. A pessoa não ia ao Grand em busca de luminárias de ouro e suítes do tamanho de campos de futebol. Ela ia para sentir o gostinho da Europa de antigamente. Ela ia para degustar um Campari devagar no bar ou passar o tempo tomando um café e lendo o *Le Monde* no salão de café da manhã. Mas nunca em traje de esqui, veja bem — os hóspedes esperavam até depois do café da manhã para se vestir para as pistas. O serviço de wi-fi do hotel, uma adição recente, embora a contragosto, à pequena lista de conveniências, era considerado por todo mundo o pior em Courchevel, se não em todos os Alpes franceses. Os devotos do Grand raramente reclamavam.

Às 13h30 da véspera do Ano-Novo, o saguão impecável do Grand estava tão silencioso quanto uma cripta. O bar estava fechado por decreto do governo, assim como o salão de café da manhã, a churrasqueira, a academia, o spa e a piscina coberta. A cozinha funcionava com uma equipe mínima, com um serviço de quarto "sem contato" sendo a única opção para refeições no local. No momento, apenas dois dos quartos do Grand estavam ocupados. Com as casas noturnas e os teleféricos de esqui do resort fechados, Courchevel era uma cidade fantasma rica e afortunada.

Consequentemente, a maioria dos hotéis do resort estava fechada para as importantíssimas festas de fim de ano. Mas não o majestoso Grand. Para o bem de seus funcionários sazonais de longa data, a administração se recusou a se render à pandemia crescente, mesmo que isso significasse incorrer em perdas operacionais diárias. Inesperadamente, o hotel foi recompensado com uma avalanche de reservas para a véspera de Ano-Novo. Parecia que o magnata do petróleo e oligarca Arkady Akimov havia decidido mandar a cautela às favas e promover uma festança em seu monstruoso chalé no Jardin Alpin. Vinte e quatro dos convidados de Arkady sabiamente decidiram curar a ressaca dormindo no Grand, em vez de arriscar o trajeto traiçoeiro montanha abaixo. Infelizmente, a maioria era composta por russos, de quem a administração não gostava. Antes da peste, eles teriam sido informados — por um e-mail educado ou por um telefonema da parte de Ricardo, o gerente de reservas — de que não havia quartos na pousada. A dura realidade econômica do momento, no entanto, exigiam que o Grand relaxasse seus padrões de exigência e abrisse as portas aos invasores do Oriente.

Um dos convidados de Arkady era uma tal Isabel Brenner — cidadã alemã, residente em Genebra, uma noite em uma suíte Deluxe Prestige, muito VIP. Ou assim afirmou a assistente pessoal ríspida que fez a reserva em nome de Arkady. Ricardo havia se comprometido a cuidar pessoalmente de todas as necessidades de Madame Brenner antes de colocar a assistente em espera eterna. Pela insolência, ele recebeu um telefonema de ninguém menos que o próprio Arkady, que fez uma promessa não tão velada de violência corporal se a estadia de Madame Brenner ficasse aquém da perfeição absoluta. Ricardo, um espanhol da turbulenta região basca, não tinha motivos para duvidar da autenticidade daquela ameaça vinda do bilionário. Doze anos antes, um jornalista investigativo russo chamado Aleksandr Lubin tinha sido morto a facadas no quarto 237. Foi Ricardo, quase 24 horas após o assassinato, quem encontrou o corpo.

Devido à atual taxa de ocupação extremamente baixa do hotel, ele concedeu aos hóspedes de Arkady a opção de fazer um check-in às catorze horas sem custo adicional. Portanto, quando deu 13h45 no relógio, Ricardo saiu hesitante da alcova da recepção e assumiu uma posição defensiva logo à frente das portas duplas de vidro do Grand. Um momento depois, foi acompanhado pela presença reconfortante de Philippe, um ex-soldado paraquedista francês parrudo que ostentava as chaves cruzadas do International Concierge Institute na lapela imaculada.

Philippe consultou automaticamente o relógio de pulso quando um sedã Mercedes freou na base dos degraus da frente do Grand.

— Talvez isso tenha sido um erro — disse ele calmamente.

— Talvez não — respondeu Ricardo, quando o único passageiro da limusine saiu do banco de trás.

Mulher atraente, trinta e poucos anos, cabelo loiro repartido de lado, vestida de maneira casual, mas cara. O motorista era um brutamontes imponente, mais guarda-costas do que motorista. Ricardo comentou a respeito da pequena protuberância no lado esquerdo do paletó do homem, que indicava a presença de uma arma de fogo escondida.

— Ex-militar — declarou Philippe.

— Russo?

— Ele parece russo para você?

— E quanto à mulher?

— Saberemos em um minuto.

Thierry, o carregador, tirou uma única bagagem do porta-malas da Mercedes.

— Os russos — disse Ricardo — nunca vêm a Courchevel com apenas uma mala.

— Nunca — concordou Philippe.

A mulher se despediu do motorista e começou a subir os degraus. O olhar dela estava um pouco perdido, como se estivesse ouvindo uma música distante. Era uma música linda, pensou Ricardo. Música de verdade. Não a porcaria eletrônica de EDM que era tocada em volume capaz de provocar surdez todas as noites em Les Caves.

Ele recuou para a alcova da recepção e observou Philippe abrir a porta com mais floreio do que o habitual. O concierge cumprimentou a mulher em um francês meloso, e ela respondeu na mesma língua, embora tenha ficado rapidamente evidente que o francês não era sua língua nativa. Ricardo, que normalmente passava várias horas por dia ao telefone com estrangeiros, tinha um ouvido apurado para sotaques. A jovem graciosa que parecia ouvir música que só ela conseguia ouvir era cidadã da Alemanha.

— Madame Brenner? — perguntou ele, quando ela se apresentou no balcão de check-in.

— Como soube?

— Um palpite de sorte. — Ricardo exibiu seu sorriso treinado de hoteleiro e entregou a chave de cartão do quarto. — Monsieur Akimov cuidou de todas as despesas. Se houver algo que possamos fazer para ajudar, não hesite em pedir.

— Um café cairia bem.

— Infelizmente o lounge está fechado, mas há uma cafeteira Nespresso em sua suíte.

— E a academia?

— Fechada.

— O spa também?

Ricardo concordou com a cabeça.

— Todos os espaços públicos do hotel estão fechados por ordem do governo.

— Acho que vou dar uma volta.

— Ótima ideia. Thierry colocará sua mala em seu quarto.

— Há alguma farmácia por perto?

— Siga a Rue de l'Église descendo a colina. A farmácia vai estar à sua direita.

— *Merci* — disse a mulher, e saiu.

Ricardo e Philippe ficaram lado a lado na porta, observando a hóspede descer os degraus.

— Não admira que Arkady queira que cuidemos tão bem dela — falou Ricardo, enquanto Isabel desaparecia de vista.

— Você acha que ela é...?

— Amante dele? De jeito nenhum — disse Ricardo. — Não aquela ali.

Duas limusines pararam na rua. Quatro russos. Uma montanha de bagagem. Nenhuma máscara à vista.

Ricardo balançou a cabeça.

— Talvez isso tenha sido um erro.

— Talvez você tenha razão — concordou Philippe.

49

COURCHEVEL, FRANÇA

A quietude na base do teleférico principal de Courchevel era a mesma de um monumento construído por uma civilização desaparecida havia muito tempo, com as gôndolas vazias balançando suavemente sob a luz reluzente do sol da tarde. Isabel passou por um desfile de lojas caras — Dior, Bulgari, Louis Vuitton, Fendi — e de portas cerradas. Ao lado, havia um estabelecimento para aluguel de esquis, também fechado, e um pequeno café com dois clientes, um homem e uma mulher, bebendo café em copos de papel em uma mesa na calçada. O homem usava um boné Salomon e óculos escuros com armação envolvente. A mulher de cabelo preto e de pele azeitonada estava dando uma bronca nele em um francês rápido e veemente.

A pequena mentira para encobrir a grande mentira...

Sorrindo, Isabel atravessou a rua e entrou na farmácia. Enquanto descrevia os sintomas para a mulher de paletó branco atrás do balcão, ela ouviu o barulho da campainha eletrônica da porta. Um momento depois, uma voz sensual com sotaque russo disse:

— Isabel? É você?

Era Oksana Akimova. Ela estava vestindo um macacão de esqui Fusalp colado ao corpo. A pele brilhava com o frio e o sol.

— Quando você chegou? — perguntou Oksana, ofegante.

— Há alguns minutos.

— Não está se sentindo bem?

— Só um pouco de enjoo do carro.

— Por que você não vem esquiar com a gente? A neve está perfeita e as encostas estão vazias.

— Não sou uma grande esquiadora, para ser sincera. Acho que vou voltar para o meu quarto e descansar antes da festa.

— Pelo menos venha beber conosco. Nós tomamos conta do terraço do Le Chalet de Pierres.

A *pharmacienne* colocou o remédio sobre o balcão. Isabel pagou com cartão de crédito e seguiu Oksana para a rua. Observadas pelo casal no café, as duas passaram pelo mesmo desfile de lojas de portas cerradas até a base do teleférico, onde a russa havia estacionado uma moto de neve Lynx vermelha e preta.

— Acho que é verdade — disse Isabel.

— O quê?

— Que Arkady comprou todas as motos de neve disponíveis em Les Trois Vallées.

— Eu não duvido. — Oksana se acomodou atrás dos controles e ligou o motor.

— Não estou vestida para isso — gritou Isabel mais alto que o barulho.

— É apenas algumas centenas de metros colina acima.

Isabel se apertou na parte de trás do selim e passou os braços pela cintura de Oksana. Era impressionantemente fina, como a cintura de uma adolescente.

— Acho mesmo que preciso descansar antes da festa.

— Não fale besteira. Você pode dormir amanhã.

Oksana apontou a moto de neve para a encosta da colina e acelerou. Em vez de avançar em linha reta, ela adorou exibir a habilidade em manejar o veículo possante. Como Anna Rolfe, Oksana ignorou os apelos de Isabel para ir mais devagar.

Le Chalet de Pierres, uma instituição de Courchevel, ficava do lado esquerdo da encosta. Havia mais quatro motos de neve Lynx estacionadas do lado de fora, e uma coleção de esquis e bastões de cores vivas apoiada no suporte de armazenamento de maneira bagunçada. Os proprietários — pessoas que falavam russo — estavam reunidos em um canto ensolarado do grande terraço. As mesas estavam cheias de comida que não havia sido consumida e várias garrafas de Bandol rosé, a maioria vazia.

Um russo queimado de sol colocou uma taça de vinho na mão de Isabel enquanto Oksana fazia a apresentação.

— Pessoal, esta é a Isabel. Isabel, este é o pessoal.

— Olá, Isabel! — responderam os russos em uníssono.

— Olá, pessoal — respondeu Isabel.

Oksana estava acendendo um cigarro.

— Você não vai tomar? — perguntou ela.

— Perdão?

— O remédio que você comprou na farmácia.

Isabel desatarraxou a tampa do frasco e engoliu um comprimido com o rosé.

— Onde está Arkady?

— No aeroporto, aguardando a chegada do convidado de honra desta noite.

— Quem é ele?

— Arkady não contou?

Isabel fez que não com a cabeça.

— Só disse que ele estava muito ansioso para me conhecer.

— Você deve se considerar uma pessoa de sorte — disse Oksana. — Você foi tocada pela mão mágica.

— O que isso significa?

— Na Rússia, a pessoa não consegue ter sucesso ou se tornar rica a menos que alguém em uma posição de poder ou influência coloque a mão no ombro dela. Arkady colocou a mão em você. Em breve, você será tão rica quanto um oligarca.

— Mas eu não sou russa.

— Olhe em volta, Isabel. Você vê alguma outra pessoa que não seja russa aqui? Você é uma de nós agora. Bem-vinda à festa que nunca acaba. — Oksana deu um sorriso irônico. — Aproveite enquanto dura.

De repente, o vale ecoou com o som ritmado distante de rotores. Um momento se passou até que o primeiro helicóptero aparecesse. Mais dois se seguiram logo depois. Enquanto desciam em direção ao campo de aviação no topo da montanha de Courchevel, os foliões reunidos no terraço começaram uma versão tumultuosa do hino da Federação Russa.

Os olhos de Oksana brilharam de emoção.

— Por que você não está cantando? — perguntou ela.

— Eu não sei as palavras.

— Como é possível?

— Eu sou alemã.

— Besteira! — Oksana jogou um braço em volta do ombro de Isabel. — Olhe em volta, Isabel. Você é uma de nós agora.

Os helicópteros eram H215 Super Pumas da Airbus operados por militares franceses. A bordo do primeiro estava o presidente da Federação Russa, uma pequena comitiva de auxiliares de viagem e quatro agentes do Serviço de Segurança Presidencial Russo. Oito guarda-costas adicionais foram espremidos no segundo helicóptero junto com várias caixas de equipamentos de comunicações seguras. O terceiro Airbus foi reservado para um destacamento do Service de la Protection francês. Relegados a ficar de guarda no perímetro, os agentes passariam a véspera de Ano-Novo do lado de fora no clima alpino inclemente, ao invés de com amigos e entes queridos em Paris. Disseram que o moral estava extremamente baixo.

Uma equipe avançada do SDLP havia chegado a Courchevel naquela manhã para uma avaliação do chalé, que tinha o tamanho de um hotel, na Rue de Nogentil, onde o presidente russo celebraria o Ano-Novo com seu amigo de infância de Leningrado e trezentos convidados. Se os agentes tivessem se dado ao trabalho de bater na porta de uma casa mais modesta no número 172 — trinta mil por noite, com estadia mínima de sete noites, sem exceções, sem reembolso —, teriam descoberto um grupo multinacional de turistas que tinham vindo para Courchevel, aparentemente por capricho, apesar do fato de a área de esqui estar fechada. Uma inspeção mais apurada do ambiente teria revelado a presença de uma grande quantidade de equipamentos eletrônicos sofisticados e várias armas de fogo.

A inspeção também teria revelado que os turistas eram na verdade agentes do consagrado Serviço Secreto de Inteligência de Israel. Um era Gabriel Allon, um homem que travou uma luta longa e dura contra a Rússia revanchista e seus órgãos malignos de segurança do Estado. Outro era seu velho amigo e cúmplice Eli Lavon, chefe da divisão de vigilância física e eletrônica conhecida como Neviot. Dois outros chefes de divisão, Rimona Stern, das Coleções, e Yossi Gavish, da Pesquisa, também entraram em Courchevel sem que fossem observados. No momento, eles estavam no café em frente à farmácia. Os ocupantes anteriores da mesa deles passeavam pelas fachadas das lojas às escuras da Rue de la Croisette. O homem de boné Salomon e óculos escuros de armação envolvente era Mikhail Abramov. Ele estava acompanhado por sua esposa francófona, Natalie Mizrahi.

O último integrante da equipe — conhecido como Nicolas Carnot, Peter Marlowe ou, mais precisamente, Christopher Keller

— veio emprestado das fileiras do Serviço Secreto de Inteligência da Grã-Bretanha. Escondido sob a roupa de um esquiador, ele bebia cidra quente no terraço do Le Chalet de Pierres, observando um bando de russos embriagados cantando uma versão vigorosa e dissonante de seu hino nacional. Duas mulheres atraentes, uma russa e a outra alemã, estavam um pouco afastadas do grupo. Uma transmissão de áudio do telefone da alemã, que estava enfiado em seu elegante casaco de lã, foi ouvida no chalé alugado na rue de Nogentil.

— *Por que você não está cantando?*

— *Eu não sei as palavras.*

— *Como é possível?*

— *Eu sou alemã.*

— *Besteira! Olhe em volta, Isabel. Você é uma de nós agora.*

O canto diminuiu, assim como a batida dos rotores do helicóptero. Pelo menos por isso, Gabriel estava grato. O som despertou nele uma lembrança desagradável.

Divirta-se vendo sua esposa morrer, Allon...

Ele foi até a janela do grande salão abobadado do chalé e observou um comboio serpenteando pela sinuosa Rue de l'Altiport. Quando passou sob seus pés, ele fez uma pistola com a mão e apontou o dedo na direção da figura dentro da traseira de um Peugeot 5008 blindado. O bandido da travessa Baskov em Leningrado. O poderoso chefão de um regime gângster com armas nucleares.

O comboio continuou pela Rue de Nogentil por mais cem metros, até virar e entrar no pátio do tamanho de um chalé do tamanho de um hotel. Imediatamente, os agentes do SDLP e da Police Nationale estabeleceram um posto de controle no extremo norte da rua — um posto de controle pelo qual a bela alemã no terraço de Le Chalet de Pierres logo seria obrigada a passar. Às 16h15, depois de um passeio angustiante de moto de neve montanha abaixo, ela voltou para o hotel, onde o diretor de reservas nascido na Espanha a informou que Monsieur Akimov tinha tomado a liberdade de lhe arrumar um carro para a noite.

— Que atencioso da parte dele. Que horas?

— Às 21 horas, Madame Brenner.

— Diga ao motorista para não me esperar antes das 21h30. Não há nada pior do que chegar cedo demais a uma festa. Você não concorda, Ricardo?

— Não, Madame Brenner. Nada mesmo.

50

COURCHEVEL, FRANÇA

Isabel acordou com uma sensação de paralisia e sem lembrança de ter dormido. A cama em que ela estava deitada era desconhecida, assim como o quarto escuro que a cercava. O alarme do celular estava tocando — curioso, pois ela não se lembrava de tê-lo programado. O som de dois homens falando em russo em algum lugar próximo só aumentou sua confusão.

Por fim, Isabel silenciou o telefone e o levou aos olhos. Evidentemente, eram 20h15 da véspera de Ano-Novo. Mas onde ela estava? Isabel digitou a senha de oito dígitos e apertou o ícone do tempo, e a previsão para a estação de esqui francesa de Courchevel apareceu na tela. E então ela se lembrou. Isabel teria de comparecer a uma festa naquela noite na casa de um oligarca russo que queria que ela servisse como a principal ocultadora de riquezas saqueadas e, se fosse obediente, sua parceira sexual extraconjugal. Em algum momento durante a noite — o momento exato nunca foi esclarecido —, Isabel seria convidada a conhecer uma figura muito importante do Kremlin. Falante de alemão fluente, ele se dirigiria a Isabel em sua língua nativa. Ela foi autorizada a lhe desejar um bom Ano-Novo, mas não deveria puxar conversa.

Se estivesse ansiosa durante o encontro, ela teria a liberdade de dizer isso a ele.

Ele é um assassino em série. Está acostumado com as pessoas ficando nervosas em sua presença...

De acordo com o celular de Isabel, uma neve fraca caía lá fora. Ela confirmou que era verdade ao afastar o blecaute da janela. Em seguida, entrou na pequena cozinha da suíte e ligou a máquina da Nespresso. Um Diavolitto duplo tirou as últimas teias de sono da cabeça, mas a deixou nervosa e inquieta.

A sensação diminuiu no chuveiro. Para evitar qualquer indecisão de última hora a respeito das roupas, Isabel trouxe um único vestido curto preto Max Mara, que complementou com uma pulseira de diamantes, um colar duplo de pérolas Mikimoto e seu relógio de pulso Jaeger-LeCoultre Rendez-Vous caríssimo. Ela havia trazido uma máscara — preta, para combinar com o vestido —, mas a guardou na bolsa. A festa, ilegal sob o lockdown nacional rigoroso da França, sem dúvida se tornaria um evento superpropagador. Isabel imaginou que seria uma sorte sobreviver àquela noite.

Às 21h15, o telefone sobre a mesa de cabeceira vibrou e piscou anunciando uma chamada. Era Ricardo: o carro de Isabel havia chegado. Ela permaneceu na suíte por mais quinze minutos, dando um toque final de decadência à maquiagem antes de descer para o saguão. Philippe, o concierge, praticamente ficou em posição de sentido quando ela saiu do elevador.

Do lado de fora, Thierry, o carregador, segurou um guarda-chuva acima da cabeça de Isabel enquanto ela entrava na parte de trás da Mercedes que a esperava. Para seu alívio, o motorista era um francês bonito chamado Yannick, e não outro russo. Quando o carro arrancou, ele ligou o som. Concerto para violoncelo de Haydn em Dó Maior, o belo segundo movimento.

Isabel sentiu uma pontada de pânico.

— Monsieur Akimov mandou que você tocasse isso? — perguntou ela.

— Quem, madame?

— Esquece.

Isabel contemplou seu reflexo na janela do carro. Ela se tranquilizou, pensando que havia sido tocada pela mão mágica. Ela era um deles agora. Os russos estavam sob seu controle.

O motorista de Isabel era Yannick Fournier, 33 anos, casado, pai de dois filhos, sem antecedentes criminais, torcedor do Lyon. O despachante havia instruído que ele permanecesse no Jardin Alpin, em Courchevel, até que a cliente estivesse pronta para retornar ao hotel. Enquanto guiava o carro pela Rue de Bellecôte, Yannick informou o número de seu celular, que ela armazenou no próprio aparelho. Eli Lavon, curvado sobre um computador no centro de operações improvisado do chalé, tirou uma fotografia de Isabel com a câmera do telefone antes que ela o devolvesse à bolsa.

— Ela parece nervosa — observou Gabriel.

— Ele acharia estranho se ela não estivesse.

— Vladimir Vladimirovich?

— Quem mais?

Um silêncio caiu entre os dois. Havia apenas a música do som do carro.

— Por que o motorista está tocando Haydn? — perguntou Gabriel. — E por que um concerto para violoncelo?

— É uma coincidência.

— Eu não acredito nelas, Eli. E nem você.

Lavon digitou algumas teclas no laptop e o ícone de um arquivo de áudio apareceu na tela. Ele o abriu, ajustou a marcação de tempo e clicou em reproduzir.

— *Arkady colocou a mão em você. Em breve, você será tão rica quanto um oligarca.*

Lavon clicou no botão de pausa.

— Não perca a coragem agora.

— Talvez ele esteja brincando comigo.

Lavon clicou em reproduzir uma segunda vez.

— *Olhe em volta, Isabel. Você vê alguma outra pessoa que não seja russa aqui? Você é uma de nós agora. Bem-vinda à festa que nunca acaba.*

Lavon interrompeu a gravação.

— As palavras de Oksana Akimova sugerem que sua agente não está em perigo.

— Toque o resto.

Lavon bateu no *trackpad*.

— *Aproveite enquanto dura.*

A luz azul piscando na tela do computador indicou que o carro de Isabel havia chegado ao posto de controle. Um momento depois, veio o som de dois homens conversando em francês. Um era o motorista de Isabel. O outro era um agente do Service de la Protection francês.

— *Nome?*

— *Isabel Brenner.*

— *Abra o porta-malas, por favor.*

A inspeção foi breve, durou dez segundos, não mais do que isso. Então, a tampa se fechou com um baque. Gabriel observou a luz azul piscante avançar lentamente para a zona russa temporária de Courchevel. Em um momento, sua agente estaria à mercê da guarda pretoriana do Kremlin. Eles eram devotos fanáticos do homem a quem serviam, pensou ele. Assassinos em ternos elegantes.

51

RUE DE NOGENTIL, COURCHEVEL

Dois dos guarda-costas russos estavam, naquele momento, parados como pilares na entrada do chalé de Arkady. Um segurava uma prancheta, o outro, um detector de metais portátil. Evidentemente, Isabel havia sido escolhida para uma etapa a mais de inspeção — a revista pela qual ela passou nas mãos do guarda--costas com o aparelho beirou a agressão sexual. Quando finalmente acabou, o Camarada Prancheta remexeu na bolsa dela como se procurasse algo de valor para roubar. O homem não encontrou algo de interessante além do telefone dela, que ele exigiu que Isabel desbloqueasse na presença dele. Ela digitou os oito números o mais rápido possível e a tela inicial apareceu. Satisfeito, o russo devolveu o aparelho e mandou Isabel curtir a festa.

Lá dentro, uma garota magricela, parecida com um manequim, com maquiagem teatral e um vestido de lantejoulas colado ao corpo, recolheu o sobretudo de Isabel e, em seguida, sem prestar atenção, a conduziu para o grande salão do chalé. Ela esperava que a decoração combinasse com o exterior de madeira, mas o salão era branco e moderno, ornado com obras de arte contemporânea grandes e coloridas. De um lado, havia uma escadaria que levava a uma galeria no segundo andar, onde mais dois guarda-costas russos inexpressivos vigiavam na balaustrada. Abaixo deles, mais ou menos duzentos foliões elegantemente vestidos, com bebidas na mão, gritavam uns com os outros por cima da música ensurdecedora. Isabel sentiu a vibração das ondas sonoras rastejando como insetos em cima de seus braços despidos. Ou talvez, pensou ela, fossem apenas partículas de coronavírus. Ela considerou colocar a máscara, mas decidiu não fazer. Até os pobres funcionários franceses do bufê estavam sem proteção.

Uma segunda garota tipo manequim, com roupas idênticas à primeira, apontou para a mesa de coquetel sem dizer qualquer coisa. Várias outras mulheres andavam como almas mortas entre os convidados, de vez em quando pegando no braço de um homem desacompanhado. Isabel supôs que fossem lembrancinhas de festa. Uma estava se segurando em Mad Maxim Simonov, o rei do níquel, que mantinha uma conversa animada com o assessor de imprensa do Kremlin. Um mentiroso extraordinariamente talentoso, o assessor de imprensa era dono de várias casas de luxo, incluindo um apartamento na Quinta Avenida, e regularmente passava férias em locais famosos como Dubai e Maldivas. No pulso esquerdo estava uma edição limitada do relógio Richard Mille no valor de 670 mil, mais do que ele havia ganhado durante toda a carreira como um humilde servidor do povo russo.

Ele não era o único exemplo de riquezas inexplicáveis no salão. Havia, por exemplo, o ex-vendedor de cachorro-quente que agora era o proprietário orgulhoso de várias empresas russas altamente valiosas, incluindo a obscura empresa de internet que se intrometeu na eleição presidencial americana de 2016. E o ex-instrutor de judô que agora construía gasodutos e centrais elétricas. E o ex-diretor do Teatro Mariinsky que de alguma forma acumulou uma fortuna pessoal superior a dez bilhões de dólares.

E eis que, obviamente, havia o ex-agente da KGB que agora era dono de uma empresa petrolífera com sede em Genebra conhecida como NevaNeft. No momento, ele estava ao lado dos guarda-costas na balaustrada, sem dúvida procurando por Isabel. Adotando o olhar cego das garotas tipo manequim, ela andou até a mesa de coquetéis mais próxima e voltou sua atenção a um homem bonitão que tinha por volta de quarenta anos.

— Posso oferecer uma bebida? — rugiu ele em um inglês com sotaque americano.

— Acho que são de graça — gritou Isabel em resposta.

Ela pediu uma taça de champanhe ao garçom, e o americano pediu vodca.

— Você não é russa — comentou o homem.

— Você parece desapontado.

— Sempre ouvi dizer que as russas são fáceis.

— Especialmente russas como ela. — Isabel acenou com a cabeça em direção a um dos manequins ambulantes. — Se eu tivesse que arriscar um palpite, elas foram trazidas de avião para a festa.

— Como o caviar.

Isabel sorriu.

— Por que está aqui?

— Negócios — berrou ele.

— O que você faz?

— Eu trabalho para o Goldman Sachs.

— Meus pêsames. Onde?

— Londres. E você?

— Eu toco violoncelo.

— Legal. De onde você conhece Arkady?

— É uma longa história.

— É o seu telefone?

— O quê?

O americano apontou para a bolsa que Isabel segurava com a mão esquerda.

— Acho que você está recebendo uma ligação.

Dando uma olhadela em direção à galeria, ela viu Arkady parado na balaustrada com um telefone no ouvido. Os olhos procuravam por ela na multidão, o que sugeria que Arkady ainda não havia descoberto o paradeiro de Isabel. Ela decidiu permanecer um pouco mais na companhia do estranho bonitão. Embora fosse alérgica a americanos, aquele parecia relativamente inofensivo.

— Bela bolsa — disse ele quando o celular parou de tocar.

— Bottega Veneta — explicou Isabel.

— Belo relógio também. Quanto ganham os violoncelistas?

— Meu pai é um dos homens mais ricos da Alemanha.

— Sério? O meu é um dos mais ricos de Connecticut. O que você vai fazer pelo resto da vida?

— Sendo sincera, não tenho a menor ideia. — O telefone voltou a tocar. — Você me dá licença?

— Você esqueceu isso. — Ele entregou a ela uma taça de champanhe. — Qual é o seu nome?

— Isabel.

— Isabel de quê?

— Brenner.

— Não vou esquecer, Isabel Brenner.

— Por favor, não.

Ela se afastou e tentou inutilmente retirar o telefone da bolsa enquanto, ao mesmo tempo, segurava a taça de champanhe. Por fim, Isabel ergueu o olhar em direção à balaustrada e viu Arkady observando e achando graça de sua dificuldade. Ele a chamou com uma mão e com a outra apontou para o pé da escada. Um momento depois, Arkady a cumprimentou no patamar com um beijo em cada bochecha. A demonstração de afeto não passou despercebida por Oksana, que estava observando os dois lá de baixo.

— Vejo que você conheceu Fletcher Billingsley — disse Arkady.

— Quem?

— O banqueiro jovem e bonito do Goldman Sachs.

— Você foi infiel, Arkady?

— Meu relacionamento com Fletcher é totalmente legal.

— O que isso faz de mim?

Ele fez um carinho no ombro de Isabel.

— Presumo que agora você saiba o nome do homem que gostaria de conhecê-la.

— Creio que sim. Na verdade, um dos guarda-costas dele me deu uma apalpada completa antes de me deixar passar pela porta.

— Infelizmente você está prestes a passar por outra.

Arkady a conduziu a uma pequena sala de estar por uma porta — uma antessala, pensou Isabel. As paredes estavam decoradas com fotos emolduradas do homem que a esperava do outro lado da próxima porta. A maioria das fotos o retratava se encontrando com pessoas renomadas e cuidando de assuntos importantes de Estado, mas em uma ele caminhava por um leito rochoso, com o peito liso exposto ao sol russo fraco.

— Ele vem sempre aqui? — perguntou Isabel, mas Arkady não respondeu, apenas levantou a tampa de mais uma caixa decorativa que bloqueava sinais de celular. Automaticamente, Isabel colocou o telefone ali dentro.

Ele fechou a tampa e acenou com a cabeça para o agente do Serviço de Segurança Presidencial Russo que a aguardava. A revista feita pelo homem foi ainda mais invasiva do que a que Isabel havia recebido antes. Quando acabou, o agente exigiu a bolsa dela.

Arkady colocou a mão na fechadura da porta.

— Pronta?

— Acho que sim.

— Empolgada?

— Um pouco nervosa, na verdade.

— Não se preocupe — sussurrou Arkady ao abrir a porta. — Ele está acostumado.

52

RUE DE NOGENTIL, COURCHEVEL

No chalé alugado no lado oposto da Rue de Nogentil, Gabriel e os outros seis integrantes de sua equipe estavam naquele momento reunidos em torno de um único laptop, monitorando a transmissão criptografada do smartphone hackeado de Isabel. Por um período de aproximadamente três minutos, o aparelho foi desconectado da rede celular SFR Mobile, provavelmente como resultado de ter sido colocado em uma caixa bloqueadora de sinal. O celular estava agora nas mãos de um agente do Serviço de Segurança Presidencial Russo. Após ter inserido a senha corretamente na primeira tentativa, ele estava percorrendo a lista de ligações recentes.

— Agora sabemos por que os rapazes na porta da entrada mandaram que ela destravasse o telefone — disse Eli Lavon.

— Existe alguma maneira de eles encontrarem nosso malware? — perguntou Gabriel.

— Não, a menos que eles conectem o telefone a um computador. E mesmo assim, o técnico teria que ser bom para cacete para encontrá-lo.

— Eles *são* bons, Eli. Eles são russos.

— Mas nós somos melhores. E você foi meticuloso no que se tratava das comunicações dela.

— Então, por que eles roubaram a senha de Isabel? — Gabriel olhou para o computador. — E por que Igor agora está lendo as mensagens de texto dela?

— Porque o chefe de Igor mandou. Isso é o que um gângster russo faz antes de contratar um estrangeiro para lavar seu dinheiro.

— Você acha que Isabel consegue lidar com ele?

— Se ela seguir o roteiro...

— O que acontece, Eli?

— Ele estará nas nossas mãos.

A decoração da sala combinava com o resto da construção, era clara e moderna, nada de madeira ou rústico ou que indicasse um chalé de esqui. Também parecia não haver qualquer coisa que indicasse Arkady na sala. Nada além do piano, outro Bösendorfer. Muitíssimo bem lustrado de preto, o instrumento estava solitário e intocado em cima de um tapete cinza-claro. Em um canto da sala estavam sentados quatro homens. Dois eram obviamente integrantes da segurança do presidente. Os outros dois cheiravam a burocracia — sem dúvida eram *apparatchiks** do Kremlin. Havia uma pilha de componentes eletrônicos em tom cinza-chumbo ali perto, com luzes vermelhas e verdes piscando. Era a aparelhagem, pensou Isabel, de um telefone seguro de um chefe de Estado. O receptor estava preso entre o ombro e a orelha do presidente russo.

Ele usava um suéter preto de gola alta ao invés de uma camisa social e vestia um blazer de casimira de aparência cara. O cabelo

* Termo para integrante leal e importante dentro do aparato do Partido Comunista da ex-União Soviética. (N. do T.)

claro, cuidadosamente repartido e penteado, cobria menos o couro cabeludo do que sugeriam as fotografias recentes. A expressão no rosto cuidado à base de muitos cosméticos era de irritação, como se ele tivesse sido colocado em espera. Era a mesma expressão, pensou Isabel, que o presidente russo geralmente exibia para seus colegas ocidentais antes de embarcar em uma arenga de uma hora de queixas, reais e imaginárias.

Arkady acompanhou Isabel até um arranjo de móveis modernos adjacente à janela panorâmica da sala. A vista dava para o oeste, na direção das encostas escuras da área de esqui. Quando os dois se sentaram, o presidente começou a falar, uma rajada rápida de palavras em russo seguida por uma longa pausa. Um ou dois minutos depois, ele falou pela segunda vez e, novamente, veio um longo silêncio. Isabel reconheceu que havia tradução envolvida.

— Parece importante.

— Geralmente, é.

— Talvez eu deva esperar lá fora.

— Você me disse que não fala russo.

— Nenhuma palavra.

— Então, por favor, fique onde está. — Arkady estava olhando pela janela, com o dedo indicador descansando na bochecha em uma expressão de especulação. — Tenho certeza de que ele não vai demorar.

Isabel baixou o olhar para as mãos e percebeu que os nós dos dedos estavam brancos. O presidente russo estava falando novamente, embora agora fosse em inglês — ele desejou um feliz ano novo à pessoa do outro lado da ligação. No fim da conversa, entregou o telefone a um assessor e se dirigiu a Arkady do outro lado da sala, em russo.

— Uma pequena crise em casa — explicou Arkady a Isabel. — Ele gostaria que esperássemos do lado de fora enquanto faz mais uma ou duas ligações.

Os dois se levantaram em uníssono e, observados pelo presidente russo, retornaram à antessala. Durante a breve ausência deles, mais três agentes do Serviço de Segurança Presidencial haviam chegado. Um deles era o Camarada Prancheta, a sentinela da porta da frente.

Arkady estava olhando para o próprio telefone.

— O que achou do hotel? — perguntou ele.

— Lindo. Só lamento não poder ficar mais tempo.

— Quando você está planejando ir embora?

— O motorista vai me buscar ao meio-dia.

Arkady ergueu os olhos do telefone abruptamente, mas não disse uma palavra sequer.

— Alguma coisa errada?

O sorriso dele pareceu forçado.

— Eu esperava que você pudesse se juntar a nós para o brunch de amanhã.

— Eu preciso voltar para Genebra.

— Contas a fazer?

— Sempre.

O telefone de Arkady tocou com uma chamada recebida. A conversa foi breve e basicamente unilateral.

— Parece que a crise não é tão pequena assim, afinal de contas — disse ele depois de encerrar a ligação. — Só espero que você me perdoe por arrastá-la até Courchevel a troco de nada.

Ele acenou com a cabeça em direção ao Camarada Prancheta.

— Gennady vai escoltar você de volta para a festa. Por favor, me avise se precisar de alguma coisa.

— Tudo que eu preciso — disse Isabel — é o meu telefone.

Arkady removeu o aparelho da caixa e devolveu. O movimento não despertou o celular da inatividade. Isabel apertou o botão lateral, mas não houve resposta. O telefone estava desligado.

Ela guardou o celular na bolsa e seguiu o Camarada Prancheta por um corredor até um elevador que os aguardava. Dois outros seguranças também se espremeram lá dentro. Um deles apertou um botão B.

— Para onde você está me levando?

— Para a festa — respondeu o Camarada Prancheta.

— A festa é no primeiro andar.

Quando a porta se abriu, o fedor de cloro era insuportável. Camarada Prancheta agarrou Isabel pelo braço e a arrancou do elevador. Uma única figura estava parada no deque à beira da piscina, fracamente iluminada por uma luz azul aquosa. Era Fletcher Billingsley, o americano rico do Goldman Sachs que ela havia conhecido no bar do andar de cima.

Ele se aproximou de Isabel lentamente, com um sorriso benevolente no rosto, e se dirigiu a ela em um inglês com sotaque russo.

— Eu disse que não iria esquecer você, Isabel.

Fletcher não manifestou nenhuma ameaça ou advertência, o que foi inadvertidamente cavalheiresco da parte dele, pois não permitiu que Isabel se preparasse para a dor. Num momento ela estava empertigada, no seguinte estava dobrada como um canivete. Fletcher amparou Isabel com uma ternura surpreendente até o chão frio, onde ela tentou respirar, em vão. O chalé parecia estar girando. Bem-vinda à festa que nunca acaba, pensou ela. Aproveite enquanto dura.

53

RUE DE NOGENTIL, COURCHEVEL

Ele colocou Isabel de pé e a conduziu à força até um vestiário luxuosamente decorado. Lá, Fletcher a jogou contra uma parede de cerâmica antes de enfiar a cabeça de Isabel na água salgada e escaldante de uma banheira de hidromassagem. Até onde ela sabia, ele a afogou, pois, ao recuperar a consciência, ela estava esparramada no chão de ladrilhos, coberta com o próprio vômito.

— Qual é o seu nome? — perguntou uma voz de cima.

— Isabel Brenner.

— Seu nome *verdadeiro*.

— Esse é o meu nome verdadeiro.

— Para quem você está trabalhando?

— Global Vision Investments.

Fletcher a pegou como uma boneca de pano e enfiou a cabeça debaixo d'água uma segunda vez. Isabel estava quase inconsciente quando ele finalmente ergueu o rosto dela acima da superfície.

— Qual é o seu nome?

— Isabel. Meu nome é Isabel.

— Para quem você está trabalhando?

— Eu trabalhava para o RhineBank. Agora trabalho para Martin Landesmann.

Fletcher lhe deu um tapa de mão aberta que encheu a boca de Isabel de sangue e a fez cair no chão.

— Por que está fazendo isso? — soluçou ela.

Ele sacudiu Isabel com violência.

— Qual é o seu nome? Seu nome verdadeiro.

— Isabel — gritou ela. — Meu nome é Isabel.

Fletcher a soltou e saiu do vestiário — por quanto tempo, ela não soube dizer. Alguns minutos, uma hora. Quando voltou, ele segurava um enorme haltere fixo. Fletcher brandiu o peso sem esforço, como se fosse feito de papel machê.

— Qual mão você gostaria de manter?

— Por favor — implorou Isabel.

— Direita ou esquerda? Você decide.

— Eu vou contar tudo.

— Eu sei. — Ele agarrou a mão esquerda dela. — Essa é a mais importante, não é?

Fletcher pressionou a palma da mão de Isabel contra o ladrilho de pedra calcária e colocou um pé pesado em cima do antebraço. Ela sentiu o rádio dobrando a ponto de fraturar. Isabel esmurrou a perna dele com a mão direita, mas não adiantou. Era como se o homem fosse feito de pedra.

Fletcher ergueu o haltere acima da cabeça e apontou para a mão esquerda espalmada de Isabel.

— Não deixe cair — implorou ela.

— Tarde demais. — Ele levantou o peso alguns centímetros mais alto. — É melhor você fechar os olhos.

Isabel desviou o olhar e viu Arkady parado na porta do vestiário, com uma expressão de repulsa no rosto. Ele falou algumas palavras frias em russo, e o homem que Isabel conhecia como Fletcher Billingsley do Goldman Sachs abaixou o peso e tirou o pé de seu antebraço.

Arkady agora olhava feio para as gotas de sangue de Isabel no piso de ladrilhos, como se estivesse preocupado com o efeito adverso que elas causariam no valor de revenda da propriedade. Ele cobriu o sangue com uma toalha branca felpuda e cutucou com a ponta do sapato.

— Você nunca vai removê-lo dessa forma — disse Isabel.

— Não se preocupe, faremos uma limpeza completa quando você for embora.

Ela limpou o sangue do rosto e esfregou a mão na almofada de uma espreguiçadeira.

— E isso aqui?

Arkady deu um sorriso sem achar graça.

— Ele nunca gostou daquela cadeira, para começo de conversa.

— Quem?

Ignorando a pergunta de Isabel, ele falou mais algumas palavras em russo, e o agressor de Isabel se retirou.

— Imagino que o nome dele não seja Fletcher Billingsley.

— Felix Belov.

— Onde ele aprendeu inglês?

— O pai do Felix foi designado para a *rezidentura* do SVR em Nova York.

— O que ele faz quando não está batendo em mulheres?

— Ele trabalha para uma pequena subsidiária da NevaNeft. Talvez você já tenha ouvido falar dela. Chama-se Grupo Haydn.

Isabel se sentou empertigada e olhou com atenção para os armários de madeira e acessórios de ouro resplandecentes do vestiário.

— Tem sauna seca ou a vapor?

Arkady acenou com a cabeça em direção a uma passagem.

— Quanto você pagou pelo lugar?

— Acredito que foram 25 milhões.

— Compra anônima?

— Existe outro tipo?

— Omega Holdings?

— Tradewinds Capital.

— E a casa em Féchy? Isso também é da Tradewinds?

— Harbinger Management.

— E quem é o dono da Harbinger?

Arkady não disse qualquer coisa.

— Ele é dono da NevaNeft também?

— De quase toda.

— Alguma coisa é sua?

— Oksana, eu suponho. Pelo menos, era.

Ele pegou a toalha do chão e usou para limpar o sangue de Isabel da borda da banheira de hidromassagem. Como quem não quer nada, perguntou:

— Quando você começou a trabalhar para ele?

— Martin?

— Gabriel Allon.

Isabel não se deu ao trabalho de negar.

— Há quanto tempo você sabe?

— Sou eu que faço as perguntas. E aconselho que você responda sendo rápida e honesta. Caso contrário, vou pedir a Felix para terminar o trabalho que ele começou na sua mão.

— Eu fui trabalhar para ele não muito depois de você ter assassinado Viktor Orlov.

— Você é uma agente profissional de inteligência?

— Deus me livre, não.

— Foi você quem deu aqueles documentos para Nina Antonova?

— Claro.

— É por isso que você foi demitida da Lavanderia Russa?

— Não — respondeu ela. — Aquilo foi obra de Gabriel.

Arkady dobrou a toalha ensanguentada com cuidado.

— A Aliança Global pela Democracia?

— Gabriel criou a instituição para colocar um alvo nas costas de Martin.

— A Artemisia recém-descoberta? A recepção no Kunsthaus? Anna Rolfe? Aquilo tudo foi... — A voz dele foi sumindo. — E quanto a Anil Kandar? Ele também estava envolvido?

— Anil é apenas um filho da mãe ganancioso. O RhineBank vai acabar, Arkady. E você também. Nós pegamos você no momento em que assinou a papelada daquele prédio comercial em Miami.

— Então por que você veio aqui hoje à noite?

— Uma oportunidade única na vida.

Do andar de cima veio uma onda de aplausos entusiasmados. Um momento depois, o presidente russo começou a falar. Sem dúvida, da balaustrada, pensou Isabel. Os bandidos do mundo inteiro adoravam olhar para seus vassalos do alto de uma sacada.

Arkady fez uma careta diante de algo que seu mestre falou.

— Nosso Volodya é muito bruto. Mas isso ele sempre foi. Não seria nada se não fosse por mim. Fui eu que o escolhi. Fui eu que facilitei sua ascensão na hierarquia da burocracia do Kremlin. E fui eu que garanti que ele vencesse a primeira eleição presidencial. E como ele me retribui? Com o mesmo tratamento que me dava quando eu era um menino doente da travessa Baskov Lane que queria ser pianista.

— Você deveria ter seguido seus sonhos, Arkady.

— Eu tentei. — Ele fechou os olhos e apertou a ponte do nariz entre o polegar e o indicador. — Você me fez passar por idiota.

— Tenho certeza de que não fui a primeira.

— Eu confiei em você.

— Não deveria ter feito isso.

— Você sabe o que vai acontecer quando eu voltar para Moscou? Com um pouco de sorte, cairei de uma janela. De costas, é claro. É assim que todos os empresários russos saltam das janelas hoje em dia. É uma tradição na admirável Nova Rússia que ajudei a criar. Nunca olhamos para a frente quando saltamos. Nós apenas caímos de costas. — Calmamente, Arkady acrescentou: — Pelo menos, assim não vemos os paralelepípedos do pátio vindo correndo nos receber.

— Talvez exista um acordo a ser feito.

— Existe — disse Arkady. — Mas é *você* quem terá de chegar a um acordo.

— O que você quer?

— Quero que você entregue Gabriel Allon em minhas mãos para que meu amigo mais antigo no mundo não me mate. — Ele tirou o telefone do bolso do paletó. — Quanto você quer? Um bilhão? Dois bilhões? Diga o seu preço, Isabel.

— Você realmente acha que eu aceitaria seu dinheiro imundo para me salvar?

— O dinheiro não é meu, é dele. E por que você seria diferente de todos os outros que aceitaram? — Ele agarrou o cabelo de Isabel com o rosto tão contorcido de desespero que ela mal o reconheceu. — Como vai ser, Isabel? Você tem um minuto.

— Desculpe, Arkady. Sem acordo.

— Uma decisão muito imprudente de sua parte. — Ele soltou o cabelo de Isabel. — Talvez você não seja a mulher de negócios astuta e sem princípios que imaginei que fosse.

— Você só vai piorar as coisas para seu lado me matando.

— Quem falou alguma coisa a respeito de matar? — Arkady estendeu a mão na direção da bochecha inchada de Isabel, mas ela recuou ao toque. — Diga: de quem foi a ideia de tocar Vocalise na recepção? Sua ou de Allon?

— Minha — mentiu ela.

— Você realmente fez uma bela apresentação naquela noite. É uma pena que ninguém nunca mais vai ouvir você tocar de novo. — Ele recolocou o telefone no bolso do paletó. — Feliz Ano-Novo, Isabel.

54

RUE DE NOGENTIL, COURCHEVEL

Às 23h30, aproximadamente noventa minutos depois que Arkady Akimov convocou Isabel para a reunião com o presidente russo, o telefone dela permanecia fora do ar. Era possível que o encontro tivesse durado mais do que o previsto. Também era possível que Isabel tivesse deixado o telefone na caixa bloqueadora de sinal após retornar à festa. A explicação mais provável, entretanto, era que alguma coisa havia dado errado dentro do chalé monstruoso do outro lado da Rue de Nogentil.

Um planejador de operações prudente e calejado, Gabriel havia se preparado para uma eventualidade dessas. Cinco integrantes de sua equipe haviam saído de mansinho do esconderijo em veículos alugados e estavam posicionados em pontos-chave ao redor de Courchevel. Yossi estava estacionado em frente ao hotel de Isabel; Rimona e Natalie, em um posto de gasolina deserto perto da entrada do vilarejo. Christopher e Mikhail, a ponta violenta da lança de Gabriel, estavam em um Audi Q7 na Rue du Jardin Alpin, perto da estação de teleférico. Keller, um exímio aventureiro e alpinista, foi precavido e trouxe sapatos para neve e bastões de caminhada. Mikhail não tinha nada além de uma dor de cabeça provocada pela altitude e uma arma, uma pistola Barak SP-21 calibre .45, capaz de deter qualquer homem.

Apenas Eli Lavon permaneceu com Gabriel no esconderijo. Às 23h59 eles foram à varanda e ouviram os convidados embriagados de Arkady contar em altos brados os últimos segundos de um ano horrível. O comboio foi embora à 0h15. Yevgeny Nazarov, o porta-voz onipresente do Kremlin, havia se juntado ao presidente no SUV blindado da Peugeot. Diretamente atrás do SUV vinha uma Mercedes-Maybach. Dentro estavam Arkady e Oksana Akimov.

— Atrasado como sempre — disse Lavon. — Mas por que você acha que Arkady vai com ele ao aeroporto?

— É possível que ele queira dar adeus ao helicóptero. A presença da esposa do Arkady, no entanto, sugere que ele pretende estar *no* helicóptero.

— Isso aqui também.

Lavon mostrou a Gabriel uma mensagem de texto da equipe de vigilância na Place du Port, em Genebra. Vários funcionários do Grupo Haydn haviam acabado de entrar na empresa de Arkady. As luzes estavam acesas no sexto andar.

— Se eu fosse arriscar um palpite — disse Lavon —, eles estão destruindo documentos e apagando discos rígidos.

Gabriel ligou rapidamente para Christoph Bittel.

— Parece que Arkady está fugindo para Moscou.

— Dê a ordem, e eu mando invadir a empresa dele.

— A *villa* em Féchy também. E me faça um favor, Bittel.

— Qual?

— Faça barulho. — Gabriel desligou a ligação e observou as luzes azuis piscantes do comboio serpenteando ao subir pela encosta da montanha. — Eles não tentariam levá-la para a Rússia, não é, Eli?

— Você quer mesmo que eu responda?

O comboio chegou ao aeroporto. Um momento depois, o primeiro helicóptero Super Puma da Airbus estava no ar e virando para noroeste.

— Sabe — falou Lavon depois de um momento —, se Arkady tivesse um pingo de bom senso, ele ficaria aqui no Ocidente.

— Ele me entregou 11,5 bilhões de dólares do dinheiro do sr. Alguém de mão beijada. Duvido que ele tenha tido essa opção.

O segundo helicóptero subiu no céu escuro, e depois o terceiro.

— É melhor você acabar logo com isso — disse Lavon.

Gabriel hesitou, depois fez a ligação.

— A coisa vai ficar feia.

Devido a uma série recente de ataques mortais de lobos solitários por militantes islâmicos, Paul Rousseau, líder de uma unidade de contraterrorismo de elite conhecida como Grupo Alfa, decidiu passar a véspera de Ano-Novo em seu gabinete na Rue Nélaton, em Paris. Consequentemente, quando o telefone tocou à 0h22, ele presumiu o pior. O fato de ser Gabriel Allon do outro lado da linha só aumentou a sensação de ruína iminente. O relatório do israelense foi rápido e, sem dúvida, apenas parcialmente preciso.

— Tem certeza de que eles estão planejando levá-la para a Rússia?

— Não — respondeu Gabriel. — Mas, no mínimo, eles sabem onde ela está.

— Ela é israelense, essa sua agente?

— Alemã, na verdade.

— Os alemães sabem...?

— Próxima pergunta.

— Os suíços emitiram um mandado doméstico para a prisão de Monsieur Akimov?

— Ainda não.

— Eles entraram com um pedido de Difusão Vermelha* na Interpol?

— Paul, por favor.

— Não podemos detê-lo sem justificativa legal. Precisamos de um papel.

— Então, creio que vamos precisar pensar em uma forma extrajudicial de impedi-lo de deixar o país.

— Como o quê?

— Fechar o aeroporto, é claro.

— Isso efetivamente proibiria o voo da aeronave do presidente russo.

— Exatamente.

— Haverá repercussões diplomáticas.

— Tomara que sim.

Rousseau buscou abrigo burocrático.

— Isso não é uma coisa que eu possa fazer sozinho. Preciso da aprovação de uma autoridade superior.

— Superior como?

— Para uma coisa assim... do Palácio do Eliseu.

— Como o presidente francês se sente em relação ao seu equivalente russo hoje em dia?

— Ele o detesta.

— Nesse caso, você me permite dar uma sugestão?

— Claro, por favor.

— Ligue para o palácio, Paul.

Foi exatamente o que Rousseau fez à 0h27. O presidente francês estava comemorando o Ano-Novo com alguns amigos íntimos. Para

* Mandado de captura internacional entre os Estados-membros da Interpol. (N. do T.)

surpresa de Rousseau, ele não se opôs à ideia de proibir o voo da aeronave de seu equivalente russo. Na verdade, o presidente francês gostou bastante da ideia.

— Ligue para a torre de Chambéry — pediu a Rousseau. — Diga a eles que você está agindo em meu nome.

— A torre terá que dar um motivo que justifique o atraso aos pilotos russos.

— Desligue o radar do aeroporto. As luzes da pista também. Dessa forma, os pilotos não tentarão fazer nenhuma besteira.

— E se tentarem?

— Tenho certeza de que você e Allon vão pensar em alguma coisa — disse o presidente francês, e a linha ficou muda.

55

RUE DE NOGENTIL, COURCHEVEL

O relógio de pulso Jaeger-LeCoultre de Isabel parou às 10h47, com o vidro quebrado. Portanto, ela não sabia precisamente quanto tempo havia se passado desde que Arkady partira. Isabel calculou que se passaram pelo menos 25 minutos, pois esse era o tempo aproximado da Sonata para Violoncelo de Brahms em Mi Menor. Ela achou sua execução imaginária da composição bastante notável, dado o fato de que o antebraço esquerdo, após ter sido esmagado sob o sapato de Felix Belov, provavelmente tivesse sofrido pelo menos uma fissura.

Ao fim do recital, Isabel abriu os olhos e viu o russo encostado na porta do camarim, observando-a com atenção.

— O que você estava fazendo? — perguntou ele.

— Estava tocando violoncelo.

— No seu braço?

— Muito bem, Fletcher.

O russo entrou no camarim, lentamente.

— Você estava tocando Haydn, por acaso?

— Brahms.

— Sabe tocar de memória?

Ela concordou com a cabeça.

— Você estava tocando seu violoncelo imaginário quando enviou isso aqui?

Felix entregou a Isabel o telefone celular dela. Exibida na tela estava a cópia de um e-mail referente a um pacote de documentos que havia sido deixado em um estádio de atletismo no Distrito 3 de Zurique. O remetente era alguém chamado sr. Ninguém. O destinatário era uma conhecida repórter investigativa russa chamada Nina Antonova.

— O Grupo Haydn já havia assumido o controle do computador de Nina quando você enviou isso aí — explicou Felix. — Eu gostaria de agradecer por finalmente nos permitir a oportunidade de dar ao traidor Viktor Orlov a morte miserável que ele merecia.

— O que teria acontecido se Nina tivesse aberto aquele pacote no avião para Londres?

— Ela teria morrido, junto com várias pessoas sentadas em volta. Mas Nina não abriu. Ela levou o pacote direto para a casa de Viktor em Cheyne Walk e o colocou em cima da mesa dele. Foi um dos assassinatos mais perfeitos de nossa longa e gloriosa história. O traidor Orlov foi finalmente eliminado, e a intrometida Nina Antonova, desacreditada.

— Espero que algum dia você receba o reconhecimento que tanto merece.

— Eu fui apenas o entregador — respondeu Felix, sem perceber a ironia no comentário de Isabel. — Foi Arkady quem planejou. Ele se especializou em operações de falsa bandeira* e medidas ativas quando trabalhava para a KGB.

---

* Operações conduzidas com uma "falsa bandeira" a fim de dar a impressão de que foram realizadas por outra pessoa ou grupo, geralmente com a finalidade de difamar, incriminar ou justificar atos de retaliação. (N. do T.)

— Estou contente por termos esclarecido isso. — Ela jogou o telefone na banheira de hidromassagem. — Mas é de imaginar por que você escolheu este momento para confessar seu envolvimento no assassinato de Viktor Orlov.

Lá em cima, a música morreu.

— A festa acabou — disse Felix. — É hora de dar uma volta.

Ocorreu a Isabel que, com a música ensurdecedora desligada, alguém poderia ouvi-la pedir ajuda. Mas o primeiro ar mal havia escapado dos pulmões quando Felix colocou a mão sobre sua boca. A tentativa de rebelião física também falhou. Bastou um pouco de pressão na base do pescoço e o corpo de Isabel ficou inerte.

Ele a arrastou do pavilhão da piscina e passou pela entrada de uma imitação de pub inglês. Como os bares de Londres, aquele estava vazio. Ao lado ficava a quadra de tênis coberta, que por algum motivo estava iluminada, assim como o ringue de patinação interno e a marquise do lado de fora do cinema. O filme em exibição era *Moscou contra 007.**

Depois do cinema, havia um fliperama repleto de máquinas de pinball e videogames antigos, e ao lado havia um clube de striptease com um palco e um mastro. Era um novo fundo do poço, pensou Isabel. Nem Anil Kandar, seu ex-colega do RhineBank em Londres dono de uma ética questionável, tinha um clube de striptease em casa.

Finalmente, eles chegaram à enorme garagem para seis carros do chalé. Isabel, com o vestido encharcado da banheira de hidromassagem, estremeceu com o frio repentino. Apenas duas das baias

---

* O nome original da aventura de James Bond é *From Russia with Love*, ou seja, ironicamente "com amor, da Rússia". (N. do T.)

estavam ocupadas, uma com uma Mercedes-AMG – GT cupê, a outra com um Range Rover. A porta da última baia estava aberta. Do lado de fora, na entrada da garagem, havia uma moto de neve Lynx com um trenó de carga acoplado.

Havia um traje de neve no chão de concreto imaculado junto com um par de óculos de visão noturna, um cobertor acolchoado usado para fazer mudanças, um rolo de fita adesiva industrial, uma lona e um pedaço de corda de náilon. Isabel cruzou os braços sobre o peito enquanto Felix a embrulhava dentro do cobertor, que foi fechado com a fita adesiva. Um momento se passou, provavelmente enquanto ele vestia o traje de neve. Em seguida, ele a ergueu por cima do ombro e a jogou como um cadáver no trenó de carga do Lynx.

Ela estava deitada de costas, com a cabeça na frente do trenó, que arriou um pouco quando Felix subiu no selim e ligou o motor. Conforme se afastavam do chalé, Isabel gritou por ajuda até a garganta falhar. Ela duvidou que até Felix fosse capaz de ouvi-la. O zumbido agudo do motor era como uma serra circular.

Sua mão esquerda estava pousada na parte superior do braço direito. Isabel fechou os olhos e tentou tocar a abertura do concerto de Elgar, mas não adiantou. Pela primeira vez, ela não conseguia ouvir a música na cabeça. Em vez disso, refletiu sobre o conjunto de circunstâncias, da cadeia de desventuras e ações divinas que a colocaram naquela enrascada. Foi o telefonema, ela pensou — o telefonema que o presidente russo havia recebido antes da reunião. Foi quando tudo aconteceu. Foi ali que tudo deu errado.

Cinco minutos depois que a música parou, uma fila de automóveis luxuosos dirigidos por motoristas profissionais se materializou na porta de Arkady Akimov. Eles partiram em intervalos regulares, um por um, e se juntaram a uma segunda fila de veículos no extremo sul da Rue de Nogentil. Lá, por ordem do Palácio do Eliseu, os convidados de partida foram submetidos a uma segunda revista. Em nenhum dos carros a polícia francesa encontrou o que procurava — uma alemã de 34 anos, usando um vestido curto preto Max Mara e uma bolsa Bottega Veneta.

Gabriel monitorava os acontecimentos da varanda do esconderijo com um telefone no ouvido. O aparelho estava conectado a Paul Rousseau em Paris. O francês, por sua vez, estava conectado à torre de controle do aeroporto de Chambéry, que tinha acabado de passar por uma perda de energia inexplicável e catastrófica. Ou foi isso que a torre de controle informou à tripulação de voo da aeronave Ilyushin Il-96, do presidente russo.

— Há alguma chance de que eles possam tê-la retirado às escondidas do chalé antes da partida do presidente? — perguntou Rousseau.

— Não pela porta da frente, nem de carro. Ela está em um daqueles helicópteros ou ainda dentro da casa.

— O chefe do destacamento SDLP diz que os únicos acréscimos ao grupo de viagem do presidente foram Monsieur Akimov e sua esposa.

— Sobrou a casa.

— Nem pense nisso — advertiu Rousseau.

— Eu esperava que o seu pessoal pudesse cuidar disso.

— Com base em quê?

— Algo inócuo. Uma reclamação dos vizinhos, por exemplo.

— Em Courchevel na véspera de Ano-Novo?

— Há uma primeira vez para tudo.

— Como prova este telefonema. Seja como for — continuou Rousseau —, o palácio está bastante empenhado em evitar a terceira guerra mundial. Assim que confirmarmos que sua agente não está a bordo de algum dos helicópteros, a energia no aeroporto de Chambéry será milagrosamente restaurada.

Gabriel estava prestes a reclamar quando ouviu o som, como o rangido de uma serra circular, ecoando por Les Trois Vallées.

— Ouviu isso, Paul?

— Ouvi — respondeu Rousseau.

— O que esse som diz para você?

— Diz que eles acabaram de retirá-la pela porta dos fundos.

Do posto de observação na Rue du Jardin Alpin, Mikhail Abramov e Christopher Keller ouviram o mesmo som. Como Gabriel, Mikhail não reconheceu imediatamente a fonte, mas Christopher soube na hora que era o motor de uma moto de neve. Olhando para a área de esqui, ele não viu nenhum movimento de luz. Era óbvio que o piloto tinha apagado a lanterna da moto para evitar ser visto, o que sugeria que o veículo estava sendo usado para transportar uma alemã de 34 anos, usando um vestido curto preto Max Mara e uma bolsa Bottega Veneta.

Christopher subiu no teto do Audi para ter uma visão melhor e permaneceu lá, com os olhos vasculhando a paisagem escurecida conforme o som do motor diminuía. Definitivamente, a moto de neve estava se movendo na direção sudoeste, em direção ao pico da montanha conhecida como Dent de Burgin. No vale depois dela ficava a aldeia de Morel e a estação de esqui de Méribel. Elas estavam ligadas a Albertville pela estrada D90, uma rota de fuga perfeita. A menos, obviamente, que eles pretendessem jogá-la em uma fenda no topo da cordilheira e dar a noite por encerrada.

Ele desceu do teto do Audi e viu Mikhail olhando calmamente para o telefone seguro Solaris.

— Mensagem do quartel-general — explicou ele sem erguer o olhar.

— O que diz aí?

— A opinião é que nossa moça pode muito bem estar a bordo daquela moto de neve. Além disso, o quartel-general gostaria que retirássemos nossa moça da moto de neve mencionada antes que qualquer mal pudesse acontecer a ela.

— E como vamos fazer isso sem uma moto de neve?

— O quartel-general sugere que improvisemos. Palavras dele, não minha. — Mikhail sorriu. — Que bom que você trouxe seus sapatos de neve.

— Vou te dizer onde deve enfiá-los.

— Essa não é a minha praia. Além disso — acrescentou Mikhail, dando tapinhas no volante —, estarei dirigindo.

Christopher franziu a testa.

— Diga ao *quartel-general* para colocar um posto de controle policial na D90 ao norte de Morel.

Mikhail abriu a trava da tampa do porta-malas.

— Pode deixar.

Christopher rapidamente calçou os sapatos de neve e prendeu uma lanterna na frente do casaco Gore-Tex. Cinco minutos depois, ao atravessar uma pista de esqui mal cuidada a cerca de duzentos metros a oeste de Le Chalet de Pierres, ele encontrou um rastro recente na neve. Como Christopher suspeitava, eles se dirigiam para o sudoeste. Ele apagou a lanterna, abaixou a cabeça contra o vento cortante como uma faca e continuou andando.

56

AEROPORTO DE CHAMBÉRY, FRANÇA

Arkady Akimov foi relegado ao segundo helicóptero. Seu assento, o único disponível, ficava na parte de trás da cabine ventosa, ao lado dos caixotes de equipamentos de comunicações seguras. Oksana estava equilibrada como uma criança em cima do joelho dele, fazendo beicinho. A batida estrondosa dos rotores tornava a conversa quase impossível, o que era uma bênção. No carro, ela o agrediu com perguntas. Por que eles estavam voltando para Moscou com Volodya? Estavam em apuros? O que aconteceria com o dinheiro? Quem cuidaria dela? Aquilo tinha alguma coisa a ver com Isabel? Então ela começou a agredi-lo com os punhos. E Arkady se sujeitou aos socos, pelo menos, por um momento, pois merecia. Ele tinha certeza de que não seria o primeiro ultraje que sofreria. Viriam mais ultrajes assim que chegassem à Rússia. Isabel tinha retirado seu verniz de riqueza e poder. Ela o havia destruído. Ele era nada, pensou Arkady. Um ninguém.

Os outros oito passageiros amontoados no segundo Airbus eram todos agentes da equipe de segurança de Volodya. Ao se aproximarem de Chambéry, o clima na cabine ficou mais tenso. Arkady não conseguiu entender o que diziam, mas parecia haver um problema no aeroporto. Ele colocou Oksana no outro joelho e olhou pela janela traseira de estibordo. As luzes de Chambéry brilhavam como pedras preciosas, mas havia uma grande mancha preta onde o aeroporto deveria estar.

Apenas o Ilyushin Il-96 de tom branco cintilante, com as luzes de pouso e o logotipo brilhando intensamente, era visível na escuridão. O helicóptero pousou a mais ou menos cem metros atrás da cauda. Oksana recusou com raiva a tentativa de Arkady de segurar a mão dela enquanto eles cruzavam a pista. Os guarda-costas que andavam atrás dos dois trocaram alguns comentários desdenhosos às custas dele.

Um ninguém...

Volodya, após sair do helicóptero, estava subindo a escada de embarque na parte frontal da aeronave, seguido por Yevgeny Nazarov e seus outros ajudantes próximos. Uma segunda escada de embarque levava à porta traseira do Ilyushin. Arkady olhou para um dos guarda-costas em busca de orientação e foi informado, com um aceno insolente de cabeça, que faria a viagem de volta a Moscou na parte de trás do avião, com o resto da criadagem.

Dentro da cabine, Oksana e ele se separaram, talvez pela última vez. Oksana desabou em um assento a bombordo da aeronave, ao lado de um dos guarda-costas de Volodya — o mais bonito, obviamente. Arkady se sentou do outro lado do corredor e olhou para a noite. Os pensamentos estavam cheios de imagens da própria morte. Dado o menu de opções disponíveis, cair de uma janela alta seria preferível. A morte por agente nervoso, a morte que ele infligiu ao traidor Viktor Orlov, seria rápida e relativamente indolor. A morte por polônio, entretanto, seria demorada e excruciante, uma sinfonia de sofrimento de Shostakovich.

E então, pensou Arkady, havia o tipo de morte que a KGB infligia aos traidores da agência. Uma surra violenta, uma bala misericordiosa na nuca, uma cova sem lápide. *Vysshaya mera*... O maior dos castigos. Pelo crime de dar 11,5 bilhões de dólares do dinheiro dele para gente como Gabriel Allon, Arkady temia que deixaria este mundo da pior maneira imaginável. Ele só esperava que Volodya cuidasse de Oksana quando ele partisse. Talvez Volodya ficasse com ela. Quando se tratava de mulheres, o apetite dele era insaciável.

De repente, Arkady percebeu que estava sendo chamado por Oksana do outro lado do corredor. Ele se virou bruscamente, esperançoso por clemência, mas ela apontou com irritação para o lado esquerdo do paletó do marido. Ele não tinha notado que o celular estava tocando.

A chamada era de um número que Arkady não reconheceu. Ele recusou a ligação e jogou o telefone no assento ao lado. O aparelho começou a tocar novamente quase de imediato. Mesmo número. Dessa vez, Arkady tocou no ícone ACEITAR e levou o telefone ao ouvido em um gesto hesitante.

— Peguei você em um momento ruim, Arkady? — perguntou uma voz em alemão com sotaque de Berlim.

— Quem é?

— Quem você acha?

— Seu alemão é muito bom, Allon. Como posso ajudá-lo?

— Você pode ligar para o piloto daquela moto de neve antes que ele saia do alcance do celular e mandar que retorne.

— Porque eu faria isso?

— Porque se ele não retornar, vou matá-lo. E depois vou matar você, Arkady.

— Estou sentado confortavelmente em solo russo. O que significa que estou muito além do seu alcance.

— Esse avião não vai a lugar algum a menos que você me dê Isabel.

— E se eu der? O que ganho em troca?

— Você não precisa voltar a Moscou para encarar seu destino. Acredite em mim, ele não será bonito.

Arkady apertou o telefone com força.

— Infelizmente, eu preciso de algo mais tangível. Um prédio comercial na avenida Brickell em Miami, por exemplo.

— O dinheiro foi embora, Arkady. Ele não vai voltar.

— Mas eu tenho de oferecer *alguma* coisa para ele.

— Nesse caso, sugiro que você improvise. E seja rápido.

A ligação caiu.

Do lado de fora, na pista, a tripulação e os vários integrantes da equipe de segurança de Volodya estavam envolvidos em uma discussão acalorada com dois funcionários do aeroporto. Arkady fechou os olhos e viu outra coisa, um homem ensanguentado e espancado de joelhos em uma pequena sala com paredes de concreto e um ralo no meio do piso.

O maior dos castigos...

Ele abriu os olhos com um sobressalto e analisou o número armazenado na lista de chamadas recentes do telefone. Talvez não fosse o fim, pensou Arkady. Talvez Gabriel Allon, por incrível que pareça, tivesse acabado de lhe oferecer uma saída.

Oksana estava flertando descaradamente com o companheiro de assento. Arkady se levantou e se dirigiu pelo corredor central até a divisória que separava o luxuoso compartimento dianteiro do resto da cabine. A porta estava trancada. Ele bateu educadamente e, quando não foi atendido, bateu novamente. A porta foi aberta e revelou a silhueta elegante de Tatiana Nazarova, velocista olímpica aposentada e atual esposa de Yevgeny Nazarov. Ela zombou de Arkady como se ele estivesse atrasado para entregar seu prato principal.

— Volodya não deseja ver você agora. Por favor, retorne ao seu assento.

Tatiana tentou fechar a porta, mas Arkady bloqueou com o pé e passou por ela. A iluminação estava diminuída, e o clima, tenso. Um assessor estava tentando acordar alguém no Palácio do Eliseu. Outro gritava em russo com alguém em Moscou — provavelmente o ministro das Relações Exteriores da Rússia. O que não adiantaria muita coisa. Era véspera de Ano-Novo e o ministro era um dos maiores beberrões do mundo.

Apenas Volodya parecia imperturbável. Ele estava jogado em uma cadeira giratória, com as mãos pendendo dos braços do assento e uma expressão de tédio terminal no rosto. Arkady ficou diante dele, com o olhar afastado, esperando permissão para falar.

Foi Volodya quem falou primeiro.

— É certo presumir que esta tal queda de energia não seja uma coincidência?

— Foi obra de Allon — respondeu Arkady.

— Você falou com ele?

— Há alguns minutos.

— Ele desligou a energia sozinho ou os franceses também estão envolvidos?

— Ele não disse.

— O *que* ele disse?

— Quer a mulher.

— Aquela que você permitiu que roubasse meu dinheiro?

— Eu não sabia que ela trabalhava para Allon.

— Você devia saber.

Com seu silêncio penitencial, Arkady concordou com o argumento.

— Há um acordo a ser feito?

— Ele diz que não. Mas tive a impressão de que Allon estava disposto a ser razoável. Deixe-me falar com ele novamente. Cara a cara, desta vez.

Volodya adotou um olhar sem emoção.

— Está pensando em passar para o outro lado? Em vender nossos segredos para Allon e seus amigos do MI6 em troca de uma bela casinha no interior da Inglaterra?

— Claro que não — mentiu Arkady.

— Ótimo. Porque você não vai a lugar algum.

Lá fora, a pista iluminou-se repentinamente. Volodya sorriu.

— Talvez você deva voltar a seu assento agora.

Arkady se encaminhou para a porta do compartimento.

— Você não está esquecendo de uma coisa, Arkady Sergeyevich?

Ele parou e se virou.

Volodya estendeu a mão.

— Entregue seu telefone.

57

MACIÇO DE LA VANOISE, FRANÇA

A aeronave Ilyushin do presidente russo decolou do aeroporto de Chambéry à 1h47, mais ou menos 32 minutos depois do programado. Gabriel perguntou a Paul Rousseau se alguém a bordo do avião havia desembarcado inesperadamente antes da decolagem. Rousseau questionou a equipe da torre de Chambéry, que verificou duas vezes com a equipe de solo. A resposta voltou alguns segundos depois. Não havia integrantes do grupo de viagem do presidente russo na pista, ou em qualquer outro lugar.

— Onde estão os helicópteros? — perguntou Gabriel.

— Ainda no aeroporto.

— Eu preciso de um.

— Você não vai encontrar a mulher no meio da noite. Vamos montar uma operação de busca e resgate assim que amanhecer.

— Ela vai estar morta quando amanhecer, Paul.

Rousseau encaminhou o pedido ao oficial sênior do Service de la Protection, que o levou aos pilotos do helicóptero. Todos os três se ofereceram.

— Só preciso de um — disse Gabriel.

— Ele vai estar lá em mais ou menos vinte minutos.

Mikhail Abramov correu com Gabriel pela estrada sinuosa que levava ao minúsculo aeroporto de Courchevel. O Super Puma da Airbus pousou às 2h14 da manhã. Gabriel correu pela pista e subiu a bordo.

— Por onde devemos começar? — gritou o piloto.

Gabriel apontou para o sudoeste, na direção dos picos do maciço de la Vanoise.

Quando o motor da moto de neve finalmente morreu, os ouvidos de Isabel cantaram no silêncio repentino — cantaram uma nota persistente, doce e pura, como o som que Anna Rolfe produzia quando colocava o arco nas cordas de seu violino Guarneri.

O próximo som que ela ouviu foi o barulho de Felix pulando na neve crocante. Ele afrouxou a corda de náilon que prendia a lona no lugar e cortou a fita adesiva que havia enrolado no cobertor acolchoado. Isabel foi girada duas vezes no sentido anti-horário e parou ao lado do trenó. Ela tentou se libertar, mas não adiantou. Estava nas garras da neve.

Felix estava em pé ao lado de Isabel, rindo. Ele se abaixou e a puxou para cima. Isabel abraçou o próprio torso, se agarrando ao último calor restante no corpo.

Ele abaixou o zíper do traje ártico e sacou uma arma.

— Frio? — perguntou Felix.

A batida involuntária do queixo de Isabel impediu temporariamente que ela respondesse. Uma lua minguante reluzente iluminava os arredores. Os dois estavam em um pequeno vale, cercado por picos de montanhas. Não havia luzes visíveis, nada que Isabel pudesse usar para se orientar.

Cerrando os dentes, ela conseguiu pronunciar uma única palavra.

— Onde...

— Nós estamos?

Isabel concordou com a cabeça.

— Isso importa?

— Por favor...

Ele apontou para a montanha mais alta à vista.

— Essa é a Aiguille de Péclet. Mais ou menos, 3.500 metros.

Uma rajada de vento levou embora a lona solta. Isabel olhou para o cobertor estendido no interior do trenó de carga.

— Isso não vai salvar você. Está dez graus negativos, pelo menos. Você estará morta em duas horas.

Então era assim que ele pretendia matá-la — morte por abandono no frio. Isabel calculou que a estimativa de Felix era generosa. Com o vestido curto preto Max Mara encharcado e escarpins Jimmy Choo, ela provavelmente começaria a sofrer os efeitos da hipotermia em poucos minutos. Isabel ficaria confusa, a fala se tornaria arrastada, a respiração e os batimentos cardíacos ficariam mais lentos. Em algum momento, ela até perderia a capacidade de tremer. Aquele era o começo do fim.

Isabel olhou novamente para o cobertor.

— Por favor...

Felix colocou a mão entre as omoplatas de Isabel e a empurrou em direção ao arvoredo. A neve estava razoavelmente favorável para caminhar — alguns centímetros de pó recente em cima de uma base sólida como rocha, mas os escarpins Jimmy Choo foram um erro. A cada passo, os saltos de dez centímetros se empalavam na neve.

— Mais rápido — exigiu Felix.

— Eu não consigo — respondeu Isabel, tremendo.

Ele deu outro empurrão, e ela caiu de cara na neve. Dessa vez, Isabel não fez qualquer esforço para se libertar do abraço gelado, pois estava ouvindo um som distante e imaginando se era apenas uma alucinação provocada pelo frio.

Era o mesmo som que ela tinha ouvido quando esteve no terraço do Le Chalet de Pierres com Oksana Akimova.

O som de um helicóptero.

Embora Isabel não soubesse, o helicóptero em questão — um H215 Super Puma da Airbus operado pelas forças armadas francesas — estava cem metros acima do pico dentuço de Dent de Burgin, varrendo a camada de neve na encosta leste com o holofote. Não havia sinal de uma moto de neve Lynx, mas Gabriel vislumbrou o que parecia ser uma pequena esfera de luz no vale glacial estreito lá embaixo. A esfera de luz, ao ser iluminada pelo Airbus, se revelou um trilheiro solitário. Ele sinalizou para o helicóptero cruzando as varas acima da cabeça e depois apontou para a neve a fim de indicar que estava seguindo rastros. O helicóptero tomou o rumo do sul, em direção à Aiguille de Péclet. O trilheiro solitário cravou as varas na neve e seguiu em frente.

Felix ergueu Isabel de onde ela havia caído.

— Ande — ordenou ele.

Isabel não sabia se era capaz de andar.

— Para onde? — perguntou ela, tremendo.

Uma mão apareceu por cima do ombro de Isabel e apontou para uma árvore cônica, um abeto ou pinheiro, com os galhos inferiores cobertos pela neve. Ela avançou com dificuldade, deu dois passos desajeitados, depois um terceiro. Isabel imaginou como parecia ridícula. Forçou o pensamento para fora de sua mente e se concentrou no som do helicóptero. Ele estava ficando mais alto.

Ela deu mais um passo e as pernas cederam. Ou talvez Isabel tenha permitido que se dobrassem — ela não tinha certeza. Felix a ergueu novamente e ordenou que continuasse caminhando em direção à árvore. Mas qual era o objetivo dessa marcha ritualística de morte? E por que ele tinha escolhido uma árvore como o destino dela?

Então, Isabel entendeu.

Abaixo da copa dos galhos da árvore havia um ponto fraco na neve em formato de cilindro conhecido como poço de árvore, um dos maiores perigos em qualquer montanha. Se ela caísse dentro dele, não conseguiria se libertar. Na verdade, qualquer tentativa de escalar e retornar à superfície apenas aceleraria sua morte. A neve instável ao redor da árvore cairia dentro do poço como água ralo abaixo. Isabel seria enterrada viva.

Ela parou e se virou lentamente. Felix não percebeu, porque estava procurando o helicóptero no céu. O zíper do traje ártico estava vários centímetros abaixado, expondo o pescoço. A arma estava na mão direita de Felix, apontada para a neve.

Improvise...

O frio não fez nada para diminuir a dor latejante no braço esquerdo de Isabel. Mas aquele que ela usava para manejar o arco do violoncelo, fortalecido por quase trinta anos de prática, parecia bem. Ela se abaixou, tirou o escarpin do pé direito e segurou com firmeza pelo arco. Isabel formou uma imagem na mente, de um Felix sorridente segurando um imenso haltere fixo e, em seguida, brandiu o salto agulha do sapato em direção à pele exposta da garganta do russo.

No instante anterior ao golpe, ele baixou o olhar do céu escuro. A ponta do salto agulha de Isabel se cravou na pele macia embaixo da maçã esquerda do rosto de Felix e abriu um corte que se estendeu até o canto da boca.

Uivando de dor, ele cobriu o ferimento com a mão esquerda. A direita agora estava vazia. Isabel largou o sapato e agarrou a arma com as duas mãos. Era mais pesada do que ela imaginava. Isabel apontou para o centro do peito de Felix e recuou lentamente para longe dele.

O sangue jorrou do ferimento para o rosto e escorreu pela mão esquerda. Quando Felix finalmente falou, foi com o sotaque de americano endinheirado de Fletcher Billingsley.

— Já usou uma arma antes?

— Por favor — disse Isabel.

— Por favor, o quê? — Ele deu um passo à frente. — É melhor você colocar a primeira bala na câmara e soltar a trava de segurança. Caso contrário, nada vai acontecer quando você puxar o gatilho.

Ela deu mais um passo para trás.

— Cuidado, Isabel. É um longo caminho até lá embaixo.

Ela parou. Não estava mais tremendo. Era o começo do fim, pensou Isabel.

A arma agora estava firme em suas mãos. Ela fez um pequeno ajuste na mira e falou:

— Vá embora.

— Por que eu faria isso?

— Porque se você não...

Felix abaixou a mão, expondo a ferida terrível no rosto, e cambaleou na direção de Isabel pela neve. Puxar o gatilho foi mais difícil do que Isabel esperava, e o recuo quase a derrubou. No entanto, o projétil de alguma forma conseguiu encontrar o alvo pretendido.

Ele agora estava caído de costas na neve, segurando a base do pescoço, contorcendo-se em agonia. Isabel baixou a mira e puxou o gatilho uma segunda vez. O estalo agudo do tiro ecoou entre os picos das montanhas em volta e sumiu. Depois disso, houve apenas a batida dos rotores do helicóptero. Foi o som mais lindo que Isabel já tinha ouvido na vida.

Parte Quatro

FINAL

58

GENEBRA-LONDRES-TEL AVIV

Tudo começou da maneira de sempre, com um vazamento anônimo para um jornalista respeitado. Nesse caso, quem vazou foi Christoph Bittel, do NDB suíço, e o destinatário de sua generosidade editorial foi um repórter especializado em economia do *Neue Züricher Zeitung*. A informação envolvia uma operação que aconteceu na véspera de Ano-Novo, conduzida pela Polícia Federal Suíça na casa e no escritório do magnata do petróleo e oligarca Arkady Akimov. Os detalhes da investigação eram escassos, mas as palavras "suspeita de lavagem de dinheiro" e "roubo de ativos do Estado russo" foram parar na cópia imaculada do repórter. Arkady Akimov não foi localizado para comentar, pois havia se refugiado em Moscou — o que era curioso, visto que seu avião particular estava interditado na pista do aeroporto de Genebra, sob ordem do governo suíço.

Mais tarde naquela manhã, com a ajuda de Paul Rousseau em Paris, descobriu-se que Arkady Akimov havia oferecido uma festa de Ano-Novo em seu chalé na vila de esqui francesa de Courchevel. Entre os presentes estava o presidente russo, que viajou para a França sem alarde público e partiu pouco tempo depois da meia-noite, evidentemente com Arkady Akimov a bordo de seu avião. A lista de convidados, que de alguma forma se tornou pública, incluía vários empresários franceses de destaque e muitos políticos de extrema direita. Nenhuma das pessoas procuradas para comentar se lembrou de algo fora do normal. Na verdade, poucas conseguiram se lembrar de alguma coisa.

A próxima bomba explodiu na filial de Zurique do RhineBank AG, que foi alvo de uma operação extraordinária na manhã de sábado. A filial da empresa na Fleet Street, em Londres, também foi invadida, e o chefe da divisão de mercados globais do banco, um tal de Anil Kandar, foi retirado de sua mansão vitoriana em Richmond upon Thames sob custódia. As autoridades financeiras suíças e britânicas foram extraordinariamente taciturnas quanto à motivação das buscas e disseram apenas que eram relacionadas ao caso Akimov. O comitê executivo do RhineBank, o Conselho dos Dez, emitiu às pressas uma declaração negando qualquer irregularidade, um sinal claro de que o banco andava aprontando.

A grande escala das irregularidades se tornou pública mais tarde naquela noite em uma longa reportagem reveladora publicada em conjunto pela *Moskovskaya Gazeta* e o *Financial Journal* de Londres, ambos veículos controlados pelo espólio do falecido Viktor Orlov. O artigo detalhou os laços de longa data do RhineBank com integrantes do círculo íntimo do presidente russo e caracterizou o império empresarial de Arkady Akimov como um mecanismo para a aquisição e ocultação de bens ilícitos. De acordo com documentos internos do RhineBank, Akimov era um cliente antigo da chamada Lavanderia Russa, uma unidade secreta na filial da empresa em Zurique. Mas, no fim de 2020, ele foi atraído a uma conexão ilícita com Martin Landesmann, o financista e ativista político de Genebra, que trabalhava com investigadores suíços e britânicos. A pedido de Akimov, Landesmann comprou empresas e ativos imobiliários, incluindo edifícios comerciais em Miami, Chicago e Canary Wharf, em Londres. O verdadeiro dono desses bens, entretanto, era ninguém menos que o presidente da Rússia.

Entre os aspectos mais chocantes do artigo estavam o cabeçalho indicando Londres e o nome da repórter que o havia escrito: Nina Antonova. Como se descobriu, a jornalista russa desaparecida havia recebido refúgio secreto na Grã-Bretanha. Em um adendo à reportagem principal, Antonova admitiu que, sem ter conhecimento, deu a Viktor Orlov um pacote de documentos contaminados com pó ultrafino Novichok. O pacote havia sido preparado, alegou ela, por um cúmplice de Arkady Akimov chamado Felix Belov. Curiosamente, ele esteve entre aqueles que compareceram à festa de réveillon em Courchevel. Seu paradeiro, assim como o de Arkady Akimov, era tido como desconhecido.

Os acontecimentos provocaram ondas de choque por toda Whitehall. Houve gente dentro do Partido Trabalhista (de oposição), e também em jornais rivais, que apontou falhas na condução da questão por Downing Street, especialmente as acusações oficiais que foram feitas contra Nina Antonova pela Procuradoria Geral da Coroa. O primeiro-ministro Jonathan Lancaster admitiu alegremente que elas foram um estratagema heterodoxo, porém necessário, para proteger a repórter da vingança dos serviços de inteligência da Rússia. Ele então conduziu uma pequena vingança de sua própria parte, ao ordenar que a Agência Nacional de Combate ao Crime confiscasse uma longa lista de propriedades de alto valor, incluindo o prédio comercial em Canary Wharf. As autoridades suíças, simultaneamente, bloquearam os ativos da NevaNeft Holdings S/A. e apreenderam o avião de Akimov e sua *villa* no lago de Genebra. Fontes em ambos os países sugeriram que aquilo seria apenas o começo.

Mas por que o empresário russo se tornou alvo de investigação, para início de conversa? E por que ele foi fazer negócios logo com

São Martin Landesmann? Seria possível que a ONG pró-democracia de Martin fosse algum tipo de fachada para a operação? E quanto à recepção de gala no museu Kunsthaus em Zurique? Imagens de telejornais revelaram que Akimov e sua bela e jovem esposa estiveram presentes naquela noite. Será que a famosa violinista suíça Anna Rolfe também estava envolvida?

E aí havia *A tocadora de alaúde*, óleo sobre tela, 152 por 134 centímetros, anteriormente atribuída ao círculo de Orazio Gentileschi, hoje atribuída com convicção à filha de Orazio, Artemisia. O diretor do Kunsthaus foi curto e grosso ao rejeitar perguntas a respeito da autenticidade da pintura, assim como Oliver Dimbleby, o famoso marchand de Londres que intermediou a venda. Mas onde Dimbleby adquiriu o quadro? Foi Amelia March da *ARTNews* quem deu a resposta. O marchand, relatou ela, comprou a pintura da Isherwood Fine Arts, onde residia desde o início dos anos 1970. Sarah Bancroft, a elegante sócia-gerente da galeria, disse que as circunstâncias da venda eram particulares e permaneceriam assim.

Mesmo com Amelia March, os repórteres que procuraram por migalhas nas bordas do caso encontraram pouca coisa que fosse satisfatória. Um porta-voz da Aliança Global pela Democracia prometeu que o trabalho importante da ONG continuaria futuro adentro. Por meio de sua assessora de imprensa, Anna Rolfe disse que se apresentou na recepção de gala como um favor para um velho e querido amigo. Era presumível que esse amigo fosse Martin Landesmann, mas ele recusou todos os pedidos de comentários. Sua legião de críticos de direita disse que o silêncio repentino de Martin era a prova de que milagres podem realmente acontecer.

Yevgeny Nazarov, o porta-voz cheio de lábia do Kremlin, foi loquaz como sempre. Durante uma coletiva de imprensa em clima beligerante em Moscou, ele negou relatos de que o presidente russo era o dono anônimo dos bens em questão, ou que possuísse riquezas secretas escondidas no Ocidente. Uma porta-voz do novo governo americano considerou risível a afirmação e sugeriu que o presidente eleito não esperaria muito para tomar as medidas cabíveis. O governo de saída — ou pelo menos o que restou dele — lavou as mãos em relação à confusão. O chefe do executivo, que havia parado de fingir que governava, estava concentrado na tentativa de última hora de derrubar os resultados da eleição de novembro. O assessor de imprensa da Casa Branca se recusou a dizer se o presidente havia sido informado a respeito do assunto.

Houve pelo menos uma autoridade americana sênior, o diretor da CIA, Morris Payne, que acompanhou a derrocada de Arkady Akimov com mais do que um interesse passageiro, pois ele desempenhou um papel pequeno, mas não insignificante, na ruína do russo. Payne sabia o que os outros não sabiam, que a operação contra Akimov e seus facilitadores financeiros no RhineBank tinha sido orquestrada não pelos suíços e britânicos, mas pelo lendário espião israelense Gabriel Allon. Devido a certas capacidades técnicas da Agência de Segurança Nacional, a NSA, Payne também estava ciente de alguns eventos desagradáveis que ocorreram após a festa de Ano-Novo de Akimov em Courchevel — algo a ver com uma mulher alemã chamada Isabel Brenner e um russo morto chamado Felix Belov.

Embora não fosse durar muito no emprego, Payne estava ansioso para obter um relato dos eventos daquela noite. Verdade seja dita, ele acreditava que merecia esse relatório. Mesmo assim, esperou até as onze da manhã da quarta-feira, 6 de janeiro, para ligar para Allon na linha direta Langley-Boulevard Rei Saul. Para grande consternação de Morris Payne, a ligação não foi atendida. Seu discurso cheio de palavrões foi ouvido pelo sétimo andar inteiro.

59

TZAMAROT AYALON, TEL AVIV

Não muito longe do Boulevard Rei Saul, no distrito de Tel Aviv conhecido como Tzamarot Ayalon, existe uma colônia de treze novas torres residenciais de luxo. Em um dos prédios, o mais alto, ficava um apartamento secreto do Escritório. A atual ocupante tocava violoncelo dia e noite, para desespero do vizinho, um multimilionário na área de tecnologia. O magnata, que estava acostumado a ter suas vontades feitas, reclamou com a administração do prédio, que reclamou com a Governança. Gabriel retaliou fazendo com que a jovem violoncelista tivesse aulas diárias com o professor mais procurado de Israel. Ele não estava preocupado com uma quebra da segurança. A filha do professor trabalhava como analista da Pesquisa.

Ele estava saindo quando Gabriel chegou.

— Ela tocou muito bem hoje — disse o homem. — O tom de Isabel é realmente notável.

— E o humor?

— Poderia estar melhor.

Ela estava sentada diante de uma janela voltada para o oeste, com o violoncelo entre os joelhos e a luz do sol poente no rosto, que não apresentava nenhum vestígio da provação que Isabel tinha sofrido nas mãos de Felix Belov, além de um pouco de sangue pisado em um olho, resultado de uma hemorragia subconjuntival. Gabriel ficou com inveja dos poderes de recuperação de Isabel. Era a juventude dela, disse para si mesmo.

Isabel ergueu os olhos de repente, surpresa com a presença de Gabriel.

— Há quanto tempo você está ouvindo?

— Horas.

Ela baixou o arco e esfregou o pescoço.

— Como está se sentindo?

Isabel afastou o violoncelo e levantou a camisa, revelando um hematoma enorme de tom magenta e vermelho-escuro.

Gabriel estremeceu.

— Ainda dói?

— Só quando eu rio. — Ela baixou a camisa. — Creio que poderia ter sido pior. Cada vez que fecho os olhos, vejo o corpo dele caído na neve.

— Quer conversar com alguém?

— Achei que já estivesse conversando.

— Você tinha todo o direito de fazer o que fez, Isabel. Vai demorar, mas um dia você vai se perdoar por ter tido a coragem de salvar a própria vida.

— De acordo com os jornais, ele está desaparecido.

— Acho que li algo assim também.

— Será que o corpo dele vai aparecer?

— Se aparecer, não será na França.

— O inglês dele era impecável — disse Isabel. — Ainda acho difícil acreditar que fosse russo.

— Tenho certeza de que os vários leitores americanos do Felix concordariam com você.

Ela franziu a testa.

— Que leitores americanos?

— Felix Belov era o chefe da divisão americana do Grupo Haydn. Meus especialistas em informática estão analisando os discos rígidos neste exato momento. O manual russo inteiro para realização de operações de informação voltadas contra o Ocidente, tudo ao nosso alcance. — Ele fez uma pausa. — E tudo por sua causa.

— Como você conseguiu manter meu nome fora da imprensa?

— Foi muito fácil, na verdade. As únicas pessoas que sabem a seu respeito são Martin e os russos.

— E quanto a Anil Kandar?

— Ele foi informado que, se sequer mencionar seu nome, passará os próximos dois séculos na prisão.

— E qual é a duração da *minha* sentença? — perguntou Isabel.

— Infelizmente, você terá que permanecer escondida até que eu tenha certeza de que o desejo de vingança do presidente russo diminuiu.

— Ele não me parece alguém que esqueça o passado. — Ela colocou o violoncelo no estojo. — Você descobriu com quem o presidente russo estava falando quando entrei naquela sala?

— O serviço de inteligência de sinais britânico concluiu que a ligação veio de um telefone seguro em Washington, mas não houve interceptação da conversa.

— Arkady se tornou uma pessoa diferente depois daquela ligação. Eles estavam na minha mão, Gabriel. E aí eu fiquei na mão deles. — Isabel ficou de pé e foi até a janela. — Onde fica o seu escritório?

— A localização é oficialmente um segredo.

— E não oficialmente?

Gabriel apontou para o sudoeste.

— Muito perto.

— Tudo é perto em Israel.

— Você mora aqui em Tel Aviv?

— Jerusalém.

— Nasceu lá?

Gabriel fez que não com a cabeça.

— Em um pequeno assentamento agrícola no Vale de Jezreel. A maioria das pessoas que viviam lá eram judeus alemães sobreviventes do Holocausto. Muitos eram músicos.

— Você será capaz de nos perdoar algum dia? — indagou ela.

— Eu nunca concordei com a noção de culpa coletiva. Mas o Holocausto provou de uma vez por todas que não podíamos depender de outras pessoas para cuidar da nossa segurança. Precisávamos de um lar que fosse nosso. E agora nós temos. Você pode ficar, se quiser.

— Aqui?

— Nossa economia está prosperando, nossa democracia é estável e seremos vacinados muito antes do resto do mundo. Também temos uma orquestra filarmônica extraordinária.

— Eu sou alemã.

— Meus pais também.

— E eu me oponho à ocupação.

— Muitos israelenses se opõem. Precisamos encontrar uma solução justa para a questão palestina. A ocupação permanente não é a resposta. — Percebendo a surpresa no rosto dela, Gabriel acrescentou: — É uma doença um tanto comum entre aqueles que passaram a vida matando para defender este país. No final, todos nós nos tornamos liberais.

— É tentador — disse Isabel após um momento. — Mas acho que prefiro voltar para a Europa.

— A perda é nossa.

— A Alemanha é segura?

— Se for esse o seu desejo, vou combinar com o chefe do BfV, o serviço de inteligência interno da Alemanha. Os suíços também concordaram em acolher você, assim como os ingleses. Mas, se eu fosse você, ficaria tentada a aceitar a oferta de Anna Rolfe.

— E qual é?

— A *villa* dela na Costa de Prata.

— Quem fornecerá a segurança?

— O sr. Alguém.

Isabel olhou para ele, incrédula.

— Existem vários bilhões de dólares em fundos não investidos na conta de Martin no Credit Suisse.

— Isso tem certa justiça poética.

— Eu sempre preferi a justiça *de verdade*. E assim que o novo governo americano se ajeitar, tenho certeza de que eles vão rastrear uma grande parte do dinheiro do presidente russo.

— Mas isso mudará alguma coisa?

— Na Rússia, poder é riqueza e riqueza é poder. O presidente russo sabe que, se o dinheiro acabar, seu poder também acabará. Os protestos já começaram. É minha intenção ajudá-los. — Gabriel sorriu. — Vou me intrometer na política *dele*, para variar.

Passava pouco das dezenove horas quando o comboio de Gabriel virou e entrou na rua Narkiss. No andar de cima, ele teve um jantar tranquilo com Chiara e os filhos, uma rara extravagância. No entanto, seu olhar vagou muitas vezes para a televisão na sala. Em Washington, uma sessão conjunta do Congresso se preparava para validar os resultados da eleição. O presidente que deixava o poder estava se dirigindo a uma multidão enorme de apoiadores reunidos em um clima gélido no gramado amplo conhecido como Elipse. O áudio estava mudo, mas de acordo com as atualizações que passavam na parte inferior da tela, ele estava repetindo as afirmações insanas de que lhe roubaram a eleição. A multidão, com algumas pessoas usando equipamentos táticos militares, estava ficando cada vez mais agitada. Gabriel considerou a situação como inflamável.

No fim do jantar, ele supervisionou o banho dos filhos, com pouco efeito notável. Depois, Gabriel se sentou no chão entre as camas das crianças enquanto elas caíam no sono — primeiro Raphael, e vinte minutos depois, a tagarela Irene. Por hábito, ele viu a hora. Eram 22h17. Gabriel deu um último beijo em cada filho, fechou a porta sem fazer barulho ao sair e foi assistir ao noticiário de Washington.

60

RUA NARKISS, JERUSALÉM

A insurreição começou antes mesmo de o presidente concluir suas declarações. Na verdade, nem dez minutos depois de ele advertir seus partidários de que eles nunca retomariam o país com fraqueza, que teriam de demonstrar força e lutar como ninguém, milhares estavam se dirigindo para leste pela avenida Constitution. Uma vanguarda de militantes — supremacistas brancos, neonazistas, antissemitas, teóricos da conspiração do QAnon — já havia se reunido nas barricadas ao redor do Capitólio. O ataque começou às 12h53 e, às 14h11, os primeiros rebeldes invadiram o prédio. Dois minutos depois, chegaram ao pé da escada adjacente à câmara do Senado. Lá dentro, um senador republicano de Oklahoma estava se opondo à validação dos onze votos eleitorais do Arizona. O vice-presidente, que presidia a sessão, encerrou-a e foi retirado às pressas pela segurança.

Nas três horas e meia seguintes, os desordeiros vagaram pelo templo de mármore da democracia americana, quebrando janelas, arrombando portas, saqueando escritórios, vandalizando obras de arte, roubando documentos e computadores, esvaziando entranhas e bexigas e procurando legisladores para sequestrar ou matar

— incluindo o presidente da Câmara e o vice-presidente, a quem pretendiam enforcar por traição, aparentemente na forca que ergueram no gramado. Havia emblemas de racismo e ódio por toda parte. Uma criatura de barba enorme do sul da Virgínia vagava pelos corredores vestido com um moletom de capuz onde se lia CAMPO AUSCHWITZ. Um homem de Delaware, ao cruzar a Grande Rotunda, carregava uma bandeira de combate confederada, um ato ignóbil inédito na história americana.

Depois de garantir aos apoiadores que pretendia se juntar a eles na marcha ao Capitólio, o presidente, muito satisfeito, assistiu ao caos pela televisão. Segundo disseram, sua única preocupação foi a aparência suja da turba violenta e cheia de ódio, que ele achava que prejudicaria sua imagem. Apesar dos inúmeros apelos de funcionários horrorizados da Casa Branca e aliados do Congresso, o presidente esperou até as 16h17 para pedir aos desordeiros, descritos por ele como "muito especiais", que saíssem do prédio.

Às 17h40, o cerco finalmente acabou. O Senado se reuniu novamente às 20h06; a Câmara dos Representantes, às 21 horas. Às 3h42 da madrugada, enquanto o resto de Washington estava sob um rígido toque de recolher, o vice-presidente confirmou oficialmente o resultado da eleição. A primeira tentativa de golpe de Estado na história dos Estados Unidos da América tinha falhado.

Os aliados dos Estados Unidos, surpresos com o que testemunharam, condenaram as ações do presidente em palavras normalmente reservadas para tiranos e bandidos de países menos desenvolvidos. Até o governante autoritário da Turquia chamou a insurreição de uma desgraça que chocou a humanidade. Gabriel considerou aquele o dia mais sombrio da história americana desde o 11 de setembro, embora de alguma forma pior. O ataque não tinha sido lançado por um inimigo distante, mas pelo ocupante do Salão Oval. O aliado mais próximo de Israel não era mais um exemplo a ser seguido, disse Gabriel à sua espantada equipe sênior na manhã seguinte. Era uma luz vermelha piscante de advertência para o resto do mundo livre de que a democracia nunca deveria ser encarada como garantida.

Não foi surpresa que os veículos de comunicação pró-Kremlin da Rússia tivessem se deleitado com a desgraça dos Estados Unidos, pois ela proporcionou uma oportuna mudança de assunto devido ao escândalo cada vez maior envolvendo o presidente russo e suas finanças. Gabriel atiçou as chamas ao ordenar uma invasão ao sistema eletrônico do MosBank, o banco russo usado pelo círculo íntimo do presidente, e depois entregar os registros roubados a Nina Antonova. Eles formaram a base de outra reportagem explosiva que revelou o roubo desenfreado e a riqueza inexplicada. O porta-voz do Kremlin, Yevgeny Nazarov, se viu sem palavras — um fato raro — e considerou o artigo como fake news escrita por um inimigo do povo.

Do magnata do petróleo e oligarca Arkady Akimov, não havia sinal. Seus advogados bem remunerados armaram uma defesa pouco entusiasmada em nome dele, mas sem sucesso. O governo suíço apreendeu ou congelou todos os bens que conseguiu identificar. A NevaNeft, sem líder, sem controle, acabou. Os oleodutos pararam de escoar petróleo, as refinarias pararam de refinar, os petroleiros pararam no porto ou vagaram pelos mares, sem rumo. Os clientes europeus da empresa foram em busca de um fornecedor mais confiável, o que era compreensível. Os analistas de energia previram que as exportações de petróleo da Rússia, que caíram drasticamente em 2020, despencariam ainda mais no ano seguinte, desferindo um golpe severo na economia russa e, talvez, na estabilidade do regime.

O RhineBank não acabou muito melhor. A cada nova revelação de irregularidade corporativa, o preço das ações da instituição despencava. Na sexta-feira seguinte ao cerco do Capitólio, as ações do outrora poderoso banco de empréstimos de Hamburgo fechou abaixo de quatro dólares em Nova York — a terra dos ventiladores, de acordo com um engraçadinho da CNBC, que mais tarde foi forçado a se desculpar pelo trocadilho maldoso que envolveu aparelhos hospitalares usados no tratamento contra Covid. O governo alemão, desesperado para manter o maior banco do país funcionando, sugeriu uma fusão com um rival doméstico. Mas o rival, após revisar o balanço patrimonial extremamente supervalorizado do RhineBank, se retirou das negociações, o que fez com que as ações caíssem ainda mais. Quando a empresa se aproximou do ponto sem volta, Karl Zimmer, o diretor da filial de Zurique, se enforcou. Na manhã seguinte, Lothar Brandt, o chefe da já extinta Lavanderia Russa, escolheu morrer se jogando na frente de um caminhão.

O bilhete de suicídio de Brandt, que acabou chegando à imprensa, incluía o nome de uma ex-colega, que ele acusou de ser a fonte dos documentos vazados. Gabriel ficou desapontado com a revelação, mas não surpreso — com o colapso iminente do RhineBank, ele supôs que fosse inevitável. Por sua vez, Isabel ficou aliviada. Ela estava orgulhosa do que havia feito e ansiosa para contar sua história, de preferência em uma grande entrevista para a televisão. Gabriel não se opôs à ideia. Na verdade, ele achava que aumentar o perfil internacional de Isabel poderia servir para reduzir a probabilidade de retaliação russa.

— Especialmente se a entrevista for marcada no momento certo para causar o máximo impacto.

Os dois estavam sentados no terraço do esconderijo, ao sabor do vento. Isabel tinha acabado de terminar a lição diária. Ela usava um pulôver de lã para se proteger do ar frio do fim da tarde e bebia uma taça de sauvignon blanc galileu.

— Você tem uma data em mente? — perguntou Isabel.

— Em algum momento no início de junho, diria eu.

— Por que junho?

— Porque é quando seu álbum de estreia está programado para ser lançado.

— Que álbum?

— Aquele que você vai gravar para a Deutsche Grammophon. Sua amiga Anna Rolfe providenciou tudo.

Os olhos de Isabel brilharam.

— Quando eu entro em estúdio?

— Assim que estiver pronta.

— Por que você não me contou?

— Eu acabei de contar.

— O que eles querem que eu grave?

— Eles disseram que a escolha é sua.

— Você decide.

Gabriel riu.

— Qualquer coisa, menos Haydn.

Naquela noite, a Câmara dos Representantes votou pelo impeachment do presidente dos Estados Unidos pela segunda vez. Dez integrantes de seu próprio partido, incluindo a presidente da Conferência Republicana na Câmara, a deputada Liz Cheney, do Wyoming, uniram-se aos democratas no apoio ao artigo, tornando aquele impeachment o mais bipartidário da história americana. Cento e noventa e sete republicanos votaram contra a destituição do presidente por incitar a insurreição. Muitos pareciam mais preocupados com os detectores de metal que haviam sido colocados fora do salão da Câmara, acreditando que os dispositivos interferiam em seu direito de portar armas nos corredores do Congresso.

Com apenas uma semana de mandato sobrando, um julgamento no Senado parecia improvável. A preocupação mais imediata era com a vindoura cerimônia de posse. O político eleito estava determinado a fazer o juramento de posse em público, na plataforma que havia sido erguida na Frente Oeste do Capitólio — a mesma invadida pelos rebeldes em 6 de janeiro. Com Washington em alerta máximo, e sites extremistas da internet pegando fogo com conversas de tom nefasto, os organizadores da cerimônia declararam a posse de um Evento Especial de Segurança Nacional, o que colocou o Serviço Secreto no comando dos preparativos.

O fluxo de ameaças abalou profundamente os profissionais experientes. Os cenários incluíram explosões de carros-bomba, atiradores de elite, atiradores ativos* simultâneos, um ataque direto à plataforma da cerimônia e a ocupação do complexo de dezoito acres da Casa Branca por partidários armados do presidente que deixava o cargo. Os planejadores também foram obrigados a considerar o que antes era impensável, que um agressor pudesse vestir o uniforme de um soldado ou policial. Os responsáveis do FBI e do Pentágono por vetar nomes tentaram extrair qualquer pessoa com laços ou afinidades extremistas. Doze integrantes da Guarda Nacional designados para a segurança da cerimônia de posse foram dispensados do serviço.

Surpreendentemente, nenhuma das ameaças graves veio do exterior. Tudo saiu do esgoto violento e racista dos Estados Unidos de armas em riste. Isso mudou, no entanto, com o telefonema que Gabriel recebeu de Ilan Regev às 3h15 de segunda-feira, 18 de janeiro. Ilan era o chefe da unidade cibernética e técnica que estava vasculhando os computadores do Grupo Haydn. Ele havia encontrado uma coisa que Allon precisava ver imediatamente. Ilan

---

* Termo de segurança que se refere a alguém que toma a iniciativa de matar ou tentar matar pessoas em ambiente delimitado e populoso, sem nenhum padrão ou método definido para escolher as vítimas. (N. do T.)

se recusou a explicar a descoberta por telefone, apenas que tinha um prazo curto de validade.

— Um prazo extremamente curto de validade, chefe.

Eram quase seis da manhã quando Gabriel chegou ao Boulevard Rei Saul. O funcionário, pálido como um fantasma e magro como um mendigo, estava esperando na garagem subterrânea. Ele era o equivalente cibernético de Mozart. Primeiro código de computador aos cinco anos, primeira invasão a um sistema eletrônico aos oito, primeira operação secreta contra o programa nuclear iraniano aos 21. Ilan havia trabalhado com os americanos em um vírus de malware com o codinome Jogos Olímpicos. O resto do mundo conhecia o vírus como Stuxnet.

Ele colocou um arquivo na mão de Gabriel enquanto este saía da parte de trás do SUV.

— Nós encontramos isso no disco rígido de Felix Belov ontem à tarde, mas demorou algum tempo para quebrar a criptografia. O original estava em russo. A tradução automática não é boa, mas é boa o suficiente.

Gabriel abriu o arquivo. Era um memorando interno do Grupo Haydn datado de 27 de setembro de 2020. Ilan havia destacado a passagem relevante. Depois de ler, Gabriel ergueu o olhar, alarmado.

— Pode ser besteira, chefe. Mas dado o clima atual...

— Você encontrou alguma das mensagens de texto?

— Estamos trabalhando nisso.

— Trabalhe com mais afinco, Ilan. Eu preciso de um nome.

Gabriel correu escada acima e pegou uma mala que deixava sempre feita com roupas e itens de higiene pessoal para três dias. Trinta minutos depois, ele subiu a escada de seu jato Gulfstream com ela. O diretor-geral de inteligência israelense partiu do Aeroporto Ben Gurion às 7h05, com destino à luz vermelha piscante de advertência antigamente conhecida como o farol mundial da democracia.

61

WILMINGTON, DELAWARE

Gabriel esperou até que pousasse no Aeroporto de Wilmington para ligar para Jordan Saunders, o conselheiro de segurança nacional designado pelo presidente eleito.

— O que o traz à cidade? — perguntou ele.

— Eu preciso falar com o chefe.

— O chefe não está falando com autoridades ou líderes estrangeiros antes da posse. Por falar nisso, nem eu. A gente se vê quando o primeiro-ministro visitar a Casa Branca.

— Eu não sabia que havia uma reunião agendada.

— Não há — disse Saunders, que desligou.

Gabriel ligou de volta.

— Não desligue, Jordan. Eu não estaria ligando se não fosse sério.

— Estou falando sério também, Allon. Não estamos nos comunicando com autoridades estrangeiras. Não depois do fiasco causado por Michael Flynn.*

---

* Em 2017, o general Michael Flynn foi destituído do cargo de conselheiro de segurança nacional por ter mentido para o vice-presidente Mike Pence a respeito de suas conversas com os russos e ter feito lobby em nome da Turquia enquanto era assessor da campanha de Donald Trump. (N. do T.)

— Eu não sou o embaixador russo, Jordan. Sou o diretor-geral de um serviço de inteligência amigo. E tenho uma coisa que preciso compartilhar com você e com o seu chefe.

— Por que você não compartilha com Langley?

— Porque não tenho certeza de que a informação chegará às mãos certas.

— Qual é a natureza dessa informação? Em termos gerais — acrescentou Saunders com pressa.

— Em termos gerais, diz respeito à segurança de seu chefe.

Saunders não respondeu.

— A ligação caiu, Jordan?

— Onde você está?

Gabriel informou.

— Como você poderia esperar, a agenda dele está bastante cheia hoje. Assim como a minha.

— Contanto que eu o veja antes do dia da posse, tudo bem.

— Por que o dia da posse?

— Não por telefone, Jordan.

— Você sabe o endereço da casa?

Gabriel confirmou, dizendo o endereço.

— Entrarei em contato — falou Saunders, e a conexão caiu pela segunda vez.

O israelense alugou um Nissan no balcão da Avis e dirigiu até uma Dunkin' Donuts na North Market Street, no centro de Wilmington. Ele pediu um café grande e duas bombas de geleia e ouviu as notícias no rádio do carro enquanto os velhos prédios de tijolos vermelhos escureciam ao redor.

Jordan Saunders ligou alguns minutos depois das dezoito horas.

— Acho que consigo dez minutos às 19h15.

— Quer alguma coisa da Dunkin' Donuts?

— Uma rosquinha sabor Boston Cream.

— Pode deixar, Jordan.

O Google Maps estimou em dezesseis minutos o tempo de trajeto de carro até a casa do presidente eleito. Gabriel acrescentou mais dez e não teve pressa. Ele seguiu a North Market Street até a West Eleventh, virou à esquerda e pegou a Delaware Avenue. A via mudou de nome algumas vezes até se tornar Kennett Pike. Barley Mill Road tinha duas pistas com quebra-molas e ladeadas por árvores sem folhas.

Uma patrulha da Polícia Estadual de Delaware bloqueava a entrada da pista particular que levava ao complexo do presidente eleito. Gabriel entregou um passaporte israelense a um agente do Serviço Secreto e declarou seu nome verdadeiro. O homem não pareceu reconhecê-lo. Evidentemente, ele não era esperado.

O agente se afastou, pegou o rádio e, após alguns minutos, estabeleceu, para sua satisfação, que o israelense de têmporas grisalhas e olhos de um tom incomum de verde deveria ter a entrada liberada no local sem mais delongas. Gabriel pegou seu passaporte de volta e avançou para o próximo posto de controle do Serviço Secreto, onde foi direcionado para a via de entrada circular da casa do presidente eleito.

Jordan Saunders, impecavelmente vestido e penteado, esperava do lado de fora da entrada do casarão em estilo colonial. Em vinte anos, Saunders se pareceria com o arquétipo de um diplomata, do tipo que usava colete, tomava chá no café da manhã e vivia suntuosamente em Georgetown. Por enquanto, pelo menos, ele poderia ser confundido com um dos estagiários.

Gabriel entregou a Saunders a sacola da Dunkin' Donuts.

— Uma oferta de paz.

— Você foi vacinado?

— Há duas semanas.

Eles contornaram a lateral da casa até o jardim dos fundos. Através dos galhos pretos das árvores, Gabriel avistou um laguinho congelado.

— Espere aqui — disse Saunders, e entrou na casa.

Cinco minutos se passaram antes que ele reaparecesse. Ao lado de Saunders estava o próximo líder dos Estados Unidos. Ao contrário do presidente democrata anterior, ele não tinha saído do anonimato para conquistar uma nação com sua oratória e boa aparência. Na verdade, Gabriel mal conseguia se lembrar de uma época em que o próximo chefe de Estado não tivesse feito parte da vida política americana. Duas vezes o homem havia tentado a presidência, e duas vezes falhara. Neste momento, no crepúsculo da vida, ele foi chamado para curar uma nação doente e dividida — uma tarefa difícil para um líder no auge, e mais difícil ainda para alguém que a idade tornou lento. Infelizmente, os dois tinham essa condição em comum.

O próximo presidente dos Estados Unidos se aproximou de Gabriel com cautela. Ele usava calça justa de lã, um suéter com zíper e um sobretudo elegante. Assim como seu jovem assessor de segurança nacional, o homem usava duas máscaras.

— Esse encontro nunca aconteceu. Estamos entendidos, diretor Allon?

— Estamos, sr. presidente eleito.

Ele olhou para a pasta na mão de Gabriel.

— Do que se trata?

— Sua cerimônia de posse, senhor. Creio que o senhor deva considerar transferi-la para dentro, com pouquíssimos convidados.

— Porque eu faria isso?

— Porque, se não o fizer — disse Gabriel —, o senhor pode ter a menor presidência da história americana.

62

WILMINGTON, DELAWARE

Gabriel começou o relatório não pelo documento que trouxera de Tel Aviv, mas pela operação que o produziu — a operação contra Arkady Akimov e a unidade de inteligência particular escondida em sua empresa com sede em Genebra. O conhecimento do presidente eleito a respeito do escândalo em desenvolvimento, que envolvia a NevaNeft e as finanças pessoais do líder russo, era limitado ao que sua equipe havia coletado da mídia. Os informes diários de inteligência, que ele tinha apenas começado a receber tardiamente, não continham qualquer menção à história.

— Langley sabia a respeito da sua operação? — perguntou o presidente eleito.

— Não até bem depois.

— Por que não?

— Porque o atual governo demonstrou pouco interesse em agir contra os russos.

— Que diplomático da sua parte, diretor Allon. Tente novamente.

— Eu não informei à Agência porque temia que o presidente contasse ao amigo dele no Kremlin. Infelizmente, aprendi logo cedo que ele não era confiável no tocante a informações confidenciais. Meu equivalente no MI6 também foi extremamente cuidadoso com a inteligência que permitia que ele visse. Assim como o diretor da CIA, por falar nisso.

— O senhor está sugerindo que ele é um agente russo?

— Essa é uma pergunta para seus diretores de inteligência.

— Eu não estou perguntando a eles. Estou perguntando ao senhor.

— Existem agentes de todas formas e tamanhos. E alguns não percebem que são agentes. Muitas vezes, esses são os melhores tipos.

Eles estavam sentados distantes, para ficar a salvo da Covid, em torno de uma mesa de ferro forjado no pátio. Apenas Gabriel, que dava o relatório, estava sem máscara. Uma olhada no relógio de pulso informou que ele havia usado quatro dos dez minutos que lhe foram reservados. Gabriel abriu a pasta e retirou a tradução do documento encontrada no computador de Felix Belov.

— A principal arma do Grupo Haydn era o dinheiro sujo da Rússia, que foi usado para financiar partidos contra a ordem vigente e para corromper empresários e políticos ocidentais de destaque. Mas a organização também possuía uma unidade sofisticada de guerra de informações semelhante à Agência de Pesquisa da Internet.

— A empresa de São Petersburgo que se intrometeu nas eleições de 2016.

— Exatamente. Nossa análise dos computadores do Grupo Haydn revelou que, no meio do ano passado, suas contas falsas no Twitter começaram a amplificar as alegações infundadas do presidente de que roubariam a eleição dele. Porém, o que foi mais sinistro, o Grupo Haydn também começou a se planejar para o futuro. — Gabriel ergueu o documento. — Um futuro em que o candidato preferido deles perdesse a eleição e o senhor estivesse prestes a entrar na Casa Branca.

— O que o senhor tem aí, diretor Allon?

— Um memorando escrito por um agente do alto escalão do Grupo Haydn chamado Felix Belov. O documento detalha uma conspiração para desferir um golpe catastrófico à democracia americana, por meio de um apoio secreto a um ataque à sua posse. A beleza da trama, pelo menos do ponto de vista da Rússia, é que ela será executada por um cidadão americano.

— Quem?

— Um agente conhecido como Rebelde. Evidentemente, um dos guerreiros cibernéticos do Grupo Haydn encontrou o Rebelde no fórum de discussão 8kun. O Rebelde é um radical de extrema direita que apoia a imposição de um regime nacionalista e autoritário branco nos Estados Unidos, pela violência, se necessário. Ele também é um funcionário do governo que terá acesso à cerimônia de posse.

— De que maneira?

— Nem é preciso dizer que o documento não diz onde o Rebelde trabalha. O Grupo Haydn se comunicou com ele anonimamente. O Rebelde não tem ideia de que as mensagens de texto que ele tem recebido foram enviadas por uma empresa particular de inteligência russa.

— O senhor tem certeza de que o Rebelde é um homem?

— Eu estava usando o pronome masculino por uma questão de concisão. O documento não especifica o gênero do Rebelde.

— Posso ver? — perguntou Jordan Saunders.

Gabriel entregou o documento. Saunders ligou a lanterna do celular.

— O senhor sabe se a trama está de pé?

— Não — admitiu Gabriel. — Na verdade, até onde sabemos, Arkady Akimov triturou o documento cinco minutos depois de ter parado na mesa dele. Mas, se eu fosse o senhor, consideraria que ele mostrou o papel ao amigo no Grande Palácio do Kremlin e que o amigo aprovou a operação.

— É impossível que o presidente russo tenha aprovado uma coisa tão imprudente — disse Saunders.

— Viktor Orlov discordaria.

O futuro conselheiro de segurança nacional olhou para o documento.

— Onde está o homem que escreveu isso?

— Ele sofreu um acidente lamentável nos Alpes franceses na véspera de Ano-Novo.

— Que tipo de acidente?

— Ele foi baleado duas vezes à queima-roupa. — Gabriel franziu a testa. — E eu me sentiria melhor se o senhor jogasse esse seu telefone no lago.

— O lago está congelado, e o telefone é seguro.

— Não tão seguro quanto o senhor pensa. — Gabriel se voltou para o presidente eleito. — Existe alguma chance de o senhor reconsiderar...

— Nenhuma — interrompeu o homem. — É essencial que eu faça meu juramento na Frente Oeste do Capitólio, especialmente à luz do que aconteceu lá no dia 6 de janeiro. Além disso, a segurança na próxima quarta-feira será inédita. Não há como acontecer alguma coisa.

— O senhor pelo menos garante que o Serviço Secreto será informado a respeito do que descobrimos?

— Jordan vai cuidar disso.

Gabriel se levantou.

— Nesse caso, não vou mais ocupar o seu tempo.

O presidente eleito apontou para uma cadeira.

— Sente-se.

Ele obedeceu.

— Quem atirou em Felix Belov?

— Uma jovem que invadiu a operação de Arkady Akimov.

— Israelense?

— Alemã, na verdade.

— Uma profissional?

— Ela toca violoncelo.

— Toca bem?

— Nada mal — disse Gabriel.

O presidente eleito sorriu.

— O que o senhor vai fazer na quarta-feira?

— Eu estava planejando assistir à sua pose com minha esposa e filhos.

— Gostaria de participar da cerimônia como meu convidado?

— Eu ficaria honrado, sr. presidente eleito.

— Excelente. — O homem acenou com a cabeça em direção ao conselheiro de segurança nacional. — Jordan cuidará disso.

Mas Saunders pareceu não ouvi-lo. Ele ainda estava lendo o memorando de Felix Belov. Saunders não parecia mais um estagiário, pensou Gabriel. Ele parecia um jovem muito nervoso.

63

CAPITÓLIO, WASHINGTON

A Rebelde, a agente russa que não sabia que era uma agente russa, acordou no dia seguinte às 6h15. O quarto de seu minúsculo apartamento em um porão perto de Lincoln Park estava bagunçado como de costume todas as manhãs. Ela abriu o blecaute e um pouco de luz acinzentada entrou pelo vidro de segurança opaco da única janela do quarto. Um par de tênis Nike feminino passou correndo pela calçada da Avenida Kentucky, seguido alguns segundos depois por um terrier bem-vestido. Esta era a visão da capital do país a que a Rebelde tinha direito pela quantia de 1.500 dólares por mês: ver extremidades inferiores do corpo humano e cachorros, às vezes um rato, para variar.

A vida era diferente na pequena cidade no sudeste de Indiana, onde a Rebelde mantinha sua residência principal. Cento e cinquenta mil dólares davam para comprar uma bela casa, e por 250 era possível ter alguns acres de terreno. A renda média era um pouco acima de trinta mil, com um terço dos residentes vivendo abaixo da linha da pobreza. Havia uma antiga destilaria na cidade, mas fora isso não existiam muitos empregos, apenas algumas vagas no varejo e em restaurantes na High Street ou, para alguns poucos sortudos, um emprego de caixa no United Commercial. Grande parte da cidade vivia bêbada ou dopada na maior parte do tempo — oitenta por cento tinha receitas de analgésicos —, e o crime era a única indústria em crescimento. No auge da crise dos medicamentos opioides, o condado de Indiana, de onde vinha a Rebelde, com uma população de cinquenta mil habitantes, mandou mais pessoas para a prisão em um único ano do que São Francisco inteira.

Era compreensível, então, que as pessoas na cidade da Rebelde estivessem com raiva. As elites urbanas instruídas — os banqueiros de Wall Street, os gerentes de fundos de investimentos de Connecticut, os engenheiros de software do Vale do Silício, os que estudaram nas melhores universidades do país e ganhavam milhões apertando botões — prosperavam como nunca, enquanto as pessoas na cidade natal da Rebelde ficavam para trás. As elites compravam roupas na Rag & Bone; o povo da cidade da Rebelde, na Dollar General. Nos fins de semana de verão, elas levavam os filhos para o parque aquático Water World, exceto no final do mês, quando quase todos estavam falidos.

Graças às enigmáticas postagens na internet de um ex-funcionário do governo conhecido apenas como Q, a Rebelde sabia o motivo da situação difícil de sua cidade. Era a conspiração de liberais pedófilos que bebiam sangue, adoravam satanás e controlavam o sistema financeiro, Hollywood e a mídia. Essa conspiração estuprava e sodomizava crianças, bebia o sangue e comia a carne delas para extrair o adrenocromo que prolongava a vida. Q era o profeta, mas o presidente era um ser divino enviado por Deus para destruir a conspiração e salvar as crianças. A batalha dele culminaria na Tempestade, quando o presidente declararia a lei marcial e começaria a prender e executar seus inimigos. Só então começaria uma era de salvação e iluminação conhecida como o Grande Despertar.

A Rebelde, uma das primeiras partidárias de Q, passou a ser considerada uma especialista na área — uma Qologista, como ela se referia a si mesma nas redes sociais, onde tinha meio milhão de seguidores. Suas páginas eram pseudônimas. Ninguém sabia que a Rebelde era uma seguidora de Q. Ela se autodenominava Q Vadia. A bela loira na foto do perfil não se parecia em nada com ela.

Muitos seguidores de Q ficaram desapontados quando a Tempestade não começou após a insurreição no Capitólio — ou, como Q Vadia se referiu, a Quinsurreição. Eles também ficaram desapontados com o longo silêncio de Q. Ele havia feito apenas uma única postagem nos últimos dois meses de 2020, e nenhuma no Ano-Novo. Mas a Rebelde manteve a fé em Q, principalmente, porque Q manteve a fé nela. Durante grande parte do ano passado, os dois estiveram em comunicação direta usando o Telegram, um serviço de mensagens criptografadas. Q tinha alertado a Rebelde para não publicar o que ele estava dizendo ou contar a alguém que ela estava em contato com ele. A Rebelde havia seguido as instruções de Q ao pé da letra, apenas porque temia que ele pudesse desaparecer. Ela era o segredinho sujo de Q.

Algumas das conversas entre os dois foram bastante longas, duraram horas, tarde da noite, com a Rebelde na cama e Q escondido. Às vezes, ele divulgava um grande segredo a respeito da conspiração que não havia compartilhado com os outros seguidores, mas geralmente eles conversavam amenidades ou flertavam. A pedido de Q, a Rebelde mandou vários nudes. Q não retribuiu. Profetas não mandavam fotos das partes íntimas pela internet.

Em meados de novembro, após as fake news declarando que o presidente tinha perdido a eleição, as conversas entre eles ficaram sérias, sombrias. Q se perguntou se a Rebelde estava preparada para usar de violência para trazer a Tempestade. A Rebelde garantiu que sim. E se o ato de violência resultasse em sua prisão? Ela estava preparada para encarar uma prisão temporária até que a Tempestade passasse e a conspiração fosse punida? Ela estava preparada para confiar no plano? Sim, respondeu a Rebelde. Ela faria qualquer coisa para salvar as crianças.

Foi então, no fim de dezembro, que Q revelou à Rebelde que ela era a escolhida — aquela que cometeria o ato que traria a Tempestade. Ela não ficou surpresa com a natureza da ordem de Q. Aquela era a única maneira de impedir que a conspiração assumisse o controle da Casa Branca. Também não ficou surpresa por ter sido selecionada. Só a Rebelde estava posicionada para realizar o ato. Ela era a única.

Q ordenou que a Rebelde não fizesse mudança alguma na vida que pudesse levantar suspeitas. Com exceção da carta manuscrita explicando suas ações, ela manteve uma segurança operacional rígida. A carta estava na mesa de cabeceira, embaixo da Glock compacta 32. 357.

Na cozinha do apartamento, a Rebelde ligou a cafeteira Krups e passou os olhos por alguns fóruns de discussão patriótica enquanto esperava o café ficar pronto. Ela estava vestindo sua camisa favorita, de futebol americano com o número dezessete — visto que Q era a décima sétima letra do alfabeto. Os tópicos patrióticos no Reddit eram bastante inofensivos, mas em alguns dos sites mais radicais havia postagens a respeito de ataques a prédios do governo e da guerra civil que se aproximava. A Rebelde fez uma postagem incendiária — anonimamente, é claro — e depois publicou alguns pensamentos na conta Q Vadia, que provocaram uma reação rápida de seus seguidores, sedentos por saber de Q. Finalmente, ela mudou para a conta em que usava seu nome de verdade e protestou contra o plano do novo governo de voltar a fazer parte do acordo climático de Paris. No primeiro minuto, a Rebelde recebeu mais de mil curtidas, retuítes e citações. A adulação era como uma droga.

Ela levou uma xícara de café para o quarto e se vestiu para a academia. Parecia uma coisa esquisita de se fazer, dado o fato de ter sido escolhida para causar o Grande Despertar, mas Q tinha sido inflexível em insistir que a Rebelde mantivesse sua programação normal. Ela se exercitava religiosamente por duas horas todas as manhãs, uma hora de cardio seguida por uma hora de resistência, e a seguir tomava banho e trocava de roupa para trabalhar no escritório. Mesmo um caso leve de Covid, que a Rebelde havia escondido dos colegas, não interrompeu a rotina. Uma variação neste momento seria notada pela equipe. Além disso, ela precisava esvaziar a cabeça. Estava girando novamente, ouvindo vozes.

Confie no plano...

O telefone emitiu um sinal sonoro de mensagem. O tom informou que era o Telegram, e o Telegram significava que era Q. Ele queria saber se ela tinha um minuto para falar. Ofegante, a Rebelde digitou uma resposta.

Para você, meu amor, tenho todo o tempo do mundo.

Está sozinha?

Ela disse que sim.

O plano mudou.

Como?

Ele explicou.

Tem certeza?

Confie no plano.

Dito isso, Q se foi. A Rebelde largou o telefone e a Glock 32. na bolsa da academia e saiu para a manhã gelada. Ela subiu a avenida Kentucky até o Lincoln Park, depois fez uma curva à esquerda na East Capitol. As vozes sussurravam em seu ouvido. *Confie no plano*, diziam elas. *Aproveite o espetáculo.*

64

WASHINGTON

O presidente de saída do cargo deixou a Casa Branca pela última vez às 8h17 da manhã seguinte, o que fez dele o único chefe do Executivo em mais de um século e meio a não comparecer à posse de seu sucessor. A Washington que o presidente deixou para trás era um campo armado, com 25 mil soldados da Guarda Nacional posicionados em volta da cidade, o maior número desde a Guerra Civil. Uma zona vermelha fechada se estendia do Capitólio ao Lincoln Memorial e da I-395 à avenida Massachusetts. A zona verde, restrita a moradores e funcionários do comércio local, era ainda maior. As pontes e as estações de metrô do centro foram fechadas. Quilômetros de cercas de dois metros de altura, impossíveis de serem escaladas e em alguns lugares reforçadas com barreiras de concreto e arame farpado, davam à cidade a aparência de uma prisão gigante.

Quando o presidente saiu da Base Conjunta de Andrews, o eleito chegou para a missa na Catedral de São Mateus Apóstolo. Gabriel, na suíte do vizinho Hotel Madison, ouviu as sirenes do comboio enorme que percorria as ruas vazias. O telefone tocou alguns minutos depois das nove horas, quando ele estava terminando de se vestir. Era Morris Payne ligando de Langley.

— Tenho tentado falar com você — disse ele como forma de saudação.

— Desculpe, Morris. Estou assoberbado de trabalho.

— Isso é jeito de tratar um amigo?

— Você é um amigo, Morris?

— Em poucos dias vai perceber que eu era o melhor amigo que você já teve na vida.

— Na verdade, acho que estabeleci relações razoavelmente boas com o novo governo.

— Eu que o diga. Há um boato desagradável de que você participará da cerimônia de posse como convidado do presidente.

— Onde você ouviu isso?

— Fui avisado pelo Serviço Secreto. Eles também me falaram a respeito de uma suposta ameaça de um agente russo chamado Rebelde. Desnecessário dizer que eu deveria ter ouvido falar a respeito do Rebelde da sua parte.

— Eu não queria que houvesse um ruído na comunicação.

— Esse é o ruído — retrucou Payne. — O Rebelde é uma completa mentira. O Rebelde é uma fantasia que você criou para se insinuar com o pessoal novo e receber um convite para a posse.

— Se alguém deveria estar presente na posse, é o seu chefe.

— É melhor que ele tenha saído da cidade. O país precisa seguir em frente. E se algum dia você repetir isso, vou acusá-lo abertamente do topo da montanha mais alta. Que é exatamente para onde estou indo.

— Quando vai sair de Langley?

— Assim que você me contar o que aconteceu na França na véspera de Ano-Novo.

— Alguém ligou para o presidente russo de um telefone seguro em Washington e informou que eu tinha colocado um agente próximo a Arkady Akimov.

Payne não disse nada.

— Quem sabia da minha operação, Morris?

— As pessoas que precisavam saber.

— O presidente era uma delas?

— Se era — falou Payne, antes de desligar o telefone —, ele não ouviu de mim.

Gabriel vestiu um sobretudo e uma echarpe, e desceu da suíte. Usando máscara, ele caminhou pela manhã fria e ensolarada até o Capitólio. A agente Emily Barnes do Serviço Secreto dos Estados Unidos, uma mulher de aparência atlética com trinta e poucos anos e bochechas sardentas, se encontrou com ele no limite da zona vermelha e lhe entregou um conjunto de credenciais.

— O senhor está armado?

— Não. E você?

A agente Barnes deu um tapinha na lateral da jaqueta pesada.

— SIG Sauer P229.

Gabriel pendurou as credenciais no pescoço e seguiu a agente até um posto de controle, onde foi revistado. Dentro da zona vermelha, os dois seguiram para a Frente Leste do Capitólio. O vice-presidente de saída do cargo, que não falava mais com o homem a quem serviu fielmente por quatro anos, estava chegando. A agente Barnes conduziu Gabriel por uma porta que dava para o térreo da Ala Norte do Capitólio.

— O que você achou do nosso Putsch da Cervejaria?* — perguntou ela.

---

* Como ficou conhecida a tentativa fracassada de golpe de Estado, em 1923, por parte de Adolf Hitler, até então um agitador obscuro que invadiu uma grande cervejaria de Munique, a Bürgerbraükeller. Ele foi preso e cumpriu nove meses da pena de cinco anos a que foi condenado. (N. do T.)

— Aquilo me revirou o estômago.

— Que tal o cara com o moletom de Auschwitz?

— Eu gostaria que ele estivesse andando por uma rua em Tel Aviv vestindo aquele casaco, em vez dos corredores do Capitólio.

Ela apontou para uma porta.

— Essa é a Antiga Câmara da Suprema Corte. Os juízes se reuniram lá até 1860. Samuel Morse enviou a primeira mensagem em código Morse daquela sala em 1844.

— O que dizia a mensagem?

— "Que coisas Deus tem feito."

— Que profético.

Os dois subiram um lance de escadas para o segundo andar do Capitólio. A Grande Rotunda, profanada havia apenas duas semanas, brilhava com a luz cálida que entrava pelas janelas superiores da cúpula. A agente Barnes virou à direita.

— Há um lugar no gramado reservado para o senhor, mas o presidente eleito nos pediu para levá-lo por uma visita rápida pela plataforma, para que o senhor fique despreocupado.

Eles surgiram por uma porta que dava para a estrutura temporária adjacente à Frente Oeste: setenta toneladas de andaimes, 1.300 folhas de madeira compensada, meio milhão de pregos, nove toneladas de reboco e argamassa e 4.500 litros de tinta branca brilhante. Como a rotunda, a Frente Oeste não apresentava vestígios dos danos infligidos pelos insurgentes.

Os três presidentes anteriores e suas esposas haviam chegado e se misturavam a outros dignitários. Havia alguns integrantes do Congresso procurando por seus lugares, incluindo um senador do Texas mal-ajambrado e odiado por todo mundo, que havia tentado anular o resultado da eleição. A agente Barnes estava descrevendo algumas das medidas extraordinárias que o Serviço Secreto havia tomado para garantir a segurança do evento. Gabriel estava olhando para as duzentas mil bandeiras americanas tremulando na brisa fria que soprava no gramado vazio do National Mall.

Pouco antes das onze da manhã, a família do presidente eleito subiu à plataforma.

— Devemos descer para nossos lugares — disse a agente Barnes.

— *Nossos* lugares?

— Infelizmente o senhor terá de me aturar.

— Pobre de você.

Os dois entraram no Capitólio, desceram um lance de escadas e surgiram no gramado que duas semanas antes havia sido pisoteado pelos insurgentes saqueadores. Os lugares ficavam próximos à plataforma de câmeras. A primeira vice-presidente mulher na história americana, filha de imigrantes jamaicanos e indianos, fez o juramento do cargo às 11h42; o novo presidente, às 11h48. Nove minutos antes do início de seu mandato prescrito pela Constituição, ele subiu ao pódio para fazer o discurso de posse a uma nação arrasada por doença e morte e dilacerada por divisões políticas. Quando Gabriel se levantou, ele examinou a plataforma em busca de um agente russo com o codinome Rebelde.

— Não se preocupe — disse a jovem agente do Serviço Secreto a seu lado. — Nada vai acontecer.

O novo presidente declarou que aquele era o dia dos Estados Unidos, o dia da democracia, um dia de história e esperança. A nação, disse ele, foi testada por uma provação extrema memorável. E, no entanto, as instituições do país, as mesmas instituições que seu antecessor havia passado quatro anos tentando destruir, corresponderam ao desafio. Ele pediu aos americanos que acabassem com sua guerra incivil — uma guerra que jogou o vermelho contra o azul, rural versus urbano, conservador versus liberal — e assegurou que a democracia americana nunca seria derrubada por uma turba como aquela que invadiu o Capitólio. Gabriel, maravilhado com a grandiosidade da cerimônia, esperava que o presidente estivesse certo. A democracia mais antiga do mundo havia sobrevivido a um breve contato com o autoritarismo, mas foi uma experiência quase fatal.

Quando o discurso acabou, um astro da música country cantou "Amazing Grace", e a mais jovem poetisa numa cerimônia de posse da história americana declarou que o país não estava rachado, e sim, simplesmente inacabado. Posteriormente, o novo chefe do executivo se retirou para a Sala do Presidente, uma câmara dourada do Capitólio no lado do Senado, onde os líderes do Congresso observaram enquanto ele assinava uma proclamação do Dia da Posse e várias indicações para cargos de secretários e subsecretários.

Em seguida, eles foram para a Grande Rotunda para uma apresentação tradicional de presentes, uma cerimônia que normalmente acontecia durante o almoço de posse. Um dos objetos oferecidos, uma fotografia emoldurada da cerimônia ocorrida havia poucos momentos, foi dado pelo líder da minoria na Câmara, um californiano que alegou várias vezes que o presidente não havia vencido a eleição. O presidente, com a intenção de reduzir a divisão política cavernosa da nação, aceitou-a com educação.

O último evento antes de sua partida aconteceu na escadaria da Frente Leste. Lá, o presidente passou em revista um desfile de tropas de todos os ramos das forças armadas, uma cerimônia que remontava à primeira posse de George Washington e que simbolizava a transferência do poder para um novo líder civil devidamente eleito. O poder realmente havia sido transferido, pensou Gabriel, observando o ritual da Plaza Oeste, mas não tinha sido pacífico.

No fim da cerimônia, o maior comboio que Gabriel já tinha visto na vida se reuniu ao pé da escada, e o novo presidente se acomodou na parte de trás da limusine. Por volta das 14h15, ele desceu a avenida Independence em direção ao cemitério de Arlington para uma cerimônia de colocação de coroas no Túmulo do Soldado Desconhecido.

— Eu disse que nada aconteceria — falou a agente Barnes.

— É aí que você se engana — respondeu Gabriel.

— O que o senhor quer dizer?

— Você vive em um país extraordinário. Cuide bem dele.

— Por que o senhor acha que eu trabalho para o Serviço Secreto? — Ela ofereceu o cotovelo para Gabriel como despedida. — Foi um prazer conhecê-lo, diretor Allon. Devo dizer que o senhor não é o que eu esperava.

— Sério? Como assim?

A agente Barnes sorriu.

— Achei que o senhor fosse mais alto.

O arame farpado cintilava à luz reluzente do sol de inverno enquanto Gabriel descia a ladeira suave da avenida Constitution. Ele atravessou o boulevard vazio na avenida New Jersey e rumou para o norte, passando pelo planalto gramado conhecido como Lower Senate Park. No silêncio profundo da cidade em lockdown, ele ouviu os passos que vinham por trás, abafados, soltando aqui e ali um pio do contato da borracha com o concreto. Mulher, calculou Gabriel. Talvez com cinquenta quilos, ligeiramente sem fôlego. Os passos chegaram mais perto conforme ele se aproximava do cruzamento da avenida Louisiana. Gabriel diminuiu a velocidade, como se quisesse se orientar, e se virou.

Mulher caucasiana, de quarenta e poucos anos, com algo entre 1,55 e 1,57 metro de altura, parruda, vestida com roupas de trabalho, visivelmente agitada. Não, pensou Gabriel subitamente. Ela estava desnorteada. Havia uma arma na mão direita dela, uma Glock

32. 357 compacta. Era muito poder de fogo para uma mulher tão pequena. Felizmente, a arma estava apontada para a calçada. Pelo menos, por enquanto.

Gabriel sorriu e se dirigiu à mulher com um tom de voz que reservava para os dementes.

— Posso ajudar?

— Você é Gabriel Allon?

— Infelizmente você me confundiu com outra pessoa.

— Você bebe o sangue delas, come a carne delas.

— De quem?

— Das crianças.

Meu Deus, não. Ela estava no fundo do poço. Com um terrorista, Gabriel poderia ter sido capaz de argumentar, mas não com alguém assim. Desprotegido e desarmado, ele não teve escolha a não ser tentar.

— Você foi enganada — disse Gabriel no mesmo tom plácido. — Não há conspiração. Ninguém está bebendo o sangue de crianças. A Tempestade nunca vai acontecer. É tudo mentira.

— A Tempestade vai começar depois que eu matar você.

— A única coisa que vai acontecer é que você vai destruir sua vida. Agora, coloque a arma delicadamente na calçada e vá embora. Prometo não contar a ninguém.

— Pedófilo — sussurrou a mulher. — Bebedor de sangue.

Gabriel ficou imóvel como uma figura em um quadro. Vinte e cinco mil soldados da Guarda Nacional, outros vinte mil policiais e seguranças, e nenhum havia notado a integrante do QAnon vestida com roupas de trabalho e parada na avenida New Jersey com uma calibre .357 carregada na mão.

Três metros separavam os dois, não mais do que isso. Por enquanto, a arma ainda estava apontada para o chão. Se ele esperasse até que ela começasse a erguê-la, Gabriel não teria chance de desarmá-la.

Ele tinha que agir primeiro e torcer para que a mulher não fosse uma agente da lei ou ex-militar. Se fosse, a vida de Gabriel sem dúvida terminaria na esquina das avenidas New Jersey e Louisiana, na zona nordeste de Washington.

Os lábios da mulher se mexeram como um homem-bomba recitando uma prece final.

— Confie no plano — ela estava sussurrando. — Aproveite o espetáculo.

Tarde demais, Gabriel correu para a frente, berrando como um louco, enquanto o braço direito da mulher se erguia em posição de tiro. O poderoso cartucho .357 o atingiu como um projétil de artilharia. Quando a escuridão da morte caiu sobre ele, Gabriel ouviu mais dois tiros, os dois disparos de um profissional treinado. Então não houve nada, apenas uma voz chamando por ele do outro lado dos campos verdes do Vale de Jezreel. Era a voz da mãe de Gabriel, implorando para que ele não morresse.

Parte Cinco

◇◇◇◇◇◇◇◇◇◇◇◇◇◇◇◇◇◇◇◇◇

BIS

65

WASHINGTON

Doze minutos intermináveis se passaram até que a primeira ambulância conseguisse passar pelos postos de controle militares. Os paramédicos encontraram duas vítimas de tiros, uma mulher e um homem. A mulher, pequena e vestindo um sobretudo de lã, havia levado dois tiros nas costas e não exibia reações. O homem, de estatura e compleição medianas, talvez no início dos sessenta anos, sangrava muito de uma ferida cavernosa que varou o corpo a poucos centímetros abaixo da clavícula esquerda. Ele não estava mais consciente. Mal apresentava pulsação.

Ele ainda estava vivo quando a ambulância chegou ao Hospital Universitário George Washington, mas morreu no centro de trauma de nível 1 às 14h47. Reanimado, o homem morreu pela segunda vez durante uma cirurgia, porém mais uma vez os médicos conseguiram reiniciar seu coração. Pouco depois das dezoito horas, ele ficou estável o suficiente para ser transferido para a unidade de tratamento intensivo. O hospital classificou sua condição como grave, o que era otimista. O homem mal estava vivo.

Os médicos não foram informados a respeito do nome do paciente cuja vida tentavam desesperadamente salvar, mas a falange de agentes do Serviço Secreto e da Polícia Metropolitana que vigiavam do lado de fora do centro de trauma sugeriam que ele era um homem importante — assim como a chegada de vários funcionários da Embaixada de Israel, incluindo o embaixador. Ele confirmou que o paciente era um funcionário do alto escalão do governo israelense envolvido com segurança e inteligência. Era essencial, disse o embaixador, que a identidade do homem, e até sua presença no hospital, permanecesse em segredo — e que ele sobrevivesse.

— Por favor — implorou o embaixador, com os olhos úmidos de lágrimas —, não deixem este homem morrer. Não dessa forma.

O comentário era uma referência à identidade da mulher que supostamente foi responsável pelo estado grave do paciente: Michelle Lambert Wright, uma deputada republicana de Indiana com quatro mandatos. De acordo com o FBI, que assumiu a responsabilidade pela investigação, a deputada Wright seguiu o israelense desde a Plaza Leste do Capitólio até a esquina das avenidas New Jersey e Louisiana, onde, após uma breve conversa, disparou nele uma única vez com sua Glock .357 antes de ela mesma levar dois tiros. O FBI não identificou a pessoa que matou a deputada, apenas que se tratava de um agente do Serviço Secreto.

A pedido do governo israelense, o FBI também não revelou o nome do agente sênior israelense que estava à beira da morte na unidade de tratamento intensivo. Mas, naquela noite, o *Washington Post* o identificou como Gabriel Allon, o diretor-geral do alardeado Serviço Secreto de Inteligência de Israel. O *Post* também revelou o conteúdo de dois manifestos preocupantes, descobertos no apartamento da deputada morta situado no Capitólio, que sugeriam que ela era uma adepta mentalmente instável da teoria da conspiração em expansão conhecida como QAnon. O primeiro manifesto detalhava seus motivos para assassinar o quadragésimo sexto presidente dos Estados Unidos no dia de sua posse. Um manifesto atualizado, escrito no dia anterior à cerimônia, explicava por que a deputada tinha escolhido Allon como alvo.

A assessora de imprensa da Casa Branca revelou mais detalhes chocantes durante um relatório extraordinário na tarde seguinte. Allon, disse ela, viajou para Delaware na segunda-feira, 18 de janeiro, a fim de alertar o então presidente eleito a respeito de uma ameaça à sua vida no dia da posse. A trama, de acordo com o israelense, era de origem russa e envolvia uma figura dentro do governo dos Estados Unidos que mantinha pontos de vista extremistas. O exame forense subsequente dos telefones e computadores da deputada Wright revelou que ela havia entrado em contato com alguém que afirmava ser o misterioso Q. Ele havia ordenado que a deputada assassinasse o novo presidente a fim de desencadear a Tempestade profetizada e provocar o Grande Despertar. Mas, na manhã de terça-feira, 19 de janeiro, Q deu a ela uma nova missão.

Não foi surpresa, dado o cenário político fragmentado do país, que as revelações só tivessem servido para ampliar a divisão partidária. Um deputado republicano de extrema direita da Flórida desconsiderou os chamados manifestos e declarou que eram falsificações engenhosas colocadas ali por agentes do "Estado profundo". Seu colega de Ohio foi mais longe e sugeriu que foi a deputada Wright, e não Gabriel Allon, que tinha sido marcada para morrer. Quando confrontado com um vídeo em circuito fechado mostrando a deputada claramente atirando em Allon primeiro, o político de Ohio se manteve firme no argumento frágil. O vídeo, declarou ele, também era uma farsa armada pelo Estado profundo.

A batalha nos noticiários das emissoras a cabo e on-line ficou ainda mais acirrada à medida que redes rivais e formadores de opinião travavam uma guerra santa a respeito do incidente terrível que manchou de sangue o Dia da Posse. Falava-se de violência nas ruas, de guerra civil e secessão, até de outro ataque ao Capitólio. Aqueles que permaneceram fiéis às profecias desacreditadas do QAnon viram provas de que Tempestade prevista estava se formando, com um famoso influenciador de Q prevendo que ela começaria no instante da morte de Allon. Mas aqueles que haviam lutado para sair do fundo do poço e voltar à realidade viram algo mais perigoso — a prova de que QAnon, antes considerado uma teoria da conspiração inofensiva, havia se tornado letal. Eles conclamaram a comunidade restante de adeptos a apagar as contas nas mídias sociais e buscar ajuda profissional antes que fosse tarde demais.

Quase perdido no rancor estava o fato de que Gabriel Allon, ao ter se tornado inadvertidamente o alvo do plano russo de assassinato, poderia muito bem ter salvado a república. Inconsciente e ligado a vários equipamentos de suporte de vida, ele estava alheio aos eventos que giravam ao seu redor. Finalmente, três dias intermináveis após o tiroteio, Gabriel abriu os olhos pela primeira vez. Quando questionado pelos médicos se sabia onde estava e o que havia acontecido, ele disse que sim. O homem mal estava vivo.

A CIA deu a Chiara e às crianças o controle de um antigo esconderijo na rua N, em Georgetown. Proibidas de ir ao hospital pelas restrições impostas pela Covid, elas aguardavam ansiosamente cada atualização a respeito da condição de Gabriel. Quarenta e oito horas depois de recuperar a consciência, ele deu sinais de melhora acentuada. E quando mais dois dias se passaram sem mais complicações, os médicos expressaram uma confiança cautelosa de que o pior havia ficado para trás. Naquela noite, Chiara viajou de Georgetown para Foggy Bottom no carro da embaixada, apenas para ficar mais perto dele. Quando informado da proximidade da esposa, Gabriel sorriu pela primeira vez.

Os dois se falaram brevemente por videochamada na manhã seguinte. Ela disse a Gabriel que ele estava maravilhoso, o que não era de todo verdade. Abatido e magro, com o rosto marcado pela dor, sua aparência era certamente horrível, ele pouco parecia consigo mesmo. Mesmo assim, os médicos garantiram que Gabriel continuava fazendo bons progressos. O cartucho .357, explicaram eles, havia deixado um túnel de destruição em seu rastro — vasos sanguíneos rompidos, tecidos moles danificados, ossos estilhaçados. A recuperação, avisaram os médicos, seria longa e difícil.

Como se para provar que eles estavam errados, Gabriel se levantou da cama e deu alguns passos hesitantes pelo corredor. Ele caminhou um pouco mais no dia seguinte e, no fim da semana, conseguiu fazer o circuito completo da unidade de tratamento intensivo. Isso lhe rendeu o privilégio de um quarto com uma janela com vista para a rua Twenty-Third. Chiara e as crianças acenaram para Gabriel da calçada, vigiados por uma equipe de seguranças da embaixada em coletes cáqui.

O novo presidente telefonou naquela noite. Ele disse que vinha recebendo atualizações diárias e estava satisfeito com o progresso de Gabriel. O homem perguntou se havia algo que ele pudesse fazer.

— Imponha sanções esmagadoras à Rússia — respondeu Gabriel.

— Eu vou anunciá-las amanhã junto com a apreensão de vários bilhões de dólares em bens saqueados e escondidos aqui nos Estados Unidos. Vamos atingi-los com outra rodada de sanções assim que a comunidade de inteligência determinar, ou até que fique satisfeita, que o Kremlin esteve por trás do atentado contra sua vida.

— Melhor a minha do que a sua, sr. presidente. Só espero que o senhor possa me perdoar por ter estragado a sua posse ao levar um tiro.

Ele se permitiu ser interrogado por uma equipe de Langley e submetido a uma entrevista em vídeo pelo FBI. A agente Emily

Barnes, do Serviço Secreto, que estava sob licença administrativa aguardando uma análise interna de seus atos, ligou para Gabriel de seu apartamento em Arlington.

— Desculpe, diretor Allon. Eu deveria ter atirado no instante em que ela ergueu a arma.

— Por que você estava lá?

— Ela passou direto por mim no Capitólio. Somos treinados para identificar pessoas que estão considerando praticar um ato de violência. A mulher poderia muito bem estar usando um letreiro de néon. Quando ela seguiu o senhor ladeira abaixo até a avenida New Jersey, eu sabia que o senhor estava em apuros, mas... — A voz dela sumiu.

— Ela era integrante do Congresso.

Na manhã seguinte, ele deu cinco voltas completas no andar, o que lhe rendeu uma ovação entusiasmada da equipe de enfermagem. Como recompensa, Gabriel foi examinado de todas as formas pelos médicos, que assinaram os papéis que autorizavam a alta. A conta da internação era astronômica. O presidente insistiu em pagar. Era, disse ele, o mínimo que poderia fazer.

Pela primeira vez em três semanas, Gabriel se vestiu com roupas normais. Lá embaixo, um segurança da CIA o ajudou a entrar no banco de trás de um SUV blindado. O motorista o levou em um último passeio pela cidade coberta de neve — o Lincoln Memorial, o Monumento a Washington, o Capitólio, a esquina das avenidas New Jersey e Louisiana. A calçada estava manchada de sangue — dele ou dela, Gabriel não soube dizer. Ele ficou parado ali por um momento, esperando ouvir a voz de sua mãe, mas a perdeu mais uma vez.

A última parada foi o velho esconderijo de tijolos vermelhos na rua N, em Georgetown. Durante o trajeto até o aeroporto Dulles, Chiara apoiou a cabeça no ombro dele e chorou. Em horas assim, pensou Gabriel, havia alento nas rotinas conhecidas.

66

RUA NARKISS, JERUSALÉM

Por um mês após o retorno a Israel, Gabriel permaneceu escondido em seu apartamento na rua Narkiss, cercado por um pequeno exército de seguranças. A maioria dos vizinhos considerava as barreiras adicionais e os postos de controle como um preço pequeno a pagar para viver próximo a um tesouro nacional, mas alguns se irritaram com as restrições. Houve até um pequeno bando de hereges que se perguntou, não sem alguma justificativa, se o tiroteio em Washington realmente havia acontecido. Afinal, ressaltaram, Gabriel certa vez enganou seus inimigos — e seus conterrâneos — a ponto de acreditarem que ele estava morto. Outro grande engodo da parte de Allon estava longe de ser impossível.

Os céticos retiraram rapidamente as objeções, no entanto, no dia em que ele fez a primeira aparição pública. A ocasião foi uma reunião muito aguardada com o primeiro-ministro na rua Kaplan. O vídeo de sua chegada chocou o país. Sim, Gabriel ainda era incrivelmente bonito, mas o cabelo estava um pouco mais grisalho, e era evidente pelos movimentos cuidadosos que seu corpo havia sido ferido por uma bala de grande calibre.

Ele se reuniu com o primeiro-ministro por mais de uma hora. Depois, os dois homens responderam a perguntas de repórteres. Foi o chanceler, como sempre, quem mais falou. Não, respondeu ele sem rodeios, não haveria mudanças na liderança no Boulevard Rei Saul naquele momento. O controle diário do Escritório permaneceria nas mãos do vice-diretor Uzi Navot até que Gabriel estivesse suficientemente recuperado. Os médicos haviam marcado a data provisória de 1º de junho para o retorno dele ao serviço, o que deixaria sete meses faltando até o término de seu mandato. Gabriel havia informado ao primeiro-ministro que não cumpriria um segundo mandato e tinha sugerido um possível sucessor. O chanceler, quando questionado a respeito de sua reação, descreveu o candidato como "uma escolha interessante".

Sem o conhecimento do público israelense, Gabriel e o primeiro-ministro aproveitaram o encontro para acrescentar suas assinaturas a um documento conhecido como Página Vermelha, uma autorização para o uso de força letal. Ela foi executada uma semana depois no centro de Teerã. Um homem em uma motocicleta, uma mina magnética, outro cientista nuclear iraniano morto. Analistas de região interpretaram a operação como uma mensagem direta aos inimigos de Israel de que o Escritório estava funcionando normalmente e, pela primeira vez, os analistas estavam certos. O novo governo em Washington, que tentava atrair os iranianos de volta à mesa de negociações nucleares, fez apenas uma expressão muda de desaprovação. A experiência quase fatal de Gabriel no dia da posse, declararam os analistas, rendeu dividendos à Casa Branca e ao Departamento de Estado.

Para desespero de Chiara, Gabriel insistiu em supervisionar o assassinato do centro de operações no Boulevard Rei Saul. Mas, na maior parte do tempo, o diretor geral fez o Escritório vir até ele. Uzi Navot era uma visita frequente da rua Narkiss, assim como Yossi

Gavish, Eli Lavon, Rimona Stern, Yaakov Rossman e Mikhail Abramov. Uma ou duas vezes por semana, eles se reuniam na sala de estar, ou em um dos jantares luxuosos de Chiara, para revisar as operações atuais e planejar novas. De vez em quando, pressionavam Gabriel para revelar o nome que ele sussurrou no ouvido do primeiro-ministro, mas Gabriel recusava-se veementemente. Eles tinham a confiança, porém, de que ele nunca passaria o Escritório a um estranho, o que significava que um deles teria o azar de seguir os passos de uma lenda.

Mas estava claro que a lenda não era mais a mesma. Gabriel tentou esconder a dor da sua equipe, e da esposa e dos filhos, mas às vezes o menor dos movimentos provocava uma careta no rosto. Sua visita semanal ao Centro Médico de Hadassah raramente passava sem que um dos médicos comentasse que ele tinha sorte de estar vivo. Se a bala tivesse entrado no peito alguns milímetros para baixo, teria sangrado até a morte antes que a ambulância chegasse. Mais alguns milímetros para baixo ainda, declararam eles, e Gabriel teria morrido na hora.

Os médicos prescreveram uma série de exercícios para recuperar as forças. Ao invés disso, ele leu pilhas de documentos secretos. E quando sentiu vontade, pintou. As obras estavam cheias de poder e emoção, o tipo de pintura pelas quais ele teria sido conhecido se tivesse se tornado um artista em vez de um assassino. Um dos quadros era o retrato de uma louca segurando uma arma.

— É muito mais do que ela merece — disse Chiara.

— É uma porcaria completa.

— Você é muito exigente consigo mesmo.

— É de família.

Foi então, diante do cavalete, que Gabriel contou a Chiara pela primeira vez que tinha ouvido a voz da mãe quando estava morrendo. E que tentou convencer a louca retratada na pintura, uma deputada do interior dos Estados Unidos, a largar a arma.

— Ela disse alguma coisa para você?

— Ela me chamou de bebedor de sangue. E era bastante óbvio que ela acreditava que isso fosse verdade. Quase senti pena dela. Mesmo se eu tivesse uma arma...

Chiara terminou o pensamento por ele.

— Você não tem certeza se teria sido capaz de usá-la.

Apesar do tema, Chiara achou que a pintura tinha qualidade suficiente para ser pendurada, mas Gabriel a despachou para o depósito onde guardava os quadros de sua mãe e as obras da primeira esposa, Leah. Perto do fim de abril, quando a campanha nacional agressiva de vacinação de Israel permitiu a reabertura de grande parte do país, ele obteve permissão para visitá-la pela primeira vez em mais de um ano. O hospital onde a mãe de Gabriel residia ficava no topo do monte Herzl, perto das ruínas da antiga vila árabe de Deir Yassin. Sofrendo de uma combinação de síndrome de estresse pós-traumático aguda e depressão psicótica, ela não tinha conhecimento da pandemia global ou do tiro quase fatal que ele levara em Washington. Sentados sob uma oliveira no frescor do jardim murado, os dois reviveram, palavra por palavra, uma conversa que tiveram em uma noite de neve em Viena trinta anos antes. Ela, mais uma vez, pediu a Gabriel para ter certeza de que Dani estava afivelado ao assento de carro corretamente. Naquele momento, como na ocasião, Gabriel garantiu que a criança estava segura.

Emocionalmente esgotado pelo encontro, ele levou Chiara e os filhos ao Focaccia na rua Rabi Akiva, o restaurante favorito da família Allon em Jerusalém. Suas fotos logo bombaram nas redes sociais, juntamente com uma longa discussão a respeito do pedido de Gabriel, fígado de frango com purê de batata. O *Haaretz*, maior jornal de Israel, sentiu-se compelido a publicar uma reportagem longa sobre a aparição pública, incluindo citações de dois dos médicos mais importantes de Israel. O consenso geral era que

Gabriel estava começando a se parecer um pouco mais com ele mesmo novamente.

Na noite seguinte, eles fizeram uma peregrinação a Tiberíades, que vinha sendo muitas vezes adiada, para celebrar o Shabat com os Shamron. Durante o jantar, Ari repreendeu Gabriel por se deixar levar um tiro de uma deputada americana — "Que indignidade! Como você pôde ser tão descuidado?" — para depois voltar a atenção para o futuro. Não foi surpresa que ele viesse conversando com o primeiro-ministro a respeito do plano de sucessão de Gabriel. O chanceler ficou intrigado com a ideia de nomear uma mulher, mas não tinha certeza se Rimona estava pronta para o cargo. Shamron calculou que aquilo tinha cinquenta por cento de chance de acontecer, embora acreditasse que, com uma insistência teimosa, ele seria capaz de arrastá-la até a linha de chegada.

— A menos que...

— A menos que o quê, Ari?

— Eu consiga convencer você a ficar para um segundo mandato.

Até as crianças riram da sugestão.

No fim do jantar, Shamron convidou Gabriel para se juntar a ele no terraço com vista para o mar da Galileia. Depois de se acomodar em uma cadeira perto da balaustrada, ele acendeu um cigarro turco fedorento com o velho isqueiro Zippo e voltou ao assunto do breve contato de Gabriel com a morte em Washington.

— Outro ato inédito da sua parte — comentou Shamron. — Você é o único chefe na história do Escritório a ter matado no cumprimento do dever. E agora você é o único que levou um tiro.

— Eu recebo uma menção honrosa por esse tipo de coisa?

— Não se depender de mim. — Shamron balançou a cabeça lentamente. — Espero que tenha valido a pena.

— É bem possível que eu tenha salvado a vida do novo presidente. Ele não vai se esquecer disso.

— E quanto aos outros integrantes do governo dele?

— Eles são apenas democratas, Ari. Não é como se o Hezbollah fosse comandar o Departamento de Estado.

— Mas podemos contar com eles?

— O presidente e a equipe dele?

— Não — disse Shamron. — Os americanos.

— O presidente garantiu a seus aliados europeus tradicionais que os Estados Unidos estão de volta ao jogo, mas eles ainda não estão convencidos. Não depois do que eles passaram nos últimos quatro anos. E o ataque ao Capitólio os deixou ainda mais céticos.

— O que é justo — respondeu Shamron. — Quem eram aquelas criaturas que vandalizaram aquele belo edifício? O que querem?

— Eles dizem que querem seu país de volta.

— De quem? — perguntou Shamron, incrédulo. — Eles não estudaram a própria história? Não sabem o que acontece quando uma nação se dilacera? Não percebem a sorte que têm por viver em uma democracia?

— Eles não acreditam mais na democracia.

— Vão acreditar se ela desaparecer.

— Não se o lado deles estiver no controle.

— Um regime autoritário nos Estados Unidos? Uma família governante? Fascismo?

— Hoje em dia chamamos isso de majoritarismo.

— Que educado — comentou Shamron. — Mas e as minorias?

— Os votos delas não contam.

— Como eles vão conseguir fazer isso?

— Você conhece o velho ditado a respeito de eleições, Ari. Não se trata da votação, mas da contagem.

— Seu amigo de Moscou descobriu isso há muito tempo. — Shamron apagou o cigarro. — Presumo que você esteja planejando retaliar?

— Os americanos estão fazendo isso por mim.

— Existem sanções — comentou Shamron com conhecimento de causa — e eis que existem *sanções*, se você me entende.

— Tenho trabalhado para o Escritório entre idas e vindas desde os 22 anos, Ari. Eu sei o que você quer dizer quando se refere a sanções. Na verdade, tenho idade suficiente para lembrar quando costumávamos nos referir a um assassinato como tratamento negativo.

Shamron ergueu a mão indagando.

— E aí?

— Depois de considerar o assunto cuidadosamente, estou tentado a deixar para lá.

Shamron olhou feio para Gabriel como se ele tivesse questionado a existência do criador.

— Mas você *tem* de reagir.

— Você sabe quantos russos eu matei ou sequestrei desde a eclosão de nossa guerrinha particular? Mesmo eu não tenho certeza se posso contar todos. Além disso, tirei algo dele, algo mais importante que a vida.

— O dinheiro?

Gabriel concordou com a cabeça.

— E provei ao povo russo que ele não passa de um ladrão. Quem sabe? Com um pouco de sorte, a próxima cidadela do governo a ser invadida por seu próprio povo será o Kremlin.

— Uma revolta popular na Rússia?

— É o maior medo dele.

— Meu maior medo — disse Shamron — é que, assim que você se mudar para a Itália, eu leia uma reportagem no jornal contando que seu corpo foi pescado em um canal de Veneza. É por isso que você deve adiar sua partida até que a situação se resolva.

— Quanto tempo você acha que vai levar?

— Dez ou quinze anos. — Shamron deu um sorriso malicioso. — Só para garantir.

— Chiara e as crianças vão embora no dia seguinte ao fim do meu mandato, com ou sem mim.

— Foi tão ruim assim?

— Washington foi a gota d'água.

— Mas não o último ato, espero.

— Eu prometi para minha esposa que passaria meus últimos anos na Terra fazendo com que ela seja feliz. Pretendo manter essa promessa.

— E a *sua* felicidade? — perguntou Shamron.

Gabriel não respondeu.

— Você ainda sofre por eles?

— Cada minuto de cada dia.

— Existe algum espaço em seu coração para mim?

— Você não vai a lugar algum.

— Eu treinei você para mentir melhor do que isso, meu rapaz. — Shamron ficou em silêncio por um momento. — Você se lembra daquele dia em setembro quando vim buscá-lo?

— Como se fosse ontem.

— Eu gostaria que pudéssemos fazer tudo aquilo de novo.

— A vida não funciona assim, Ari.

— Sim. Isso não é terrível?

67

MASON'S YARD, ST. JAMES'S

A primeira crítica da gravação mais recente do amado Concerto para violoncelo em Si Menor de Dvořák apareceu no site da revista *Gramophone*. A solista era a até então desconhecida Isabel Brenner, e o maestro, o lendário Daniel Barenboim. A química entre os dois, escreveu o crítico, era evidente pela fotografia da capa e pelo poder de suas execuções — especialmente a da srta. Brenner, que era notável por seu tom luminoso e assustador. O resto do material foi Waldesruhe de Dvořák e a Sonata para violoncelo de Brahms em Fá Maior. Para as peças de câmara, Isabel foi acompanhada pela pianista Nadine Rosenberg, talvez mais conhecida por sua longa colaboração com a renomada violinista suíça Anna Rolfe.

A biografia concisa da artista contida no material para a imprensa documentava a jornada notável de Isabel do anonimato ao sucesso musical — pelo menos uma parte dela. Nascida na antiga cidade de Trier, Isabel estudou piano sob a tutela da mãe antes de passar para o violoncelo. Aos dezessete anos foi agraciada com o terceiro lugar na prestigiosa Competição Internacional de Música de ARD, garantindo assim a admissão ao conservatório de sua escolha. Em vez disso, ela se formou em matemática aplicada na Universidade

Humboldt de Berlim e na Escola de Economia de Londres, e embarcou em uma carreira no ramo de serviços financeiros — para qual empresa, o texto propositalmente não dizia.

Mas uma repórter de finanças perspicaz do *Guardian*, ela mesma uma entusiasta de música clássica, lembrou-se de que uma Isabel Brenner tinha conexão com a notória Lavanderia Russa do Rhine-Bank, cujo colapso recente estava afetando os mercados financeiros globais. A repórter ligou para o poderoso advogado que representava Anil Kandar, o ex-executivo do RhineBank agora sendo julgado por lavagem de dinheiro e fraude, e perguntou se Isabel Brenner, a violoncelista, também era Isabel Brenner, a banqueira alemã corrupta.

— É a mesma moça — respondeu o advogado.

A reportagem produziu inesperadamente um aumento notável nas vendas, assim como uma crítica entusiasmada de cinco estrelas na revista *BBC Music*. Mas foi a entrevista sensacional de Isabel com Anderson Cooper no *60 Minutes* que impulsionou o álbum para o primeiro lugar na Grã-Bretanha e nos Estados Unidos. Sim, Isabel admitiu, ela havia trabalhado para a Lavanderia Russa do Rhine-Bank, mas apenas como um meio de reunir informações e coletar documentos incriminatórios. Ela entregou esses documentos à repórter investigativa Nina Antonova e ao lendário chefe de espionagem israelense Gabriel Allon, que a recrutou para uma operação contra Arkady Akimov. Com Allon guiando todas as ações de Isabel, ela entrou no círculo íntimo do russo e ajudou a lavar e esconder vários bilhões de dólares em bens saqueados da Rússia.

— Arkady confiou em você? — perguntou Cooper.

— Cegamente.

— Por quê?

— Por causa da música, creio eu.

— Você esteve em perigo em algum momento?

— Várias vezes.

— O que você fez?

— Eu improvisei.

A entrevista foi uma sensação global, especialmente na Rússia, onde na manhã seguinte o corpo esmagado de Arkady Akimov foi descoberto no pátio de um prédio residencial na travessa Baskov em São Petersburgo, após ter caído da janela de um andar superior. A polícia declarou a morte como suicídio, apesar de o corpo mostrar sinais de vários ferimentos contundentes.

Isabel, escondida em um local não revelado, não quis comentar. E também não falou do assunto quando chegou à Grã-Bretanha em meados de julho para seu espetáculo de estreia no Barbican Centre de Londres. Foi impossível conseguir ingressos — apenas metade do número normal estava disponível para compra — e a segurança foi excepcionalmente rígida. Entre os presentes estavam o financista suíço Martin Landesmann e sua esposa, Monique.

Depois de retornar três vezes ao palco para receber os aplausos da plateia, Isabel foi levada secretamente por Londres até um refúgio tranquilo em St. James's conhecido como Mason's Yard. Lá, no glorioso salão de exibição superior da Isherwood Fine Arts, ela foi festejada como se fosse uma integrante da família, o que de fato era.

— Milagrosa! — declarou Julian Isherwood.

— Realmente — concordou Oliver Dimbleby.

Sarah arrancou Isabel das mãos de Oliver e a apresentou a Jeremy Crabbe, que estava igualmente fascinado. Com relutância, ele passou Isabel a Simon Mendenhall, o leiloeiro cheio de charme da Christie's, e Simon a entregou para Amelia March da *ARTNews*, que foi a única repórter presente.

Depois de dar uma citação adequada para a reportagem de Amelia, Isabel pediu licença e se aproximou do único homem na festa que parecia não ter interesse em falar com ela. Ele estava parado diante de uma paisagem de Claude, com a mão no queixo e a cabeça ligeiramente inclinada para o lado.

— Melhor do que aquela natureza morta no esconderijo à beira do lago — disse Isabel.

— Muito melhor — concordou Gabriel.

Ela olhou ao redor do salão.

— Amigos seus?

— Pode-se dizer que sim.

— Onde está o sr. Marlowe?

— Evitando aquela mulher ali.

— Ela se parece com alguém que eu vi alguma vez em uma revista de moda.

— Você viu, sim.

— Por que ele quer *evitá-la*?

— Porque ele está morando com aquela outra ali.

— Sarah?

Gabriel concordou com a cabeça.

— Ela é mais um dos meus projetos de restauração. Assim como a ex-modelo.

— E eu pensei que a minha vida era complicada. — Isabel observou Gabriel com atenção. — Devo dizer que você parece muito bem para alguém que tem sorte de estar vivo.

— Você deveria ter me visto há alguns meses.

— A cicatriz é muito feia?

— Eu tenho duas, na verdade.

— Elas ainda doem?

Gabriel sorriu.

— Só quando eu rio.

* * *

Ele foi o primeiro a sair da festa. Não foi surpresa que ninguém tenha parecido notar que Gabriel havia partido. Isabel foi embora logo depois, mas os outros permaneceram até quase meia-noite, quando o último Bollinger Special Cuvée finalmente secou. Ao sair pela porta, Olivia Watson soprou um beijo decoroso para Sarah com aqueles lábios vermelhos perfeitos dela. Entredentes em um sorriso congelado, Sarah sussurrou:

— Vadia.

Ela supervisionou a equipe do *catering* enquanto eles empacotavam as garrafas vazias e as taças sujas. Em seguida, depois de acionar o sistema de segurança da galeria, ela entrou em Mason's Yard. Christopher estava encostado no capô do Bentley, com um Marlboro apagado nos lábios. Seu isqueiro Dunhill se acendeu.

— Como foi a festa?

— Por que você não pergunta para Olivia?

— Ela me disse para perguntar para você.

Franzindo a testa, Sarah se sentou no banco do carona.

— Sabe — disse ela, enquanto o carro acelerava rumo a oeste por Piccadilly —, nada disso teria acontecido se eu não tivesse encontrado aquela Artemisia.

— A não ser por Viktor — argumentou Christopher.

— Sim — concordou Sarah. — Pobre Viktor.

Ela acendeu um dos cigarros de Christopher e acompanhou Billie Holiday enquanto o Bentley seguia pela Brompton Road em direção a Kensington. Quando eles pararam no Queen's Gate Terrace, Sarah notou uma luz acesa no andar inferior do duplex.

— Você deve ter esquecido…

— Eu não esqueci. — Christopher enfiou a mão dentro do paletó e sacou a Walther PPK. — Não vou demorar.

* * *

A porta estava entreaberta, e a cozinha, deserta. Na bancada de granito, encostado em uma garrafa vazia de rosé corso, estava um envelope. O nome de Christopher estava escrito com uma caligrafia estilosa na frente. Dentro havia um papel de carta com margem, de alta qualidade.

— O que está escrito? — perguntou Sarah, da porta aberta.

— Ele está se perguntando se você e eu devemos nos casar.

— Verdade seja dita, estive me perguntando a mesma coisa.

— Nesse caso...

— Sim?

Christopher colocou o bilhete de volta no envelope.

— Talvez a gente deva se casar.

NOTA DO AUTOR

A violoncelista é uma obra de entretenimento e não deve ser lida como algo além disso. Nomes, personagens, lugares e incidentes retratados na história são produtos da imaginação do autor ou foram usados de maneira fictícia. Qualquer semelhança com pessoas reais, vivas ou mortas, lojas, empresas, eventos ou locais é mera coincidência.

Quem visitar Mason's Yard em St. James's vai procurar em vão a Isherwood Fine Arts — mas vai encontrar a galeria extraordinária, dedicada às obras de antigos mestres, de propriedade de meu querido amigo Patrick Matthiesen. Um historiador da arte brilhante e abençoado com um olho infalível, Patrick nunca teria permitido que uma obra de Artemisia Gentileschi, que tinha sido atribuída por engano, definhasse em seus depósitos por quase meio século. A pintura retratada em *A violoncelista* não existe. Se existisse, seria muito parecida com a produzida pelo pai de Artemisia, Orazio, que está na National Gallery of Art em Washington.

Assim como Julian Isherwood e sua nova sócia-gerente, Sarah Bancroft, os habitantes da minha versão do mundo da arte de Londres são fictícios, bem como suas tramas às vezes questionáveis. A bebedeira no meio do ano no Wilton's Restaurant teria sido permissível, visto que o famoso restaurante de Londres reabriu brevemente as portas antes que um aumento nas taxas de infecção pela Covid obrigasse o primeiro-ministro Boris Johnson a fechar todos os negócios não essenciais. Sempre que possível, tentei aderir às condições vigentes e às restrições impostas pelos governos. Mas, quando necessário, me concedi a licença para contar minha história sem o peso esmagador da pandemia. Escolhi a Suíça como cenário principal para *A violoncelista* porque a vida lá transcorreu normalmente até novembro de 2020. Dito isso, uma recepção e um concerto particulares no Kunsthaus Zürich, mesmo por uma causa tão digna como a democracia, provavelmente não poderia ter acontecido em meados de outubro.

Apresento minhas imensas desculpas à renomada Janine Jansen pela comparação nada lisonjeira com Anna Rolfe. A srta. Jansen é considerada, com justiça, uma das melhores violinistas de sua geração, e Anna, é claro, existe apenas na minha imaginação. Ela foi apresentada no segundo romance de Gabriel Allon, *The English Assassin*, junto com Christopher Keller. Martin Landesmann, meu financista suíço engajado, embora cheio de defeitos, fez sua estreia em *O caso Rembrandt*. A história do duelo sangrento entre Gabriel e o traficante de armas russo Ivan Kharkov é contada em *As regras de Moscou* e em sua sequência, *O desertor*.

Os devotos de F. Scott Fitzgerald notaram, sem dúvida, a citação brilhante de *O grande Gatsby* que aparece no capítulo 32 de *A violoncelista*. Que fique registrado que sei muito bem que a sede do Serviço Secreto de Inteligência de Israel não está mais localizada no Boulevard Rei Saul, em Tel Aviv. Não há um esconderijo no *moshav* histórico de Nahalal — pelo menos, nenhum que eu conheça — e Gabriel e sua família não moram na rua Narkiss, na Jerusalém Ocidental. De vez em quando, porém, eles podem ser vistos no Focaccia, na rua Rabbi Akiva, um dos meus restaurantes favoritos em Jerusalém.

Foi o Deutsche Bank AG, a potência bancária alemã, não o meu fictício RhineBank, que financiou a construção do campo de extermínio de Auschwitz e a fábrica próxima que fabricava pastilhas de Zyklon B. E foi o Deutsche Bank que ganhou milhões de marcos nazistas por meio da arianização de lojas e empresas de propriedade de judeus. O Deutsche Bank também incorreu em multas pesadas de bilhões de dólares por ajudar países desonestos como o Irã e a Síria a escaparem das sanções econômicas dos Estados Unidos; por manipular a taxa de empréstimo interbancário de Londres; por vender títulos hipotecários tóxicos a investidores incautos; e por lavar incontáveis bilhões de bens russos sujos por meio de sua chamada Lavanderia Russa. Em 2007 e 2008, o Deutsche Bank estendeu uma linha de crédito sem garantia de um bilhão de dólares ao VTB Bank, um banco de empréstimos controlado pelo Kremlin que financiava os serviços russos de inteligência e concedeu empregos de fachada a espiões russos que atuavam no exterior. O que significa que o maior banco de empréstimos da Alemanha, conscientemente ou não, foi um sócio silencioso na guerra de Vladimir Putin contra o Ocidente e a democracia liberal.

Cada vez mais, essa guerra está sendo travada pelos amigos ricos de Putin e por empresas privadas como o Grupo Wagner e a Agência de Pesquisa da Internet, a fábrica de trolls de São Petersburgo que supostamente se intrometeu na eleição presidencial americana de 2016. A Agência de Pesquisa da Internet foi uma das três empresas russas citadas em uma ampla acusação feita pelo Departamento de Justiça em fevereiro de 2018 que detalhou o alcance e a sofisticação da interferência russa. De acordo com o procurador especial Robert S. Mueller III, os agentes cibernéticos russos roubaram as identidades de cidadãos americanos, se fizeram passar por ativistas políticos e religiosos nas redes sociais e usaram temas sérios e polêmicos, como raça e imigração, para inflamar um eleitorado já dividido — tudo em apoio a seu candidato preferido, o astro de reality shows e incorporador imobiliário Donald Trump. Agentes russos até viajaram aos Estados Unidos para coletar informações. Eles concentraram esforços nos principais estados do campo de batalha eleitoral e, notavelmente, se coordenaram em segredo com os integrantes da campanha Trump em agosto de 2016 para organizar comícios na Flórida.

A interferência russa também incluiu uma invasão no sistema de computadores do Comitê Nacional Democrata, que resultou em um vazamento politicamente arrasador de milhares de e-mails e provocou uma desordem na convenção democrata na Filadélfia. Em seu relatório final, divulgado em abril de 2019 com trechos omitidos por questão de sigilo judicial, Robert Mueller disse que os atos de Moscou fizeram parte de uma campanha "abrangente e sistemática" para ajudar Donald Trump e enfraquecer sua rival democrata, Hillary Clinton. Mueller não foi capaz de estabelecer uma conspiração criminosa concreta entre a campanha de Trump e o governo russo, embora o relatório tenha notado que as principais testemunhas usaram comunicações criptografadas, tiveram comportamentos obstrutivos, deram testemunho falso ou enganoso ou optaram por não testemunhar. Talvez o mais condenatório tenha sido a conclusão do conselho especial de que a campanha de Trump "esperava se beneficiar em termos eleitorais das informações roubadas e divulgadas por meio dos atos russos".

Um relatório completo de cinco volumes divulgado em agosto de 2020 pelo Comitê de Inteligência do Senado, liderado pelos republicanos, foi ainda mais longe, retratando os conselheiros seniores de Trump como dispostos a obter ajuda do principal adversário global dos Estados Unidos. O relatório — o auge de uma investigação de três anos — detalhou uma rede complexa de contatos entre a campanha de Trump e os russos ligados ao Kremlin e os serviços russos de inteligência. A papelada dizia que "a única conexão mais direta" era Paul Manafort, o veterano agente republicano com gosto por uma vida de luxo — seu enorme guarda-roupa de peças caras incluía uma jaqueta de couro de avestruz de 15 mil dólares —, que atuou brevemente como gerente da campanha. Manafort, sugeriu o comitê, estava prejudicado pelo fato de ter ganhado dezenas de milhões de dólares representando candidatos políticos pró-Kremlin na Ucrânia. Ele também tinha uma enorme dívida com o oligarca russo Oleg Deripaska, a quem o comitê caracterizou como um "representante" do Kremlin e dos serviços de inteligência da Rússia.

Mas mesmo Oleg Deripaska deve ter ficado surpreso quando, nas primeiras horas da manhã de 9 de novembro de 2016, Donald Trump apareceu diante de apoiadores atordoados em um salão de baile de hotel em Manhattan como o presidente eleito da nação mais poderosa do mundo. Depois de se firmar no cargo, Trump elogiou bandidos autoritários, recebeu populistas europeus antidemocráticos na Casa Branca, reduziu os esforços do país para promover a democracia em todo o mundo e abalou as relações com aliados tradicionais, como Reino Unido, Alemanha, França e Canadá. E uma vez, durante uma reunião no Salão Oval com o ministro das Relações Exteriores russo e o embaixador em Washington, Trump divulgou informações altamente confidenciais fornecidas por um aliado próximo no Oriente Médio — informações que eram tão delicadas que não tinham sido amplamente compartilhadas dentro do próprio governo dos Estados Unidos. Esse aliado do Oriente Médio era Israel, e a violação, segundo disseram, teria colocado em risco uma operação que deu à espionagem israelense a capacidade de observar o funcionamento interno do Estado Islâmico na Síria.

Mas talvez o mais inquietante tenha sido a determinação de Trump em retirar os Estados Unidos da Otan, um alicerce da ordem global do pós-guerra. O ex-chefe de gabinete da Casa Branca, John Kelly, teria dito que "uma das tarefas mais difíceis que enfrentou" foi tentar impedir Trump de se retirar da aliança. John Bolton, depois de renunciar ao cargo de conselheiro de segurança nacional, escreveu que estava convencido de que Trump se retiraria da Otan se eleito para um segundo mandato.

A obsessão de Trump em minar a Otan e sua fidelidade excêntrica em relação a Vladimir Putin levantaram questões incômodas a respeito de sua lealdade, assim como seu desempenho em uma reunião de cúpula altamente esperada com Putin em Helsinque em julho de 2018. Com o líder russo ao lado, Trump desafiou a conclusão de sua própria comunidade de inteligência de que Moscou se intrometeu na eleição. Até colegas republicanos o condenaram, com o falecido senador John McCain, do Arizona, chamando as declarações de "as mais vergonhosas" feitas por um presidente americano de que se tem lembrança. Naquela noite, uma frase antes imponderável, escrita pelo colunista Thomas L. Friedman, apareceu no *New York Times*: "Há provas contundentes de que nosso presidente, pela primeira vez em nossa história, está tendo um comportamento traiçoeiro, propositalmente ou por negligência grosseira ou por causa de sua própria personalidade deturpada."

Friedman não estava sozinho em suas preocupações sobre a conduta do presidente. De acordo com o lendário repórter Bob Woodward, Dan Coats, o ex-senador republicano conservador de Indiana, que serviu como o primeiro diretor de inteligência nacional de Trump, temia que o presidente dos Estados Unidos estivesse agindo como um aliado russo. Coats, escreveu Woodward em *Raiva*, sua obra-prima de 2020, "continuou a nutrir a convicção secreta — uma convicção que havia crescido em vez de diminuído, embora não fosse apoiada por provas de inteligência — de que Putin sabe alguma coisa a respeito de Trump".

Sem dúvida, Coats ficou assustado por Trump não ter medido esforços para esconder detalhes de seus encontros cara a cara com Putin. Em uma ocasião, após uma reunião em Hamburgo, Trump supostamente tomou a medida extraordinária de confiscar as anotações manuscritas de seu intérprete. De acordo com o *Washington Post*, não há registro detalhado, em nenhum lugar dos arquivos do governo dos Estados Unidos, dos cinco encontros entre Donald Trump e Vladimir Putin.

A comunidade de inteligência dos Estados Unidos concluiu que Putin, determinado a manter Trump no cargo, autorizou uma segunda intervenção russa durante a campanha presidencial de 2020. Historicamente impopular, prejudicado pela gestão inepta da pandemia de Covid, Trump, no entanto, se tornou o primeiro presidente em exercício desde George H. W. Bush a ter a reeleição negada pelo povo americano. Ele recebeu 232 votos eleitorais, muito aquém dos 270 exigidos, e perdeu no voto popular por diferença de sete milhões, uma margem de 4,4 por cento. Desde 1960, cinco eleições foram mais próximas. No entanto, nenhum dos outros candidatos derrotados — Richard Nixon, Hubert Humphrey, Gerald Ford, Al Gore e John Kerry — se recusou a admitir a derrota, perturbou a transição formal de poder ou incitou uma insurreição violenta. Por outro lado, nenhum outro candidato presidencial na história americana jamais solicitou, aceitou e explorou a ajuda de uma potência estrangeira hostil. Essa distinção é exclusiva de Donald Trump.

Sua recusa em aceitar os resultados da eleição deixou o país perigosamente dividido. Também serviu para radicalizar ainda mais o Partido Republicano. Pippa Norris, da Escola Kennedy de Governo de Harvard, concluiu que o Partido Republicano de Trump é agora um grupo populista autoritário que está "disposto a minar os princípios democráticos em busca do poder", assim como o de extrema-direita Alternativa para a Alemanha, o Partido da Liberdade da Áustria e a União Cívica Húngara, liderada pelo homem forte Viktor Orbán.

Pesquisas recentes parecem apoiar a conclusão da professora Norris. Uma grande parte dos eleitores republicanos não acredita mais na democracia. Ainda mais assustador, uma pesquisa do conservador American Enterprise Institute descobriu que 39 por cento dos republicanos apoiam o uso da violência para atingir seus objetivos políticos. Muitos falam abertamente a respeito de uma guerra civil. A delegação do partido no Congresso agora inclui dois integrantes — Lauren Boebert, do Colorado, e Marjorie Taylor Greene, da Geórgia — que expressaram apoio a elementos da teoria da conspiração antissemita de extrema direita conhecida como QAnon. Antes de vencer em seu arraigado distrito republicano da Geórgia, Greene também expressou apoio on-line para a execução de agentes do FBI e integrantes democratas do Congresso, incluindo a presidente da Câmara, Nancy Pelosi. Outro integrante republicano da classe de calouros de 2020, Mary Miller, citou Adolf Hitler de maneira favorável durante um discurso ardente, preparado no dia anterior à insurreição do Capitólio. E, no entanto, a excelentíssima deputada do sudeste de Illinois continua sendo uma integrante que está nas graças da Conferência Republicana da Câmara.

Vladimir Putin certamente aprova tudo isso. Sim, Donald Trump acabou decepcionando o presidente russo por não conseguir realizar a retirada americana da Otan, mas os danos domésticos deixados renderão dividendos nos anos vindouros. O cerco ao Capitólio por si só já valeu o investimento da Rússia. Aqueles supremacistas brancos, neonazistas, antissemitas e teóricos da conspiração QAnon que saquearam o templo da democracia americana em nome de Donald Trump também estavam cumprindo as ordens de Putin. Assim como os apresentadores de programas de entrevistas no rádio e no noticiário de TV a cabo, que alimentaram a fúria dos insurgentes com fantasias infundadas a respeito de uma eleição roubada. Um país politicamente dividido e desestabilizado — um país à deriva em direção ao nacionalismo branco, autoritarismo e isolacionismo — não representará nenhum desafio para Putin em casa ou nas terras onde ele pretende estender sua influência maligna. Para Vladimir Putin, foi um dinheiro bem gasto.

AGRADECIMENTOS

Desnecessário dizer que não planejei, no meio do ano de 2020, escrever um romance que apresentasse uma insurreição inspirada por um presidente americano e uma posse conduzida sob a ameaça de um ataque armado por parte de cidadãos americanos. Mas nos dias que se seguiram ao cerco do Capitólio, resolvi incluir a quase morte da democracia americana na minha história da guerra implacável da Rússia contra o Ocidente. Joguei fora o final existente e reescrevi muito do manuscrito em um período de seis semanas. Tal empreendimento não teria sido possível sem o apoio editorial e emocional de minha esposa, a correspondente especial da CNN Jamie Gangel, que estava relatando os próprios acontecimentos sobre os quais eu escrevia. Ela revisou as últimas mudanças substanciais enquanto estava sentada no set dos estúdios da emissora em Washington, esperando para ir ao ar. Minha dívida para com ela é incomensurável, assim como meu amor.

Falei com vários agentes de inteligência e analistas da Rússia enquanto escrevia *A violoncelista*, e agradeço a eles agora no anonimato, que é como eles prefeririam. Minhas conversas frequentes com integrantes republicanos do Congresso e funcionários do alto escalão do governo durante os quatro anos turbulentos da presidência de Trump me deram uma visão singular de uma Casa Branca e de um governo federal em desordem. Minha descrição do diretor da CIA retirando informações relacionadas à Rússia do Resumo Diário do Presidente é baseada em informações fornecidas a mim por uma fonte incontestável.

Anthony Scaramucci, fundador da firma de investimentos SkyBridge Capital, me deu um tutorial atencioso a respeito da ousadia da lavagem de dinheiro feita pelos russos que moldou minha operação contra o Kremlin S/A. Obviamente, os erros e a licença dramática são meus, não dele. Bob Woodward foi tanto uma fonte de informação quanto de inspiração. Suas reportagens e textos incomparáveis a respeito do último ano caótico da presidência de Trump, sem dúvida, mudaram o curso da história.

O dr. Jonathan Reiner, diretor de cateterismo cardíaco da Universidade George Washington e analista médico da CNN, reservou um tempo de sua agenda lotada para tratar Sarah Bancroft, que foi exposta a um agente nervoso russo mortal, e Gabriel Allon, que sofreu um ferimento à bala profundo perto do coração. David Chalian, o diretor político da CNN, fez a gentileza de verificar a precisão da minha versão relacionada à eleição, e David Bull revisou os trechos da história envolvendo a descoberta, venda e restauração de minha pintura fictícia de Artemisia Gentileschi. Um dos melhores conservadores de arte do mundo, David teria sido uma escolha muito melhor para o projeto do que Gabriel, que, afinal, dirigia simultaneamente uma operação e um serviço de inteligência.

Consultei centenas de artigos de jornais e revistas, um volume grande demais para citar aqui, junto com dezenas de livros. Seria negligência da minha parte não mencionar os seguintes: *O novo czar: Ascensão e reinado de Vladimir Putin*, de Steven Lee Myers; *The Man Without a Face: The Unlikely Rise of Vladimir Putin*, de Masha Gessen; *Russia's Crony Capitalism: The Path from Market Economy to Kleptocracy*, de Anders Åslund; *Putin's Kleptocracy: Who Owns Russia?*, de Karen Dawisha; *Shadow State: Murder, Mayhem, and Russia's Remaking of the West*, de Luke Harding; *Alerta vermelho: Como me tornei o inimigo número um de Putin*, de Bill Browder; *Torres negras: Deutsche Bank, Donald Trump e um rastreio épico de destruição*, de David Enrich; e *House of Trump, House of Putin: The Untold Story of Donald Trump and the Russian Mafia*, de Craig Unger.

Meu querido amigo Louis Toscano, autor de *Triple Cross* e *Mary Bloom*, fez melhorias incontáveis ao romance, e Kathy Crosby, minha revisora pessoal de olhar aguçado, garantiu que ele não contivesse erros tipográficos e gramaticais. Todos os erros que escaparam de suas defesas formidáveis são meus, não deles.

Eu tenho uma dívida com Michael Gendler, meu superadvogado de Los Angeles, que não posso pagar. Além disso, aos vários amigos que forneceram risadas muito necessárias em momentos críticos durante o ano de escrita, especialmente Jeff Zucker, Phil Griffin, Andrew Lack, Noah Oppenheim, Andy Lassner, Sally Quinn, Elsa Walsh, Peggy Noonan, Susan St. James e Dick Ebersol, Jane e Burt Bacharach, Stacey e Henry Winkler, Donna e Michael Bass, Virginia Moseley e Tom Nides, Nancy Dubuc e Michael Kizilbash, Susanna Aaron e Gary Ginsburg, Cindi e Mitchell Berger, Marie Brenner e Ernie Pomerantz, e Liz Cheney e Phil Perry.

Um sincero agradecimento à equipe notável da HarperCollins, especialmente Brian Murray, Jonathan Burnham, Jennifer Barth, David Koral, Leah Wasielewski, Leslie Cohen, Doug Jones, Josh Marwell, Mark Ferguson, Robin Bilardello, Milan Bozic, Frank Albanese, Leah Carlson-Stanisic, Carolyn Bodkin, Chantal Restivo--Alessi, Julianna Wojcik, Mark Meneses, Sarah Ried, Beth Silfin, Lisa Erickson e Amy Baker.

Por fim, agradeço o amor e o apoio de meus filhos, Lily e Nicholas. A resolução e determinação deles diante de um mundo virado de cabeça para baixo foram uma fonte de inspiração, assim como a bravura dos policiais que lutaram para defender nosso Capitólio em 6 de janeiro de 2021. Escrever um romance pareceu uma atividade bastante trivial em comparação.

SOBRE O AUTOR

Daniel Silva é reconhecido como um dos maiores autores de romance de espionagem contemporâneos. Ele é mais conhecido por sua longa série estrelada pelo espião e restaurador de arte Gabriel Allon. Os livros de Silva são best-sellers elogiados pela crítica em todo o mundo e foram traduzidos para mais de trinta idiomas. Ele mora na Flórida com a esposa, a jornalista de televisão Jamie Gangel, e os gêmeos do casal, Lily e Nicholas. Para obter mais informações, visite www.danielsilvabooks.com.

Este livro foi impresso pela Cruzado,
em 2022, para a HarperCollins Brasil.
O papel do miolo é pólen soft 70g/m^2
e o da capa é cartão 250g/m^2.